EL PODER CURATIVO

de las FRUTAS y VERDURAS

EL PODER CURATIVO
de las FRUTAS y VERDURAS

Guía de enfermedades y sus tratamientos naturales.
Diccionario de las frutas y verduras esenciales.
Dietas saludables y consejos prácticos.
Más de 100 recetas fáciles y deliciosas.

Nicolás C. Reys
   El poder curativo de las frutas y verduras - 1a ed. - Buenos Aires :
Grupo Imaginador de Ediciones, 2007.

   ISBN: 978-950-768-606-1

   1. Medicina Popular. I. Título
   CDD 615.882

La información contenida en este libro no debe suplir en caso alguno a la opinión de
su médico, ni utilizarse en casos de emergencia médica, ni para realizar diagnósticos,
o para concretar tratamientos de enfermedad o condición médica alguna. Se debe
consultar siempre y en todos los casos a un médico calificado tanto para el
diagnóstico como para el tratamiento de cualquier dolencia y de la totalidad de los
problemas médicos.
Este libro sólo contiene material de divulgación, y ésa es su única finalidad.

Los editores

Fotografías: Archivo Gráfico de Editorial Imaginador

Diseño y diagramación: Carla A. Rosciano.

ACERCA DE ESTA EDICIÓN

Las frutas y las verduras, todos lo sabemos, poseen invalorables beneficios para nuestra salud. De nosotros depende conocer las claves para aprovechar al máximo su poder curativo.

Este libro se ofrece como "la" guía de consulta, y para ello en sus páginas encontrará el desarrollo completo de los siguientes temas:

- Guía alfabética de dolencias y la indicación de cuáles son las frutas y verduras ideales para acompañar el tratamiento médico o prevenir su aparición.
- Fichas alfabéticas de las frutas y verduras, con información nutricional, formas de consumo, consejos para la compra y otros secretos útiles.
- Recetario de bebidas y sopas curativas ordenados según la dolencia para la cual se recomienda su ingesta.
- Dietas preventivas y terapéuticas a base de frutas y verduras.
- Nociones importantes sobre otros aliados de la salud, como el aloe vera, la centella asiática, la espirulina, el ginseng, las semillas de lino, el té verde y las semillas de sésamo.

Además, una guía de consulta exprés impresa a todo color, para descubrir en forma rápida y sencilla cuáles son los beneficios que otorga cada una de las frutas y verduras incluidas en esta edición.

¿CÓMO UTILIZAR ESTE LIBRO?

Descubra el poder curativo de las frutas y verduras es una practiquísima guía de consulta organizada en capítulos que usted podrá recorrer en forma independiente, o enlazando información entre uno y otro, gracias a un novedoso sistema de iconos que le permitirán hallar lo que usted necesita saber sobre alguna fruta o verdura en particular en forma rápida y sencilla.

Vamos a un ejemplo concreto, tomando como referencia el limón. El icono con que se lo representa es el siguiente:

En el capítulo que da inicio a este libro, que contiene una guía de dolencias, usted encontrará este icono en varias de ellas y, junto a él, la indicación de la o las páginas donde vuelve a aparecer en otros capítulos del libro.

¿A dónde lo llevan estos números de página? En el caso específico del limón…

• le indican en qué otras dolencias del Capítulo 1 se recomienda su consumo;

• en qué página del Capítulo 2 se encuentra la ficha descriptiva;

• en cuál o cuáles recetas de jugos, licuados y sopas del Capítulo 3 figura como uno de los ingredientes;

• en cuál de las dietas incluidas en el Capítulo 4 aparece como integrante.

Por otro lado, los iconos se repiten cada vez que aparece mencionado el limón, lo que significa que en cualquier capítulo que usted desee consultar (sin comenzar necesariamente por el Capítulo 1) encontrará la remitencia a las demás páginas.

Este sistema se repite con todas y cada una de las frutas y verduras incluidas en esta edición, de modo que cumplimos con el objetivo de facilitar la consulta, haciéndola rápida y sencilla.

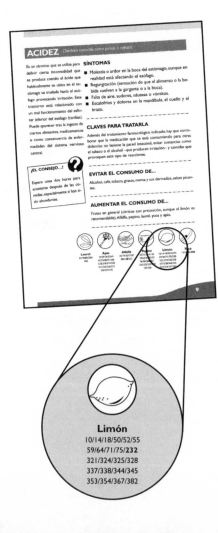

GUÍA DE DOLENCIAS

CAPÍTULO I

A continuación le presentamos una guía completísima de diversas dolencias y trastornos físicos, organizados en forma alfabética.

En cada caso se describe la dolencia, se enumeran los síntomas y se brindan las claves para tratarla. Luego, se indica qué alimentos deben evitarse y cuáles deben consumirse para prevenirla o tratarla.

En este punto, usted encontrará los iconos de cada una de las frutas y verduras cuyo consumo más se recomienda, de modo que pueda visualizarlas rápidamente para, si lo desea, obtener más información en los capítulos correspondientes.

Es un término que se utiliza para definir cierta incomodidad que se produce cuando el ácido que habitualmente se ubica en el estómago se traslada hasta el esófago provocando irritación. Este trastorno está relacionado con un mal funcionamiento del esfínter inferior del esófago (cardias). Puede aparecer tras la ingesta de ciertos alimentos, medicamentos o como consecuencia de enfermedades del sistema nervioso central.

¿EL CONSEJO...?

Espere unas dos horas para acostarse después de las comidas, especialmente si han sido abundantes.

SÍNTOMAS

- Molestia o ardor en la boca del estómago, aunque en realidad está afectando el esófago.
- Regurgitación (sensación de que el alimento o la bebida vuelven a la garganta o a la boca).
- Falta de aire, sudores, náuseas o vómitos.
- Escalofríos y dolores en la mandíbula, el cuello y el brazo.

CLAVES PARA TRATARLA

Además del tratamiento farmacológico indicado, hay que corroborar que la medicación que se está consumiendo para otras dolencias no lesione la pared intestinal, evitar sustancias como el tabaco o el alcohol –que producen irritación– y comidas que provoquen este tipo de reacciones.

EVITAR EL CONSUMO DE...

Alcohol, café, tabaco, grasas, menta y sus derivados, salsas picantes.

AUMENTAR EL CONSUMO DE...

Frutas en general (cítricos con precaución, aunque el limón es recomendable). Alfalfa, pepino, laurel, yuca y apio.

Laurel	Apio	Alfalfa	Pepino	Limón	Yuca
53/78/80/**224**	15/20/36/52/64	15/19/20/77/87	20/31/35/41/55	10/14/18/50/52/55	13/33/46/**308**
340	67/74/85/91/106	88/**1**28/322	59/63/67/85/93	59/64/71/75/**232**	
	132/318/319/320		96/98/**268**/321	321/324/325/328	
	321/325/326/327		322/325/327/329	337/338/344/345	
	328/329/335		330/368	353/354/367/382	

ACNÉ (También conocido como acné quístico, acné vulgaris y granos).

Se trata de una enfermedad eruptiva de la superficie cutánea, consecuencia de una alteración en las glándulas sebáceas de la piel de la cara, el cuello, el pecho y la espalda. Aunque lo más común es que el acné aparezca durante la adolescencia, también hay casos en adultos.

Entre los factores que influyen para su desarrollo, podemos mencionar el estrés, alteraciones endócrinas, algunos alimentos e incluso la reacción a ciertos fármacos.

¿EL CONSEJO...?

Un jugo muy recomendado para tratar esta dolencia es el que se prepara con 3 zanahorias, 20 hojas de espinaca y 10 de lechuga.

SÍNTOMAS

- Los cambios hormonales estimulan la producción de sebo, que luego produce los tapones de grasa en los folículos pilosebáceos. En caso de que se abran, la superficie se oscurece y aparece la espinilla.
- Cuando en la zona se forman nódulos infectados se habla de pústulas o pápulas.
- Dependiendo del grado de desarrollo, puede traer como consecuencia una baja autoestima en las personas que lo padecen, con las consecuencias que ello implica.

CLAVES PARA TRATARLO

Se puede controlar con tratamientos externos, medicación e incluso hay casos que llegan a ser quirúrgicos. Es importante limpiar la piel con los productos apropiados para controlar la grasa. Identificar cuáles son aquellas comidas o situaciones que aumentan la incidencia del acné.

EVITAR EL CONSUMO DE...

Alimentos grasos, harinas refinadas, azúcares. Cacahuete. También frutas en almíbar y confitadas.

AUMENTAR EL CONSUMO DE...

Todas las verduras, especialmente las que son amarillas, anaranjadas y rojas. También las frutas, entre las que se destacan los cítricos y las que son ricas en vitamina C, como el melón y la papaya. El limón, en forma externa.

Limón
9/10/14/18/50/52/55/59/64/71/75
232/321/324/325/328/337/338
344/345/353/354/367/382

Melón
54/58/59/90/93
95/**248**/361

Papaya
28/51/60/85/96
97/107/**264**/319
320/323/354/366

AFTAS BUCALES (También conocidas como llagas o úlceras aftosas de boca).

Son pequeñas heridas de color blanco o amarillo en el centro y de color rojo vivo alrededor, que aparecen en la boca.

Se pueden originar debido a una predisposición genética, o bien aparecer como consecuencia del estrés, falta de vitaminas o hierro o bien, como consecuencia de una respuesta alérgica del organismo.

¿EL CONSEJO...?

Para que se sequen con más velocidad, hay quienes recomiendan cubrir la llaga con bicarbonato de sodio. Es doloroso, pero da buenos resultados. Otra opción es utilizar azúcar.

SÍNTOMAS

- Aparecen en la parte interna de los labios, el paladar blando, la base de las encías y la lengua.
- Antes de su aparición se manifiesta una sensación de ardor, que luego dará lugar a una mancha roja, y a la úlcera propiamente dicha, que produce dolor.
- Si son muchas, pueden generar fiebre o malestar.

CLAVES PARA TRATARLAS

Si están relacionadas con una carencia de vitaminas, hay que seguir una dieta equilibrada. Es importante descartar otras enfermedades que se manifiestan de la misma manera.

EVITAR EL CONSUMO DE...

Alimentos picantes, ácidos o muy calientes. Bebidas con gas y alimentos duros.

AUMENTAR EL CONSUMO DE...

Hierro: legumbres, vegetales germinados.
Vitaminas del grupo B y folatos: verduras de hoja verde, albahaca, legumbres, germen de trigo.

Albahaca
28/42/50/56/71
75/104/**124**/327
336/341/344

AGOTAMIENTO

Se denomina de esta manera a la sensación de falta de energía físico o intelectual, o ambas, después de realizar un gran esfuerzo. El inconveniente aparece cuando el malestar se presenta sin haber realizado ningún esfuerzo particular. O bien, cuando el cansancio que habitualmente experimentamos al final del día se manifiesta apenas comenzada la jornada.

Entre las enfermedades que pueden ocasionarlo, encontramos la anemia, artritis reumatoide juvenil, diabetes, depresión, hipotiroidismo, infecciones diversas, lupus y tuberculosis.

SÍNTOMAS

■ Cansancio extremo.

CLAVES PARA TRATARLO

Es necesario detectar las causas del cansancio extremo.
Realizar las comidas diarias en tiempo y forma, evitar los medicamentos que produzcan cansancio,

EVITAR EL CONSUMO DE...

Alimentos "vacíos": snacks, dulces, comida "chatarra".

AUMENTAR EL CONSUMO DE...

Verduras y frutas ricas en vitaminas (por ejemplo, el dátil o el maíz).
Legumbres y cereales en general, especialmente en brotes.
Es recomendable el consumo de piñón.

Piñón
15/**280**

Maíz
17/25/33/39/45
49/85/**234**/342

Dátil
15/19/21/102
104/**190**/342

ALERGIA

Se trata de una respuesta natural del sistema inmunitario. Es una reacción exagerada del organismo frente a una sustancia externa, que habitualmente se denomina alergeno.

Estas sustancias pueden estar en el aire (polen, polvo, hongos, pelos de animales), en los alimentos (chocolate, fresa, pescado), en los medicamentos (penicilina), o llegar a través de picaduras de insectos o del contacto con la piel (cosméticos y otros productos).

¿EL CONSEJO...?

Elija aquellos alimentos que no requieran una elaboración compleja.

SÍNTOMAS

- Respiratorios: rinitis (picazón y secreciones acuosas), congestión, estornudos y asma.
- Cutáneos: urticarias, eccemas o inflamaciones.
- Digestivos: diarrea, dolor abdominal, náuseas y cólicos.
- Conjuntivitis.
- Shock generalizado.

CLAVES PARA TRATARLA

Existen medicamentos y diferentes tratamientos. De cualquier manera, hay que evitar aquellos elementos que producen este tipo de reacciones.

EVITAR EL CONSUMO DE...

Los alimentos que con más frecuencia pueden desencadenar cuadros alérgicos son los frutos secos, los pescados y mariscos, la leche de vaca, las fresas y el chocolate.

AUMENTAR EL CONSUMO DE...

Alimentos que fortalezcan el organismo en general. Se recomienda el consumo de yuca.

Yuca
9/33/46/**308**

AMPOLLA

Protuberancia en la piel de forma circular, que en general posee líquido en su centro, transparente o sanguinolento.

Se produce como consecuencia de lesiones, reacciones alérgicas o infecciones, por ejemplo, quemaduras, dermatitis de contacto, picaduras de insectos o infecciones virales.

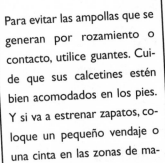

¿EL CONSEJO...?

Para evitar las ampollas que se generan por rozamiento o contacto, utilice guantes. Cuide que sus calcetines estén bien acomodados en los pies. Y si va a estrenar zapatos, coloque un pequeño vendaje o una cinta en las zonas de mayor contacto.

SÍNTOMAS

■ En función de su origen, puede aparecer primero una molestia o picazón en la zona afectada.

■ La superficie se irá hinchando hasta que la ampolla termine de formarse.

CLAVES PARA TRATARLA

Mantenga limpia la zona afectada. Las compresas frías ayudan a disminuir la inflamación.

Si la ampolla se revienta, cubra el área con un vendaje.

EVITAR EL CONSUMO DE...

Grasas saturadas, harinas, frituras, bebidas estimulantes y alcohol.

AUMENTAR EL CONSUMO DE...

Vitamina C: especialmente naranja y limón.

Naranja	Limón
18/19/50/58/67	9/10/18/50/52/55
84/98/107/**256**	59/64/71/75/**232**
321/328/344/349	321/324/325/328
362/367	337/338/344/345
	353/354/367/382

ANEMIA

Se produce cuando disminuye la concentración de hemoglobina o glóbulos rojos en sangre. La hemoglobina es la encargada de transportar el oxígeno y dar color a la sangre.

Esta deficiencia tiene diversos orígenes, entre ellos, la pérdida de sangre, otras enfermedades, la reacción a determinados medicamentos o problemas en la médula ósea. En casos extremos, puede ser la causa de un ataque cardíaco.

SÍNTOMAS

- Cansancio.
- Falta de deseo sexual.
- Palpitaciones.
- Fatiga.
- Baja tensión.
- Dolor de cabeza.
- Mareo.
- Irritabilidad.
- Zumbido en los oídos.
- Alteraciones menstruales.
- Palidez y piel fría.
- Uñas frágiles.

CLAVES PARA TRATARLA

Se trata de detectar las causas de la anemia y así evaluar cuál será el tratamiento apropiado. En casos extremos, se realizan transfusiones de sangre.

EVITAR EL CONSUMO DE...

Después de las comidas, tanto el té como el café inhiben la absorción de hierro.

AUMENTAR EL CONSUMO DE...

Lentejas, dátil, alfalfa, apio, espinaca, espárrago, acedera y vegetales de hoja verde. Conviene consumirlos acompañados por cítricos o vitamina C, que facilita la absorción del hierro. Se recomienda el consumo de piñón y uva pasa.

Apio
9/20/36/52/64/67
74/85/91/106/**132**
318/319/320/321
325/326/327/328
329/335

Espinaca
24/36/37/53/106
196/318/320/321
324/325/326/327
328/330/338/340
389/392

Alfalfa
9/19/20/77/87
88/**128**/322

Espárrago
54/98/**194**/345
352/389

Dátil
12/19/21/102
104/**190**/342

Acedera
80/92/114

Uva pasa
19/72/**306**

Piñón
12/**280**

Lenteja
23/36/48/51/**228**

ANSIEDAD

En una primera instancia, es importante aclarar que la ansiedad es una respuesta normal del organismo ante una situación amenazante. El problema aparece cuando empieza a interferir con las actividades cotidianas. En algunos casos, la falta de estructuras sociales fomenta el desarrollo de estos cuadros.

Puede ser crónica o bien, generar ataques agudos. Algunos ejemplos: trastorno de ansiedad generalizado, trastorno de pánico, fobias, trastorno obsesivo compulsico (TOC) y trastorno disociativo.

SÍNTOMAS

■ Psicológicos: temor, tensión y falta de concentración.
■ Somáticos: taquicardia, palpitaciones, hiperventilación, sudoración excesiva, temblores, dolencias gastrointestinales, alteraciones en el sueño y cansancio.

CLAVES PARA TRATARLA

Hay que combinar la vertiente psicológica, la conductual, la médica (a través de ansiolíticos u otras medicaciones) y las sociales (mantener la estructura social).

EVITAR EL CONSUMO DE...

Alimentos procesados, carbohidratos, bebidas alcohólicas, cafeína, guaraná y teína.

AUMENTAR EL CONSUMO DE...

Alimentos que posean vitamina B12, calcio y magnesio. Por ejemplo: semillas de sésamo (ver más información en el Capítulo 5), arveja, perejil, brócoli, ajo y hortalizas verdes.

Arveja
36/37/41/48/55
60/102/**136**

Ajo
19/20/28/36/50/52
55/60/67/70/81/87
90/97/102/107
108/**122**/319/320
328/329/335/336
338/381

Perejil
62/79/92/**272**
319/321/344

Brócoli
37/58/60/81
97/**146**/337

APETITO SEXUAL (Falta o disminución).

La falta de deseo puede ser primaria, es decir, que la persona siempre tuvo un bajo interés en la actividad sexual. O bien, secundaria, cuando hablamos de un cambio gradual o repentino. Más allá de las cuestiones que tengan que ver con la relación de cada pareja, tiene que ver con aquellas personas que carecen de interés sexual en general. Esto sucede especialmente cuando esta situación aparece acompañada de fatiga y malestar general.

Puede ser consecuencia de otras enfermedades, de trastornos hormonales o de cuadros psicológicos como la depresión y el estrés.

SÍNTOMAS

■ Falta de interés sexual.

CLAVES PARA TRATARLA

La psicoterapia deberá apuntar primero a los factores que puedan inhibir el interés sexual a nivel individual. Y luego en la pareja.

AUMENTAR EL CONSUMO DE...

Avena, miel.
Alimentos ricos en vitaminas B (germen y harina de trigo, maíz, verduras de hoja verde).
Alimentos ricos en vitamina E (semillas, frutos secos y lechuga).

Lechuga
21/22/36/63/67
73/74/**226**/318
322/325/326/335
338/342/380/387

Maíz
12/25/33/39/45
49/85/**234**/342

ARRUGAS

Surcos o pliegues de la piel (o cualquier otra membrana), que se producen cuando disminuye la capa de grasa más profunda o el tamaño de la dermis. Debido a la reducción de agua y aceite, la capa externa se vuelve más áspera y seca. También sufre una alteración de las fibras elásticas y el colágeno, por lo que se ve envejecida.

La exposición solar exagerada acelera el proceso de envejecimiento natural.

¿EL CONSEJO...?

La piel es nuestro órgano más grande y, por cierto, el más visible. El tabaco, el alcohol, el estrés, todo se manifiesta en la piel. Para que se vea sana, el cuidado debe ser integral.

SÍNTOMAS

■ Surcos en la piel que en una primera instancia aparecen en lo que denominamos líneas de expresión: en las comisuras de la boca, a lo largo de la frente, patas de gallo al borde de los ojos. Con el paso de los años, se irán marcando más.

CLAVES PARA TRATARLAS

Es importante mantener la piel humectada. Y llevar adelante una dieta saludable. Beber como mínimo dos litros de agua por día, evitar el tabaco, no exponerse al sol sin la protección adecuada (bloqueador solar, anteojos y sombrero), y de ninguna manera hacerlo entre las 10 y las 16 horas. El estrés eleva los niveles de la hormona cortisol, que también causa arrugas.

EVITAR EL CONSUMO DE...

Carne, lácteos, derivados del azúcar.

AUMENTAR EL CONSUMO DE...

Vegetales ricos en vitamina C, E, betacarotenos y antioxidantes, aceite de oliva, legumbres. Algunos ejemplos: fresa, naranja, limón y kiwi.

Fresa	Naranja	Limón	Kiwi
24/58/59/61/77	14/19/50/58/67	9/10/14/50/52/55	50/51/52/55/60
81/102/**200**/318	84/98/107/**256**	59/64/71/75/**232**	85/97/**222**/321
321/322/323	321/328/344/349	321/324/325/328	
324/352	362/367	337/338/344/345	
		353/354/367/382	

El dolor en las articulaciones puede ser causado por lesiones o afecciones. Entre ellas, artritis reumatoidea (un trastorno auto inmunitario que provoca rigidez) y osteoartritis (degeneración del cartílago en una articulación). También los esfuerzos excesivos, las lesiones, dolencias como gota, tendinitis, fiebre reumática, hepatitis, paperas, rubéola, varicela, influenza y lupus.

¿EL CONSEJO...?

Reemplace la carne por pescado, rico en Omega 3 y beneficioso para estos cuadros.

SÍNTOMAS

■ Dolor en las articulaciones.

CLAVES PARA TRATARLA

Más allá de la terapia que indique el especialista, es importante guardar reposo y realizar el ejercicio correspondiente. Ayudan los baños tibios y los masajes.

EVITAR EL CONSUMO DE...

Bebidas alcohólicas, gaseosas, grasas difíciles de digerir, aderezos fuertes, sal y azúcares simples.
Vegetales: pimientos, patatas y berenjenas.

AUMENTAR EL CONSUMO DE...

Acidos grasos Omega 3.
Aquellos alimentos que contengan azufre, como el ajo y la cebolla. También los ricos en ácido fólico, como los vegetales de hoja verde y las leguminosas. Y los que aportan potasio: brotes de alfalfa, semillas de sésamo (ver información en el Capítulo 5) y girasol, avellana, dátil, uva pasa, naranja y coliflor.
También se recomienda la soja.

Ajo
16/20/28/36/50/52
55/60/67/70/81/87
90/97/102/107/108
122/319/320/328/329
335/336/338/381

Cebolla
20/21/31/35/36/50
55/59/60/67/80/81
97/104/107/**160**
319/322/335/336
337/338/344/345

Naranja
14/18/50/58/67
84/98/107/**256**
321/328/344/349
362/367

Soja
22/33/36/49/61
77/85/86/88/100
300/374/375

Alfalfa
9/15/20/77/87
88/**128**/322

Dátil
12/15/21/102
104/**190**/342

Uva pasa
15/72/**306**

Avellana
85/**138**/338

Coliflor
34/36/37/**188**

Aunque muchos la confunden con la artrosis, se trata de una afección que ataca al sistema inmunológico. En ocasiones se manifiesta en forma gradual, otras veces de improviso. Es más común en mujeres que en hombres y en general afecta caderas, rodillas y manos. Se desconocen las causas de esta dolencia. Puede ser consecuencia de una enfermedad, por razones genéticas o bien, como consecuencia del paso del tiempo. Existen diferentes tipos de artritis, pero las más habituales son la artritis reumatoide (los tejidos dañados por la enfermedad son sustituidos por otros cicatrizados que limitan el movimiento), la osteoartritis (con el paso del tiempo, se desgastan los cartílagos que protegen los extremos de los huesos) y la gota (afecta especialmente a las personas con sobrepeso y provoca dolor en pies y manos).

SÍNTOMAS

- Inflamación en los tejidos que rodean las articulaciones, lo que provoca hinchazón, dolor y por ende, limita la movilidad.
- En casos severos, puede afectar otros órganos, entre ellos, el corazón, los ojos o los pulmones.

CLAVES PARA TRATARLA

Más allá de la medicación que se pueda recetar, lo ideal es cambiar el estilo de vida. La actividad física ayuda a mantener las articulaciones en forma, reduce el dolor y mejora la fortaleza ósea.

EVITAR EL CONSUMO DE...

Alcohol, gaseosas, leche, complejos vitamínicos con mucho hierro, especias, pimentón, cítricos, tomate, patata y berenjena.

AUMENTAR EL CONSUMO DE...

Vitaminas y minerales. Levadura de cerveza, germen de trigo, semillas de girasol, nuez, aceite de soja y semillas de calabaza, lino (ver información en el Capítulo 5) y canola. Ajo, cebolla, chirivía, vegetales verdes, leguminosas, brotes de alfalfa.

¿EL CONSEJO...?

Tome abundante jugo de vegetales que sean diuréticos. Una opción es licuar 4 tallos de apio, 2 pepinos y una taza de ortigas.

Calabaza
32/37/44/60/63/85
88/90/95/99/152
328/336/337/388
389

Ajo
16/19/28/36/50/52
55/60/67/70/81/87
90/97/102/107/108
122/319/320/328
329/335/336/338
381

Apio
9/15/20/36/52/64
67/74/85/91/106
132/318/319/320
321/325/326/327
328/329/335

Pepino
9/31/35/41/55/59
63/67/85/93/96/98
268/321/322/325
327/329/330/368

Cebolla
19/21/31/35/36/50
55/59/60/67/80/81
97/104/107/160
319/322/335/336
337/338/344/345

Alfalfa
9/15/19/77/87
88/128/322

Chirivía
52/74/78/170

Nuez
23/35/70/81/85
94/106/260

ASMA (También conocida como asma bronquial).

Inflamación de las vías respiratorias, que acarrea dificultades para respirar, agitación, sensación de opresión en el pecho y tos. Suelen ser ataques esporádicos, aunque la frecuencia varía en cada caso. Y pueden durar minutos o incluso días.

Los factores desencadenantes son muchos: alergias, resfríos, actividad física, estrés y algunos medicamentos, entre otros.

SÍNTOMAS

- Sibilancias (silbidos al respirar).
- Dificultad para respirar.
- Aceleración del pulso.
- Sudoración.
- Somnolencia.
- Dolor de pecho.

CLAVES PARA TRATARLA

Es importante identificar aquellos factores que producen reacciones alérgicas y tratar de evitar el contacto.

EVITAR EL CONSUMO DE...

Soja y sus derivados. Cereales.

AUMENTAR EL CONSUMO DE...

La idea es mantener una dieta equilibrada. Priorice aquellos alimentos que tengan antioxidantes como las vitaminas C y E, selenio, zinc, especialmente las frutas frescas (ver más información en el Capítulo 2). Se recomienda la lechuga, la cebolla, la almendra y el dátil.

Cebolla
19/20/31/35/36/50
55/59/60/67/80/81
97/104/107/**160**
319/322/335/336
337/338/344/345

Lechuga
17/22/36/63/67
73/74/**226**/318
322/325/326/335
338/342/380/387

Dátil
12/15/19/102
104/**190**/342

Almendra
45/48/85/90/**130**
322/332/338
387/388

ATEROESCLEROSIS

Los ateromas o depósitos grasos -generalmente formados por colesterol, grasas, calcio y tejido cicatrizante-, hacen que se estrechen o se endurezcan las arterias. La ateroesclerosis es una forma de arteriosclerosis, que afecta a las arterias grandes o medianas. Los ateromas interfieren con el flujo sanguíneo, y pueden generar dolor o dificultades funcionales en los tejidos que dependen de dicha arteria. Con el paso del tiempo, se pueden formar coágulos o trombos que llegan a obstruir las arterias y generan graves consecuencias. Hablamos de ataque cardíaco en el caso del corazón, y apoplejías en el caso del cerebro. O bien, las arterias se debilitan y dan lugar a los aneurismas, que pueden reventarse.

SÍNTOMAS

Es una de las enfermedades silenciosas, es decir que no suele presentar síntomas. De cualquier manera, estos variarán en función de la arteria que esté afectada.

- Coronarias: dolor de pecho.
- Cerebro: debilidad, mareos.
- Extremidades inferiores: dolor en las piernas o pies, dificultades al caminar.

CLAVES PARA TRATARLA

Más allá de la administración de los fármacos correspondientes, es necesario disminuir los factores de riesgo.

EVITAR EL CONSUMO DE...

Grasas saturadas en general, que se encuentran básicamente en productos de origen animal (mantequilla, queso, leche, carnes grasosas) y en aceites vegetales como el de coco, el de palma y el de palmiste. También el de ácidos trans grasos, en frituras, alimentos procesados, margarinas, snacks y golosinas.
Las grasas insaturadas ayudan a bajar el colesterol en sangre, pero contienen una elevada carga calórica, por lo que es necesario consumirlas con moderación.

AUMENTAR EL CONSUMO DE...

Resulta fundamental llevar una dieta sana, baja en grasas y rica en frutas, verduras y granos. Además, se recomienda el consumo de soja, pescado, pollo sin piel, carne magra. La lechuga también es recomendable, al igual que el tomate y la col lombarda.

Lechuga
17/21/36/63/67/73/74//**226**/318
322/325/326/335/338/342/380/387

Col lombarda
29/31/60/67/80
184/361

Tomate
73/102/**302**/326
328/336/379/383

Soja
19/33/36/49/61/77/85
86/88/100/**300**/374/375

BAJO RENDIMIENTO INTELECTUAL

El bajo rendimiento intelectual, la falta de concentración y de memoria pueden traer aparejada una disminución en el rendimiento de las capacidades intelectuales. Es importante estar atento y consultar con un médico de confianza si este síntoma se prolonga en el tiempo.

¿EL CONSEJO...?

Aproveche los momentos de descanso para desconectarse por completo. Realice caminatas, juegue, cambie de panorama durante unos minutos y recién después vuelva a la carga.

SÍNTOMAS

- Somnolencia.
- Dificultad para concentrarse.
- Dolores crónicos de cabeza.
- Fatiga.
- Molestias musculares.

CLAVES PARA TRATARLA

Lo importante es detectar las causas y corroborar que efectivamente no se esté haciendo más esfuerzo del que se puede tolerar. El tratamiento combinará aspectos físicos y psicológicos.

EVITAR EL CONSUMO DE...

Calorías vacías: comida "chatarra", snacks, gaseosas, dulces, grasas.

AUMENTAR EL CONSUMO DE...

Vegetales y frutas, cereales, frutos secos. Se recomienda el pomelo, la nuez y las lentejas.

Pomelo	Lenteja	Nuez
35/90/106/**286**	15/36/48/51/**228**	20/35/70/81/85
320/328/349/367		94/106/**260**
376/380		

BRUXISMO

Es el nombre que recibe la respuesta automática que lleva a algunas personas a apretar y hacer rechinar los dientes, particularmente mientras duermen. Esta presión excesiva produce inflamación y dolor en los músculos, los tejidos y las estructuras de la mandíbula en general, que puede tener diversas consecuencias.

La causa principal es el estrés y las tensiones acumuladas durante el día.

¿EL CONSEJO...?

El ritmo de vida cotidiano nos impide tomar conciencia de nuestro propio cuerpo. Tome unos segundos para realizar un auto examen y trate de relajar completamente los músculos de su cara. Repítalo en el momento de acostarse.

SÍNTOMAS

- El rechinamiento de los dientes propiamente dicho.
- Lesiones dentales.
- Dolor de mandíbula.
- Dolor de cabeza.
- Dolor de oído.
- Insomnio.

CLAVES PARA TRATARLO

Hacer una relajación especial antes de acostarse.
Relajar los músculos faciales y de la mandíbula durante el día para que se convierta en un hábito.
Existen férulas o aparatos protectores de la boca para disminuir el roce entre los dientes.

EVITAR EL CONSUMO DE...

Alcohol, cafeína, frituras, azúcares refinados.

AUMENTAR EL CONSUMO DE...

Frutos secos, lácteos, frutas y vegetales ricos en fibra, por ejemplo, fresas y espinacas.

Fresa
18/58/59/61/77
81/102/**200**/318
321/322/323
324/352

Espinaca
15/36/37/53/106
196/318/320/321
324/325/326/327
328/330/338/340
389/392

CABELLO GRASO

Es un desequilibrio hormonal a partir del cual las glándulas sebáceas hacen que el cabello se engrase y se vea sucio.

SÍNTOMAS

- El cabello se ve demasiado brillante, y se separa en mechones apelmazados, pegajosos.

CLAVES PARA TRATARLO

Se controla a partir de la limpieza diaria con productos específicos.

Alterne los productos que utiliza para que el cuerpo cabelludo no se acostumbre. Realice movimientos suaves para no estimular las glándulas sebáceas. Conviene enjuagar el cabello con agua templada, para cerrar los poros y disminuir las secreciones.

EVITAR EL CONSUMO DE...

Grasas, azúcares y féculas.

AUMENTAR EL CONSUMO DE...

Biotina: avena, cebada, maíz.
Selenio: col blanca.

Maíz
12/17/33/39/45
49/85/**234**/342

Col blanca
36/50/51/80/**180**
325/326/329/335
336/337

CABELLO SECO (También conocido como resequedad del cabello).

Cuando al cabello le falta humedad y grasa, se vuelve opaco y de textura rugosa. Puede ser el resultado del lavado excesivo o el uso de productos que lo resecan. O bien, ser un síntoma de enfermedades como el hipotiroidismo, la anorexia nerviosa o el hipoparatiroidismo.

¿EL CONSEJO...?

Los cepillos con cerdas naturales son los más recomendados. Los de plástico o metal tienden a quebrar el cabello dañado.

SÍNTOMAS

- El cabello se ve opaco y reseco y se encuentra fino y quebradizo.

CLAVES PARA TRATARLO

Trate de disminuir la frecuencia de los lavados o bien, no utilice champú todo los días.
Aplique tratamientos y mascarillas humectantes, no aplique el secador con aire muy caliente y peine en forma suave.
Evite productos fuertes como tinturas con amoníaco, lacas, espumas, geles, entre otros.

EVITAR EL CONSUMO DE...

Grasas, chocolates, dulces, azúcares y harinas refinadas.

AUMENTAR EL CONSUMO DE...

Zanahoria, cereales y alimentos ricos en vitamina B en general.

Zanahoria
32/36/37/42/44
46/50/54/57/61
67/81/85/92/93
94/95/98/99/100
106/**310**/316
318 a 330/338
371/377/378

Este dolor o molestia puede presentarse en toda la cabeza o en algún sector particular. Puede ser ocasionado por el exceso de tensiones acumuladas en los músculos de hombros, cuello y mandíbula; por algunos alimentos como el chocolate, el queso o la cafeína; la mala postura, tanto durante el día como al dormir; o bien, como uno de los síntomas del síndrome premenstrual.

¿EL CONSEJO...?

Es importante detectar el patrón. Si usted sufre de estos cuadros, procure registrar las condiciones en las que aparece: horario, situación, qué comió durante las últimas 24 horas. Esta información será de gran ayuda para su médico.

SÍNTOMAS

■ Dolor muy intenso en la cabeza, como si se estuviera ejerciendo una presión externa. Puede comenzar en le frente, en la zona de los ojos o en la nuca.

■ En algunos casos, se presenta acompañado de nauseas, vómitos, irritación en uno o ambos ojos, goteo nasal, pérdida de equilibrio o dificultades varias.

CLAVES PARA TRATARLO

Más allá de los medicamentos, el frío o el calor en las zonas contracturadas ayuda a aliviar las tensiones.
Es importante relajarse, y para eso pueden servir los masajes y la acupuntura, entre otras técnicas.

EVITAR EL CONSUMO DE...

Salsas instantáneas, comida china, productos envasados, embutidos.

AUMENTAR EL CONSUMO DE...

Alimentos ricos en vitamina B6: levadura de cerveza.
Alimentos ricos en magnesio: pimiento de Cayena, té de cáscara de mamón, frutas frescas.

Pimiento de Cayena
55/65/81/105/**276**

Mamón
67/**236**

CAÍDA DE CABELLO (También conocido como alopecia y calvicie).

Es más común en los hombres que en las mujeres, y en general se nota cuando aparece en el cuero cabelludo, aunque puede suceder en cualquier otra parte del cuerpo en la que crezca el cabello. Entre los factores que la provocan, se encuentran el envejecimiento, ciertos cambios hormonales (calvicie de patrón femenino), predisposición genética (calvicie de patrón masculino), enfermedades o situaciones puntuales como quemaduras y traumatismos (alopecia tóxica o cicatrizal), repentina y en una zona puntual (alopecia areata) o debido al mal hábito de arrancarse cabellos (tricotilomanía).

SÍNTOMAS

- Pérdida del cabello gradual o repentina en una o más zonas del cuerpo, especialmente del cuero cabelludo.

CLAVES PARA TRATARLA

El tratamiento combina medicación y procedimientos externos, como masajes o cirugías para implantar o reemplazar cabello.

AUMENTAR EL CONSUMO DE...

Berro, albahaca, ajo. Además de ingerirlos, realice jugos o pastas con cada uno de ellos y utilícelos como mascarillas externas para fortalecer el cabello. Asimismo, el aceite de avellana previene la caída del cabello y la papaya mejora su estado.

Papaya	Ajo	Berro	Albahaca
10/51/60/85/96 97/107/**264**/319 320/323/354/366	16/19/20/36/50/52 55/60/67/70/81/87 90/97/102/107 108/**122**/319/320 328/329/335/336 338/381	46/48/60/69/92/97 **142**/318/321/322 323/327/328 330/335	11/42/50/56/71/75 104/**124**/327/336 341/344

¿EL CONSEJO...?

Entre los aliados naturales de la salud, podemos mencionar al aloe vera (ver información en el Capítulo 5), el romero y las ortigas. Las cremas y tratamientos a base de estas hierbas son de gran ayuda a la hora de detener la caída del cabello.

CALAMBRE (También conocido como espasmo muscular).

Son contracciones repentinas en cualquiera de los músculos del cuerpo que generan un dolor muy agudo, y la inmovilización parcial de dicho órgano. Están relacionados con tres causas: la fatiga muscular, la carencia de minerales o vitaminas y la mala postura.

En la mayoría de los casos, aparecen como consecuencia de un esfuerzo físico prolongado. Pero pueden ser provocados por una gripe, un trastorno gastrointestinal, hepatitis, trastornos menstruales, tétanos.

¿EL CONSEJO...?

Un calambre fuerte puede producir un desgarro en el tejido muscular. Consulte con un especialista si el dolor y la fatiga muscular perduran.

SÍNTOMAS

■ Rigidez muscular acompañada de un dolor agudo y bien localizado.

CLAVES PARA TRATARLO

El hielo ayudará a eliminar la hinchazón.

Los baños de los pies fríos o las cataplasmas calientes en pies y pantorrillas ayudan a disminuir los famosos calambres nocturnos. De cualquier manera, es importante mantener los músculos en forma. Hay que elongar bien después de realizar actividad física.

Un calambre fuerte puede provocar un desgarro de los tejidos musculares. Por tanto, si el dolor persiste mucho tiempo y también la sensación de fatiga y agarrotamiento, se precisará dejarlo descansar y no forzarlo de nuevo al ejercicio.

AUMENTAR EL CONSUMO DE...

Alimentos ricos en potasio: plátano, cítricos, legumbres y vegetales en general. Por ejemplo, col lombarda y acelga. También frutos secos y la levadura de cerveza.

Plátano
41/44/57/63/81
105/**284**/322/366
369/387

Col lombarda
22/31/60/67/80
184/361

Acelga
36/37/46/52/53/60
64/97/98/102/116

CÁLCULOS BILIARES (También conocidos como colelitiasis).

La vesícula es el órgano que almacena la bilis proveniente del hígado. Cuando cambia la concentración de alguno de los elementos que conforman la bilis, se pueden formar cálculos de diferentes tamaños.

Entre los factores de riesgo, podemos mencionar la carga hereditaria, la obesidad, la diabetes y la cirrosis hepática.

SÍNTOMAS

- Dolor abdominal, recurrente o esporádico, en la parte superior o superior derecha.
- Ictericia.
- Fiebre.
- Heces de color arcilla.
- Acidez, gases o dificultades digestivas.

CLAVES PARA TRATARLOS

Hay tratamientos externos o cirugías o intervenciones muy poco invasivas.

EVITAR EL CONSUMO DE...

Bebidas alcohólicas. Alimentos ricos en grasas y colesterol.

AUMENTAR EL CONSUMO DE...

Manzana.

Manzana
37/42/44/57/73/80
87/88/91/**242**/318
319/320/323/324/325
326/349/355/356/357
358/377/387

Se denomina cálculo renal a la formación que se produce cuando pequeños cristales se unen, tanto en el riñón como en el uréter. Cuando los cálculos descienden por el uréter producen un gran dolor que llega hasta la ingle.

Los cálculos se forman debido a la presencia de ciertas sustancias concentradas en la orina, y pueden ser de calcio, o bien, calcio combinado con oxalato, fosfato o carbonato, también de ácido úrico, de cistina, de estruvita, entre otros.

SÍNTOMAS

- Dolor en la espalda, en uno o ambos lados.
- Cólicos o espasmos.
- Fuerte dolor o dificultad al orinar.
- Necesidad persistente de orinar.
- Presencia de sangre en la orina.

CLAVES PARA TRATARLOS

Los cálculos renales suelen desaparecer por sí solos. El tratamiento se orienta a disminuir los síntomas y prevenir a futuro la aparición de nuevos síntomas. Es importante incorporar una buena cantidad de líquidos.

EVITAR EL CONSUMO DE...

Dependerá del origen que tengan los cálculos. En general se recomienda evitar los alimentos muy salados, las bebidas alcohólicas, el té, el café y el exceso de leche (no más de dos vasos por día).
Verduras: acelga, espinaca, espárrago, coliflor, puerro, seta.

AUMENTAR EL CONSUMO DE...

Líquidos en general: agua levemente mineralizada, jugos de cítricos diluidos, infusiones suaves.
Cereza, cebolla, lima, col lombarda y col verde, endibia, remolacha, sandía, pepino, zapallito italiano, pimiento y rábano.

Pimiento
36/43/58/61/81/86
274/326/329

Cereza
95/162/341

Endibia
43/67/85/192

Lima
42/230/318/319
340/344

Rábano
36/60/67/69/71
97/104/290/319
322/345

Pepino
9/20/35/41/55/59
63/67/85/93/96
98/268/321/322
325/327/329/330
368

Remolacha
36/60/67/69/97
292/318/320/321
322/324/325/327
330/337/370/371
389

Cebolla
19/20/21/35/36/50
55/59/60/67/80/81
97/104/107/160
319/322/335/336
337/338/344/345

Sandía
49/59/67/296
323/373

Zapallito italiano
44/312

Col lombarda
22/29/60/67/80
184/361

Col verde
59/80/186/327

Aparece cuando se produce un desequilibrio en el proceso natural de descamación del cuero cabelludo.

Existen varias causas, entre ellas, alteraciones en la producción de las glándulas seborreas, fatiga, estrés, problemas digestivos y la presencia de un hongo conocido como *pityrosporum*.

¿EL CONSEJO...?

Preste especial atención al enjuague de su cabello, para evitar que quede cualquier tipo de residuo de champú o acondicionador. Y evite pasarse las manos por el pelo o bien, rascarse excesivamente.

SÍNTOMAS

- Descamación excesiva del cuero cabelludo.
- Ardor y picazón.
- Se presenta tanto en la cabeza como en las cejas, las axilas, la ingle y cualquiera de las superficies pilosas del cuerpo.

CLAVES PARA TRATARLA

Es necesario utilizar champú y productos específicos para erradicar sus síntomas.

EVITAR EL CONSUMO DE...

Frituras, grasas, café, tabaco, dulces.

AUMENTAR EL CONSUMO DE...

Alimentos ricos en vitaminas del grupo B y betacarotenos, entre ellos, semillas de girasol, zanahoria y calabaza.

También alimentos ricos en hierro, antioxidantes, aminoácidos, y ácidos grasos Omega 3.

Zanahoria
26/36/37/42/44
46/50/54/57/61
67/81/85/92/93
94/95/98/99/100
106/310/316
318 a 330
338/371/377/378

Calabaza
20/37/44/53/60/63
85/88/90/95/99/152
328/336/337/388
389

CELIAQUÍA

Dolencia que se caracteriza por la intolerancia crónica del organismo a las proteínas que se encuentran en el gluten de trigo, la avena, la cebada y el centeno. El intestino delgado no logra absorberlas como corresponde. En la mayoría de los casos, se trata de un trastorno hereditario.

¿EL CONSEJO...?

Lea bien los envoltorios y las etiquetas de los productos elaborados. Aquellos que son aptos para celíacos se identifican con un escudo que muestra una espiga de trigo tachada.

SÍNTOMAS

- En los niños aparecen diarreas abundantes de aspecto brillante, pérdida de peso, falta de apetito, tristeza, indiferencia e irritabilidad.
- En los adolescentes, falta de ánimo, dolor abdominal, irregularidades en el período menstrual, dificultad para practicar deportes.
- En los adultos, cuadros de descalcificación, diarreas reiteradas y abortos espontáneos.

CLAVES PARA TRATARLA

Los celíacos deberán seguir de por vida una dieta estricta y sin trigo, avena, cebada y centeno (por sus siglas, T.A.C.C.).

EVITAR EL CONSUMO DE...

Gluten, lácteos y grasas, ya que los celíacos no digieren ni absorben este tipo de alimentos.

AUMENTAR EL CONSUMO DE...

Frutas y verduras ricas en betacarotenos, fibra soluble y vitaminas en general. Se recomienda el maíz, la soja y la yuca.

Yuca
9/13/46/**308**

Soja
19/22/36/49/61
77/85/86/88/100
300/374/375

Maíz
12/17/25/39/45
49/85/**234**/342

CICATRICES

Cuando se produce una herida en la piel, se produce el proceso de cicatrización: el organismo reemplaza la piel dañada. Esto puede suceder como consecuencia de una infección, una cirugía, una inflamación o diversas lesiones cutáneas.

Una cicatriz puede ser plana, abultada, hundida y de diferentes tonalidades. El aspecto variará en función del lugar en el que esté ubicada, y de las características de cada organismo.

¿EL CONSEJO...?

Las infecciones externas son el peor enemigo de las cicatrices. Cuando la herida está en proceso de cicatrización, manténgala protegida de los agentes externos.

SÍNTOMAS

■ En algunos casos, duelen o generan picazón.

CLAVES PARA TRATARLAS

Existen diversos tratamientos externos para eliminarlas o al menos mejorar su aspecto: exfoliaciones, inyecciones de colágeno o cortisona, dermoabrasión, rayos láser, criocirugía e injertos.

AUMENTAR EL CONSUMO DE...

Los alimentos ricos en vitaminas del grupo B, C y K colaboran en el proceso de cicatrización.

Frutas y los cítricos en general son recomendadas.

Entre las verduras, coliflor.

También frutos secos, por su aporte en zinc.

Coliflor
19/36/37/188

CIRCULACIÓN SANGUÍNEA (Mala o deficiente).

En forma coloquial, se habla de mala circulación para hacer referencia a las molestias que genera el mal funcionamiento del sistema circulatorio. En la mayoría de los casos surge como consecuencia de la ateroesclerosis, enfermedad que provoca la obstrucción de las arterias. Aunque también puede suceder como consecuencia de alteraciones en el retorno venoso.

SÍNTOMAS

- Retención de líquidos.
- Pesadez en las piernas.
- Aletargamiento.
- Calambres nocturnos.

CLAVES PARA TRATARLA

Es importante realizar actividad física a diario. También se pueden utilizar calcetines de compresión y descanso. En algunos casos, se recomienda dormir con las piernas levemente levantadas.

EVITAR EL CONSUMO DE...

Alimentos muy salados, con muchas grasas, precocinados, embutidos, entre otros.
Evitar el aceite de coco y de palma, y las olivas.

AUMENTAR EL CONSUMO DE...

Los líquidos (agua, jugos, sopas de vegetales) ayudan a eliminar toxinas del organismo.
La grasa poliinsaturada presente en el aceite de girasol, maíz y soja, los frutos secos y el pescado azul, ayudan a disminuir la viscosidad de la sangre.
Frutas y verduras ricas en potasio, tienen acción diurética y eliminan toxinas del organismo (por ejemplo, el pepino, la nuez, la cebolla o el pomelo). Y la fibra regula la absorción de colesterol y grasas en el intestino.

Pepino	Cebolla	Pomelo	Nuez
9/20/31/41/55/59	19/20/21/31/36/50	23/90/106/**286**	20/23/70/81/85
63/67/85/93/96	55/59/60/67/80/81	320/328/349/367	94/106/**260**
98/**268**/321/322	97/104/107/**160**	376/380	
325/327/329/330	319/322/335/336		
368	337/338/344/345		

COLESTEROL ALTO (También conocido como hipercolesterolemia).

El colesterol es una sustancia presente en todos los tejidos. El organismo lo precisa para sintetizar hormonas y sales biliares que luego serán fundamentales en el momento de absorber grasas de origen animal. Es por eso que el organismo mantiene el equilibrio de las cantidades de colesterol en sangre. Cuando recibe demasiado colesterol de alimentos, este mecanismo se altera y el hígado deja de fabricarlo y sintetizarlo, lo que genera un cuadro de hipercolesterolemia. El problema es que el colesterol se acumula en las paredes de las arterias, lo que apareja problemas circulatorios y cardíacos.

SÍNTOMAS

■ Se trata de una dolencia asintomática.

CLAVES PARA TRATARLO

Realizar actividad física, mantener una alimentación saludable y evitar el tabaco y el alcohol.

EVITAR EL CONSUMO DE...

Carnes, embutidos, vísceras y mariscos, huevos, quesos curados y alimentos muy preparados.

AUMENTAR EL CONSUMO DE...

Aceite de oliva (aunque no en exceso para no subir de peso). Judía, arveja, garbanzo, lenteja, judía verde, cacahuete, soja, acelga, apio, berenjena, cebolla, ajo, espinaca, lechuga, pimiento, puerro, rábano, remolacha, col blanca, coliflor y zanahoria. Frutas frescas.

Soja
19/22/33/49/61/77/85
86/88/100/**300**/374/375

Rábano
31/60/67/69/71/97/104
290/319/322/345

Arveja
16/37/41/48/55
60/102/**136**

Col blanca
25/50/51/80/**180**/325
326/329/335/336/337

Pimiento
31/43/58/61/81/86
274/326/329

Apio
9/15/20/52/64/67
74/85/91/106
132/318/319/320
321/325/326/327
328/329/335

Ajo
16/19/20/28/50/52
55/60/67/70/81/87
90/97/102/107
108/**122**/319/320
328/329/335/336
338/381

Remolacha
31/60/67/69/97
292/318/320
321/322/324/325
327/330/337/370
371/389

Cebolla
19/20/21/31/35
50/55/59/60/67
80/81/97/104/107
160/319/322/335
336/337/338/344
345

Espinaca
15/24/37/53/106
196/318/320/321
324/325/326/327
328/330/338/340
389/392

Zanahoria
26/32/37/42/44/46
50/54/57/61/67/81
85/92/93/94/95/98
99/100/106/**310**/313
318 a 330/338/371
377/378

Lechuga
17/21/22/63/67/73
74/**226**/318/322
325/326/335/338
342/380/387

Acelga
29/37/46/52/53/60
64/97/98/102/**116**

Coliflor
19/34/37/**188**

Puerro
80/88/**288**

Judía
37/48/67/**218**

Garbanzo
48/49/105/**202**

Lenteja
15/23/48/51/**228**

Cacahuete
48/**148**

Berenjena
54/59/65/85
140/344

Judía verde
37/48/50/51/94/**220**
325/326/333/391

CONSTIPACIÓN

Se denomina así a la retención prolongada de materia fecal. Las personas que la padecen presentan complicaciones a la hora de evacuar el intestino (menos de tres veces por semana). Las deposiciones son escasas y difíciles de expulsar. Puede ser pasajera o crónica, y tener diferentes causas: factores alimentarios, psicogenéticos, inhibición, vida sedentaria, abuso de laxantes u otros medicamentos, carencia de vitamina B1, enfermedades del colon.

¿EL CONSEJO...?

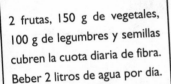

2 frutas, 150 g de vegetales, 100 g de legumbres y semillas cubren la cuota diaria de fibra. Beber 2 litros de agua por día.

SÍNTOMAS

■ Dificultad en el momento de defecar.
■ Puede haber molestias o dolor al expulsar las heces, debido a su consistencia.

CLAVES PARA TRATARLA

Es importante detectar las causas. Modifique la dieta para estimular el movimiento intestinal, consuma abundante cantidad de líquidos y realice actividad física. Con una caminata diaria es suficiente para mejorar el cuadro.

EVITAR EL CONSUMO DE...

Cafeína y alcohol, snacks, harinas.

AUMENTAR EL CONSUMO DE...

Alimentos ricos en fibra.
Ciruela, manzana, mandarina, frambuesa, melocotón o chabacano, frutos secos, acelga, brócoli, col de Bruselas, espinaca cruda, coliflor, calabaza, zanahoria, arveja, judía, judía verde.

Ciruela
48/59/63/94/174
389

Acelga
29/36/46/52/53/60
64/97/98/102/116

Judía
36/48/67/**218**

Coliflor
19/34/36/**188**

Mandarina
51/59/**238**/367

Frambuesa
63/**198**

Melocotón
44/54/58/93/95
246/341/359/360

Chabacano
44/94/95/102
164/351

Espinaca
15/24/36/53/106
196/318/320/321
324/325/326/327
328/330/338/340
389/392

Manzana
30/42/44/57/73/80
87/88/91/**242**/318
319/320/323/324
325/326/349/355/356
357/358/377/387

Calabaza
20/32/44/53/60/63
85/88/90/95/99
152/328/336/337
388/389

Zanahoria
26/32/36/42/44
46/50/54/57/61
67/81/85/92/93
94/95/98/99/100
106/**310**/316
318 a 330
338/371/377/378

Arveja
16/36/41/48/55
60/102/**136**

Judía verde
36/48/50/51/94
220/325/326
333/391

Brócoli
16/58/60/81
97/146/337

Col de Bruselas
182/325

DENTICIÓN

Así se denomina al proceso de crecimiento de los dientes en los bebés y los niños pequeños. Suele comenzar entre el sexto y el octavo mes de vida, y se sostiene hasta que terminan de salir los 20 dientes de leche, que acompañarán al niño durante sus primeros años de vida. Hablamos de cuatro incisivos, dos caninos y cuatro molares en cada maxilar. La presión que ejercen los dientes para salir sobre el tejido de las encías, o la membrana periodontal, genera molestias e irritabilidad.

SÍNTOMAS

■ Además del aumento del babeo, las dificultades para conciliar el sueño, el dolor y la irritabilidad, en algunos casos este proceso puede llegar a generar fiebre.

■ Puede que el bebé rechace la comida y busque objetos duros para llevárselos a la boca.

CLAVES PARA TRATARLA

De ninguna manera intente cortar las encías para facilitar el proceso.
Tampoco le administre al bebé medicamentos que por su corta edad no puede consumir. Para aliviarlo, existen mordillos de dentición que se utilizan fríos. Un trozo de manzana fría también puede servir.

EVITAR EL CONSUMO DE...

Dulces y azúcares, que provocarán la aparición de caries.

AUMENTAR EL CONSUMO DE...

Son pocos los alimentos que el bebé puede consumir en esta etapa de la vida. Consulte con su pediatra para mantener una dieta apropiada.

DEPRESIÓN

Es uno de los problemas más comunes de la salud mental, que no distingue edad ni clase social. Sin ir más lejos, la Organización Mundial de la Salud estima que para el año 2020, la depresión será la segunda causa de incapacidad en el mundo.

¿En qué consiste? Como su nombre lo indica, el paciente se encuentra deprimido, hundido, su existencia le pesa, al punto tal de que lo inhabilita para desarrollar las tareas básicas cotidianas.

¿EL CONSEJO...?

No sienta vergüenza y consulte con un especialista. La depresión es mucho más común de lo que uno cree, pero es posible tratarla con éxito.

SÍNTOMAS

- Pérdida de la autoestima.
- Ensimismamiento.
- Sentimientos de culpa y desesperanza.
- Fatiga.
- Insomnio.
- Dificultades para concentrarse.
- Lentitud.
- Imposibilidad de tomar decisiones.
- Tendencia suicida.

CLAVES PARA TRATARLA

Dependiendo de cada caso, el tratamiento deberá contar con una vertiente farmacológica y otra psicológica. La depresión se trata y se mejora como cualquier otra enfermedad.

EVITAR EL CONSUMO DE...

Endulzantes artificiales.

AUMENTAR EL CONSUMO DE...

Alimentos ricos en zinc, especialmente frutas y vegetales frescos (maíz, por ejemplo). Estas últimas aportan magnesio, de gran ayuda en estos cuadros. El trigo contiene niacina y pridoxina, dos sustancias que evitan la depresión. También hierro, presente en legumbres.

Maíz
12/17/25/33/45
49/85/234/342

DERMATITIS DE PAÑAL

El roce constante de los bordes del pañal contra la piel del bebé, sumado a la humedad existente en la zona y la presencia de orina y materia fecal, pueden llegar a irritar y a dañar la piel del bebé. La piel aparece enrojecida y más caliente que en el resto del cuerpo.

En los casos más avanzados, pueden aparecer signos de infección bacteriana, con supuración y costras amarillentas. Y en algunas oportunidades, infecciones micóticas secundarias.

¿EL CONSEJO...?

La infusión de manzanilla aplicada en forma externa puede ayudar a aliviar la zona afectada.

SÍNTOMAS

■ Piel irritada, enrojecida y húmeda en la zona que cubre el pañal.

CLAVES PARA TRATARLA

Es importante cambiar frecuentemente el pañal y no usarlo muy ajustado. Si es de tela, hay que enjuagarlo bien para que no queden restos de jabón.

Para la limpieza, no recurra a productos que contengan perfume o alcohol. Utilice cremas protectoras, especialmente las que contienen óxido de zinc.

AUMENTAR EL CONSUMO DE...

Cuanto más pueda prolongar la lactancia materna, mejor será.

DIABETES

Es una alteración metabólica cuyo rasgo principal es la deficiencia en la producción de insulina. También puede suceder que se produzcan alteraciones en la acción de la misma. Se divide en dos grupos, tipo I y tipo II y, en ambos casos, las complicaciones más frecuentes son: retinopatía, neuropatía, nefropatía y dolencias cardiovasculares.

¿EL CONSEJO...?

Aunque las frutas contienen azúcares, suelen ser de absorción lenta, y su aporte de vitaminas y antioxidantes es beneficioso para prevenir otras dolencias.

SÍNTOMAS

■ Dependerá del grado de desarrollo de la enfermedad. Desde náuseas, visión borrosa, sed y cansancio —en el caso de la hiperglucemia—, a hambre, mareos, debilidad, irritabilidad, dolor de cabeza, pulso acelerado y sudoraciones, en cuadros de hipoglucemia.

CLAVES PARA TRATARLA

Es importante realizar suficiente actividad física y mantener una dieta saludable, limitada en azúcares y harinas refinadas.

EVITAR EL CONSUMO DE...

Consulte a su médico acerca de la cantidad y el tipo de hidratos de carbono que deberá ingerir. También hay que limitar el consumo de azúcares y grasas.

AUMENTAR EL CONSUMO DE...

Pepino, alcachofa, cardo, plátano y arveja.
Semillas y frutos secos, germen de trigo, levadura de cerveza, verduras de hoja y legumbres, por su aporte de magnesio.

Alcachofa
43/44/48/59/60
63/97/**126**/349

Cardo
43/48/63/97
156/342

Plátano
29/44/57/63/81
105/**284**/322/366
369/387

Pepino
9/20/31/35/55/59
63/67/85/93/96
98/**268**/321/322
325/327/329/330
368

Arveja
16/36/37/48/55
60/102/**136**

DIARREA

Hablamos de un síntoma y no de una enfermedad, que se caracteriza por la presencia de heces acuosas, lo que produce una escasa absorción de agua y nutrientes. Puede ser aguda o crónica y aparecer acompañada de dolor, espasmos abdominales, náuseas, fiebre o debilidad. Hay causas alimentarias, emocionales o bien, puede surgir como consecuencia de otras enfermedades (insuficiencia biliar o pancreática, síndromes de mala absorción).

¿EL CONSEJO...?

Consulte a su médico si los síntomas se extienden por más de 48 horas.

SÍNTOMAS

■ Evacuación frecuente de heces pastosas o líquidas.

CLAVES PARA TRATARLA

Mantenga una alimentación saludable. Es preferible ingerir menos cantidad de comida y hacerlo más frecuentemente. No beba líquidos demasiado fríos.

EVITAR EL CONSUMO DE...

Alimentos ricos en fibra, leche, comidas muy elaboradas y de difícil digestión.

AUMENTAR EL CONSUMO DE...

Bebidas en general para reponer líquidos y nutrientes.
Si el cuadro es moderado, puede optar por el jugo de manzana. Se recomienda también el arándano, la uva y la pera.
También agua de arroz, agua de zanahoria, corteza de granada, lima, cereales refinados, albahaca. Luego irá agregando paulatinamente el resto de los alimentos.

Pera
56/73/81/91/**270**
323/324/380

Lima
31/**230**/318/319
340/344

Granada
52/63/**204**

Arándano
134

Manzana
30/37/44/57/73
80/87/88/91/**242**
318/319/320/323
324/325/326/349
355/356/357/358
377/387

Zanahoria
26/32/36/37/44
46/50/54/57/61
67/81/85/92/93
94/95/98/99/100
106/**310**/316
318 a 330
338/371/377/378

Uva
52/59/63/**304**
324/376/382

Albahaca
11/28/50/56/71
75/104/**124**/327
336/341/344

DISPEPSIA (También conocida como digestión lenta y pesada).

La velocidad, la ingesta de alimentos poco saludables y el estrés de los tiempos que corren hacen que muchas veces sea difícil digerir las comidas. Esto genera dolor de estómago, acidez y otros trastornos digestivos que pueden derivar en úlceras, cólicos, diarreas y gastritis.

¿EL CONSEJO...?

Reemplace los condimentos difíciles de digerir por hierbas aromáticas digestivas, como el hinojo, el tomillo, la salvia, el cardamomo, el comino o los granos de anís.

SÍNTOMAS

- Pesadez.
- Acidez.
- Somnolencia.
- Disminución de la capacidad de atención.
- Vasodilatación cutánea.

CLAVES PARA TRATARLA

Es mejor comer menos, y hacer más comidas por día. Tómese el tiempo necesario y mastique bien los alimentos. Elija aquellos más simples, que no requieren cocción prolongada, ni demasiados condimentos.
No tome gaseosas y trate de tomar agua antes de las comidas, y no durante o justo después de las mismas.

EVITAR EL CONSUMO DE...

Alimentos ricos en proteínas y grasas. Café, bebidas gaseosas o estimulantes.

AUMENTAR EL CONSUMO DE...

Verduras como pimiento, alcachofa, endibia o cardo, porque tienen sustancias coleréticas, que aumentan la producción de bilis. Frutas como la piña, que por su aporte de bromelina y papaína, respectivamente, favorecen la digestión.

Pimiento
31/36/58/61/81
86/274/326/329

Alcachofa
41/44/48/59/60
63/97/126/349

Endibia
31/67/85/192

Cardo
41/48/63/97
156/342

Piña
50/53/60/83/91
97/101/278/318
319/320/322/326
328/330/367/368
369/379/380/384

DIVERTÍCULOS

Son pequeñas protuberancias que se forman en cualquier porción del tracto gastrointestinal, aunque en la mayoría de los casos sucede en el colon. Esto sucede debido al aumento de la presión interna del colon, que provoca la formación de pequeñas hernias entre sus capas internas. Cuando los divertículos se rompen, nos encontramos frente a un cuadro de diverticulitis, que genera gran dolor y malestar.

SÍNTOMAS

■ En general no presenta síntomas, más allá de una molestia abdominal leve pero constante.

CLAVES PARA TRATARLOS

Más allá del tratamiento clínico, es importante incorporar la mayor cantidad de fibra a la dieta.

EVITAR EL CONSUMO DE...

Grasas, carnes difíciles de digerir, bebidas alcohólicas, azúcares y harinas refinadas.

AUMENTAR EL CONSUMO DE...

Calabaza, zanahoria, zapallito italiano (sin piel ni semillas) y corazón de alcachofa, siempre bien cocidos y cortados en trozos pequeños.
Manzana, plátano, melocotón y chabacano. Cocidas, ya sea al vapor o al horno.

Calabaza
20/32/37/53/60
63/85/88/90/95
99/**152**/328/336
337/388/389

Plátano
29/41/57/63/81
105/**284**/322/366
369/387

Zapallito italiano
31/**312**

Alcachofa
41/43/48/59/60
63/97/**126**/349

Manzana
30/37/42/57/73
80/87/88/91/**242**
318/319/320/323
324/325/326/349
355/356/357/358
377/387

Zanahoria
26/32/36/37/42
46/50/54/57/61
67/81/85/92/93
94/95/98/99/100
106/**310**/316
318 a 330
338/371/377/378

Melocotón
37/54/58/93/95
246/341/359/360

Chabacano
37/94/95/102
164/351

DUODENITIS

Es la inflamación de la primera porción del intestino delgado o duodeno. Esto puede suceder como consecuencia del consumo excesivo de alcohol, del consumo de antiinflamatorios u otros medicamentos, o como consecuencia de otras dolencias.

SÍNTOMAS

■ Dolor y molestias a nivel abdominal.

CLAVES PARA TRATARLA

El primer paso es detectar las causas de la dolencia. Evite aquellos alimentos o situaciones que le producen incomodidades o reacciones adversas.

EVITAR EL CONSUMO DE...

Alcohol, café, tabaco, grasas, menta y sus derivados, salsas picantes.

AUMENTAR EL CONSUMO DE...

Alimentos alcalinos como maíz, frutas en general (cítricos con precaución), almendra.

Maíz
12/17/25/33/39
49/85/**234**/342

Almendra
21/48/85/90/**130**
322/332/338
387/388

ECCEMA o ECZEMA (También conocido como dermatitis).

Es una manifestación no contagiosa de la piel y aparece como síntoma de diversas patologías, entre ellas, alteraciones sanguíneas y alergias.

Puede obedecer a factores hereditarios o nerviosos, y también al contacto frecuente de cierta zona del cuerpo con un elemento o sustancia externa. Por eso se dice que existen eccemas atópicos y otros de contacto.

¿EL CONSEJO...?

En todas sus presentaciones, el aloe vera es de gran utilidad para tratar las afecciones cutáneas (ver más información en el Capítulo 5).

SÍNTOMAS

- Picazón y alteraciones en la superficie cutánea.
- Pueden producirse descamaciones e inflamaciones en la zona afectada.

CLAVES PARA TRATARLO

La idea es detectar cuáles son los factores externos que lo producen y evitar el contacto.

Utilice guantes o cremas protectoras, por ejemplo con vaselina, que mantengan aislada la piel del elemento que provoca la reacción.

EVITAR EL CONSUMO DE...

Alimentos que puedan provocar reacciones alérgicas, ricos en grasas o bien, frutas como las fresas.

AUMENTAR EL CONSUMO DE...

Alimentos con vitamina E, como el berro. También zanahoria y acelga. Se recomienda el consumo de yuca.

Berro
28/48/60/69/92/97
142/318/321/322
323/327/328
330/335

Zanahoria
26/32/36/37/42
44/50/54/57/61
67/81/85/92/93
94/95/98/99/100
106/310/316
318 a 330
338/371/377/378

Acelga
29/36/37/52/53/60
64/97/98/102/116

Yuca
9/13/33/308

EPILEPSIA

Es una afección neurológica, relacionada con cambios breves y repentinos en el funcionamiento del cerebro. Esto produce una descarga súbita y desproporcionada de los impulsos eléctricos que utilizan las células del cerebro.

Puede ser parcial o generalizada, y de eso dependerán los síntomas de la crisis epiléptica.

SÍNTOMAS

- Pérdida brusca del conocimiento con caída al suelo.
- Contractura de los músculos de las extremidades y de la cara.
- Convulsiones o sacudidas rítmicas.
- Confusión mental.
- Comportamiento infantil.
- Debilidad.
- Fatiga profunda.

CLAVES PARA TRATARLA

Hay medicamentos específicos y es importante respetarlos para evitar crisis reiteradas.

Frente a un ataque de epilepsia, es necesario mantener la calma. No interfiera en los movimientos de la persona que está sufriendo el ataque, simplemente sujete su cabeza para evitar que se golpee.

EVITAR EL CONSUMO DE...

Alimentos que pueden generar reacciones alérgicas: leche de vaca, huevos, pescados y mariscos, fresa, plátano, aguacate, kiwi, cacahuete, soja, lenteja, arveja, garbanzo, nuez, almendra y avellana.

AUMENTAR EL CONSUMO DE...

Se recomienda seguir una dieta cetogénica, rica en grasas y con bajo nivel de carbohidratos y proteínas. Debe ser supervisada por un médico.

ESTREÑIMIENTO

Así se denomina al cuadro en el que disminuye la frecuencia y la cantidad de las deposiciones. Puede estar relacionado con la falta de alimentos ricos en fibra en la dieta cotidiana, la baja ingesta de líquidos, ciertos medicamentos que producen ese efecto, cierta condición genética, viajes, estrés y otras enfermedades.

¿EL CONSEJO...?

Los alimentos muy fríos o calientes estimulan el movimiento intestinal.

SÍNTOMAS

- Dificultad frecuente en el momento de defecar.
- Disminución de la frecuencia o el tamaño de las heces.
- Dolor de cabeza.
- Hinchazón.
- Irritabilidad.
- Falta de apetito.

CLAVES PARA TRATARLO

El cambio gradual en la alimentación es prioritario. Además es importante incorporar al menos dos litros de agua por día. Y realizar actividad física.

EVITAR EL CONSUMO DE...

Alimentos difíciles de digerir, té, chocolate.
Verduras que pueden producir flatulencias: col (cualquier variedad), coliflor, brócoli, col de Bruselas, pimiento, pepino, rábano, cebolla, puerro y ajo. Y la zanahoria, que es astringente.
Frutas que son astringentes: membrillo, pomelo, plátano, manzana pelada y limón.

AUMENTAR EL CONSUMO DE...

Cereales integrales, lenteja, garbanzo, almendra, alcachofa, judía, judía verde, arveja, cardo, berro, cacahuete, castaña.
Todas las verduras, salvo las que pueden producir flatulencias.
Frutas frescas, todas. Se recomienda el caqui y la ciruela.

Cardo
41/43/63/97
156/342

Ciruela
37/59/63/94
174/389

Judía
36/37/67/218

Alcachofa
41/43/44/59/60
63/97/126/349

Caqui
154

Lenteja
15/23/36/51/228

Castaña
158

Cacahuete
36/148

Arveja
16/36/37/41/55
60/102/136

Garbanzo
36/49/105/202

Almendra
21/45/85/90/130
322/332/338
387/388

Berro
28/46/60/69/92
97/142/318/321
322/323/327/328
330/335

Judía verde
36/37/50/51/94
220/325/326
333/391

ESTRÉS

Se trata de una reacción automática del organismo ante situaciones de peligro o amenazantes. El cerebro libera neurotransmisores que elevan el estado de alerta y nos ayudan a enfrentar la situación que se está presentando.

Se vuelve perjudicial para la salud cuando no podemos controlarlo, y nos impide actuar con normalidad.

SÍNTOMAS

■ Aceleración del ritmo cardíaco y de la presión sanguínea.
■ Dolor en el pecho y dificultad para respirar.
■ Vértigo.
■ Sudoración excesiva y fatiga.
■ Dolor de cabeza.
■ Dificultades visuales y auditivas.
■ También fallan la memoria y la concentración.
■ Se dificulta la posibilidad de tomar decisiones.
■ Sensación de miedo.
■ Ansiedad, enojo, irritabilidad y tristeza.
■ Pueden aparecer tics nerviosos.

CLAVES PARA TRATARLO

Además de las psicoterapias, hay medicamentos que ayudan a corto plazo. La búsqueda está orientada a cambiar el estilo de vida: realizar actividad física, encontrar momentos de esparcimiento y relax que ayuden a descargar tensiones.

EVITAR EL CONSUMO DE...

Cafeína, bebidas alcohólicas, azúcares, sal en exceso, carnes grasas y aquellos alimentos que pueden generar reacciones alérgicas.

AUMENTAR EL CONSUMO DE...

Alimentos que contengan potasio, especialmente frutas frescas como la sandía. Cereales integrales, legumbres (garbanzo y soja) y maíz.

Soja
19/22/33/36/61/77/85/86
88/100/**300**/374/375

Maíz
12/17/25/33/39
45/85/**234**/342

Sandía
31/59/67/**296**
323/373

Garbanzo
36/48/105/**202**

FARINGITIS

Inflamación en la faringe que genera dolor de garganta, que en general se produce durante los meses fríos del año. Suele estar causada por un virus o una bacteria y es contagiosa.

¿EL CONSEJO...?

Las infusiones calientes endulzadas con miel alivian la molestia. Y los caramelos o pastillas que se puedan chupar lentamente.

SÍNTOMAS

- Dolor de garganta.
- Fiebre.
- Dolor de cabeza.
- Ganglios linfáticos inflamados en el cuello.

CLAVES PARA TRATARLA

Más allá de los antibióticos –en los casos de origen bacteriano–, ayudan las gárgaras con agua tibia y sal.

EVITAR EL CONSUMO DE...

Alimentos difíciles de digerir. O que produzcan molestias al tragar, como las cortezas duras de pan.

AUMENTAR EL CONSUMO DE...

Alimentos que refuerzan el sistema inmunológico: ajo, cebolla, naranja, limón, kiwi, col blanca, zanahoria, frutos secos, judía verde, albahaca, piña, salvia.

Salvia
77/78/79/93/**294**

Judía verde
36/37/48/51/94
220/325/326
333/391

Albahaca
11/28/42/56/71
75/104/**124**/327
336/341/344

Kiwi
18/51/52/55/60
85/97/**222**/321

Col blanca
25/36/51/80/**180**
325/326/329/335
336/337

Naranja
14/18/19/58/67
84/98/107/**256**
321/328/344/349
362/367

Cebolla
19/20/21/31/35
36/55/59/60/67
80/81/97/104/107
160/319/322/335
336/337/338/344
345

Ajo
16/19/20/28/36/52
55/60/67/70/81/87
90/97/102/107
108/**122**/319/320
328/329/335/336
338/381

Limón
9/10/14/18/52/55
59/64/71/75/**232**
321/324/325/328
337/338/344/345
353/354/367/382

Zanahoria
26/32/36/37/42
44/46/54/57/61
67/81/85/92/93
94/95/98/99/100
106/**310**/316
318 a 330
338/371/377/378

Piña
43/53/60/83/91/97
101/**278**/318/319
320/322/326/328
330/367/368/369
379/380/384

FATIGA

Así se denomina al cansancio prolongado, que disminuye en un 50 % o más las capacidades de la persona para desarrollar sus actividades diarias. Este agotamiento no se encuentra relacionado directamente con otras enfermedades, y no desaparece con el descanso apropiado.

SÍNTOMAS

- Dolor muscular y articular.
- Dolor de cabeza.
- Cansancio intenso que limita las actividades diarias.
- Dificultad para recuperarse de las actividades físicas intensas.
- Dificultad para concentrarse.
- Irritabilidad.

CLAVES PARA TRATARLA

Además de los fármacos que se administran (antivirales, antidepresivos, ansiolíticos), se recomienda realizar actividad física moderada y mantener una vida social activa.

EVITAR EL CONSUMO DE...

Alimentos pesados o difíciles de digerir.

AUMENTAR EL CONSUMO DE...

Alimentos ricos en vitamina C, como mandarina, kiwi y papaya.
Ciruela pasa.
Calcio.
Hierro: vegetales verdes, col blanca, lenteja, judía verde.

Col blanca
25/36/50/80/**180**
325/326/329/335
336/337

Papaya
10/28/60/85/96
97/107/**264**/319
320/323/354/366

Mandarina
37/59/**238**/367

Ciruela pasa
77/**176**

Lenteja
15/23/36/48/**228**

Kiwi
18/50/52/55/60
85/97/**222**/321

Judía verde
36/37/48/50/94
220/325/326/333/391

FIEBRE

(También conocida como hipertermia, pirexia, temperatura elevada).

Es una respuesta natural del organismo cuando se encuentra combatiendo con un agente externo. Es decir que no es una enfermedad en sí misma, sino un signo de que el organismo está defendiéndose. En general, la temperatura promedio del cuerpo es de 37°C ó 98,6°F. Al elevarse, se desequilibra el ambiente en el que suelen desarrollarse con éxito muchas bacterias y virus, y se estimula al sistema inmunitario para que genere anticuerpos y glóbulos blancos para luchar contra la infección. Es muy raro que la fiebre supere los 40.5°C o los 105°F.

Entre las causas comunes podemos mencionar las infecciones bacterianas o virales de cualquier tipo e insolaciones.

¿EL CONSEJO...?

Buen abrigo, un rico té y una siesta lo ayudarán a sentirse mejor.

SÍNTOMAS

- Disminución del apetito.
- Malestar general.
- Escalofríos.
- Sudoración repentina y excesiva.
- Dolor muscular y articular.
- Vómitos.

CLAVES PARA TRATARLA

Se trata de detectar y combatir la causa para que desaparezca el síntoma. Para bajar la fiebre temporalmente, se debe mantener el ambiente ventilado y a una temperatura agradable.
Los baños de agua tibia también ayudan. Y es importante beber mucho líquido.

EVITAR EL CONSUMO DE...

Alimentos grasos o de digestión difícil, o muy salados.

AUMENTAR EL CONSUMO DE...

Jugos de cítricos, uva y apio. Jugo de ajo para erradicar la infección. Acelga, kiwi, chirivía, limón y corteza de granada.

Ajo
16/19/20/28/36/50
55/60/67/70/81/87
90/97/102/107
108/**122**/319/320
328/329/335/336
338/381

Apio
9/15/20/36/64/67
74/85/91/106/**132**
318/319/320/321
325/326/327/328
329/335

Uva
42/59/63/**304**
324/376/382

Acelga
29/36/37/46/53/60
64/97/98/102/116

Chirivía
20/74/78/**170**

Limón
9/10/14/18/50/55/59
64/71/75/**232**/321/324
325/328/337/338/344
345/353/354/367/382

Granada
42/63/**204**

Kiwi
18/50/51/55/60
85/97/**222**/321

No es una enfermedad, sino un signo de que algo en la alimentación o el estilo de vida no está funcionando como debería. Las dietas desordenadas, con demasiada fibra, acompañadas por cuadros de nerviosismo, colon irritable, diverticulitis e intestino irritable, entre otras, colaboran para que esto suceda.

En exceso, las flatulencias pueden ocasionar cólicos abdominales, problemas en la zona lumbar, dolores genitales, cefaleas y sensación de ahogo.

¿EL CONSEJO...?

Las infusiones digestivas resultan de gran ayuda.

SÍNTOMAS

- Hinchazón estomacal.

CLAVES PARA TRATARLA

Es momento de revisar la dieta, el tiempo que se le dedica a cada comida, la manera en la que se come, entre otros aspectos.

EVITAR EL CONSUMO DE...

Bebidas con gas y leche de vaca.
Lechuga y cebolla cruda. Coles, coliflores, alcachofas, guisantes y legumbres.

AUMENTAR EL CONSUMO DE...

Leche vegetal: avena, arroz.
Vegetales de fácil digestión: hinojo, cilantro, calabaza, acelga y espinaca. También se recomienda el aceite esencial de laurel y la piña.

Laurel
9/78/80/**224**/340

Acelga
29/36/37/46/52/60
64/97/98/102/**116**

Calabaza
20/32/37/44/60
63/85/88/90/95
99/**152**/328/336
337/388/389

Piña
43/50/60/83/91
97/101/**278**/318
319/320/322/326
328/330/367/368
369/379/380/384

Espinaca
15/24/36/37/106
196/318/320/321
324/325/326/327
328/330/338/340
389/392

Hinojo
80/**214**/326

Cilantro
71/75/80/**172**
326

FORÚNCULO (También conocido como divieso, carbunculosis o furúnculo).

Es la manifestación, el signo externo, de que existen desperdicios tóxicos internos y se produce cuando se infecta un folículo piloso y compromete el tejido cutáneo adyacente. Aparece normalmente en la cara, el cuello, las axilas, las nalgas y los muslos. En primera instancia se ve como un nódulo o mancha roja y sensible, que luego da lugar a la ampolla o protuberancia.

Produce pus y puede drenar espontáneamente o bien, con la ayuda del paciente o de terceros. Cuando se desarrollan muchos en una misma zona, pueden generarse abscesos.

¿EL CONSEJO...?

Para acelerar el drenado de un forúnculo, humedezca un trozo de miga de pan blanca en leche y sosténgalo sobre la zona afectada.

SÍNTOMAS

- Picazón o molestia en la zona.
- Manifestación de un nódulo visible y muchas veces doloroso o molesto. Puede presentar núcleos amarillentos (pústula).
- Inflamación en la zona.

CLAVES PARA TRATARLO

Las compresas calientes estimulan el drenaje del forúnculo, aunque en los casos más severos hay que recurrir al drenaje quirúrgico.
Hay que mantener la piel bien higienizada para evitar el contagio.

EVITAR EL CONSUMO DE...

Chocolate, quesos, embutidos, frutos secos oleaginosos, productos refinados, frituras y alcohol.

AUMENTAR EL CONSUMO DE...

Semillas y panes integrales, verduras (espárrago, berenjena, zanahoria), levadura de cerveza, frutas frescas en general (cítricos, melocotón y melón). Las hojas del boniato, aplicadas en forma externa, tienen acción antiinflamatoria.

Espárrago
15/98/**194**/345
352/389

Zanahoria
26/32/36/37/42
44/46/50/57/61
67/81/85/92/93
94/95/98/99/100
106/**310**/316
318 a 330
338/371/377/378

Berenjena
36/59/65/85
140/344

Melón
10/58/59/90/93
95/**248**/361

Melocotón
37/44/58/93/95
246/341/359/360

Boniato
60/97/**144**

Especialmente frecuente en los niños, suele ser peor durante la mañana. La respiración a través de la garganta puede generar dolor. En general está provocado por infecciones virales, es decir que no responden a los antibióticos. También existen bacterias como los estreptococos que provocan infecciones que se presentan acompañadas por fiebre, placas o ganglios inflamados, dolor de cabeza y, a veces, dolor de estómago.

¿EL CONSEJO...?

Las infusiones calientes endulzadas con miel alivian la molestia. También las gárgaras con agua tibia y sal. Y los caramelos o pastillas que se puedan chupar lentamente.

SÍNTOMAS

- Dolor o picazón en la garganta.
- Sequedad.
- Sensación de hinchazón.
- Dificultades al tragar.

CLAVES PARA TRATARLO

Mantener los ambientes humidificados y bien ventilados.
Evite el humo y las situaciones que irritan las mucosas y las vías respiratorias.
Aprenda a respirar por la nariz y no fuerce la voz en caso de molestias.

EVITAR EL CONSUMO DE...

Alimentos difíciles de digerir. O que produzcan molestias al tragar, como las cortezas duras de pan.

AUMENTAR EL CONSUMO DE...

Alimentos que refuerzan el sistema inmunológico: ajo, cebolla, limón, kiwi, arveja, frutos secos. También el pepino y el pimiento de Cayena.

Limón	Ajo	Cebolla	Pepino	Kiwi
9/10/14/18/50/52	16/19/20/28/36	19/20/21/31/35	9/20/31/35/41/59	18/50/51/52/60
59/64/71/75/**232**	50/52/60/67/70	36/50/59/60/67	63/67/85/93/96/98	85/97/**222**/321
321/324/325/328	81/87/90/97/102	80/81/97/104/107	**268**/321/322/325	
337/338/344/345	107/108/**122**/319	**160**/319/322/335	327/329/330/368	
353/354/367/382	320/328/329/335	336/337/338/344		
	336/338/381	345		

Pimiento de Cayena
27/65/81/105/**276**

Arveja
16/36/37/41/48
60/102/**136**

GASTRITIS

Es la inflamación de la mucosa del estómago, generada por el exceso de secreción ácida. Puede aparecer tras la ingesta de un alimento irritante, debido a la presencia de ciertas bacterias o bien, como consecuencia secundaria de la toma de medicamentos antiinflamatorios.

SÍNTOMAS

- Acidez y quemazón en el estómago.
- Pérdida de apetito.
- Náuseas.
- Gases.
- Aerofagia y mal sabor en la boca.

CLAVES PARA TRATARLA

Es importante ordenar las comidas. Tomarse el tiempo necesario para cada una de ellas y no picotear entre comidas.
Hay que beber pequeños tragos de líquido y no conviene irse a dormir inmediatamente después de comer.

EVITAR EL CONSUMO DE...

Frutas cítricas, especias, alimentos pesados o estimulantes.

AUMENTAR EL CONSUMO DE...

Pera, cocida o en puré.
Verduras cocidas, en lo posible sin aceite. Albahaca.

Pera
42/73/81/91/**270**
323/324/380

Albahaca
11/28/42/50/71
75/104/**124**/327
336/341/344

GASTROENTERITIS

También conocida como gripe estomacal, infección por rotavirus y virus de Norwalk, este cuadro aparece como consecuencia de un virus que genera la inflamación del estómago y los intestinos. Estos virus suelen encontrarse en agua o alimentos contaminados y los síntomas se manifiestan entre las 4 y las 48 horas posteriores a la ingesta de estos alimentos.

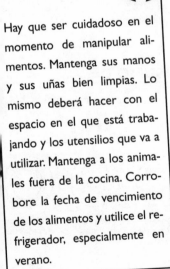

¿EL CONSEJO...?

Hay que ser cuidadoso en el momento de manipular alimentos. Mantenga sus manos y sus uñas bien limpias. Lo mismo deberá hacer con el espacio en el que está trabajando y los utensilios que va a utilizar. Mantenga a los animales fuera de la cocina. Corrobore la fecha de vencimiento de los alimentos y utilice el refrigerador, especialmente en verano.

SÍNTOMAS

- ■ Dolor abdominal.
- ■ Cólicos.
- ■ Diarrea.
- ■ Vómitos.

CLAVES PARA TRATARLA

Es importante prevenir la deshidratación mediante la incorporación de líquidos, sales y minerales.
Hay que adaptar la alimentación hasta que se estabilice el cuadro.

EVITAR EL CONSUMO DE...

Frutas y verduras crudas, especialmente las verdes.
Almendras, compotas y nueces.

AUMENTAR EL CONSUMO DE...

Durante la primera etapa no se recomienda la ingesta de alimentos sólidos. Luego, será necesario seguir una dieta astringente: sopa de arroz, sopa de zanahoria.
Manzana asada, oxidada con unas gotas de limón; membrillo y plátano.

Plátano	Manzana	Membrillo	Zanahoria
29/41/44/63/81	30/37/42/44/73	63/**250**/325	26/32/36/37/42
105/**284**/322/366	80/87/88/91/**242**		44/46/50/54/61
369/387	318/319/320/323		67/81/85/92/93
	324/325/326/349		94/95/98/99/100
	355/356/357/358		106/**310**/316
	377/387		318 a 330
			338/371/377/378

GINGIVITIS

Es una enfermedad de las encías, que se manifiesta con la inflamación del tejido del soporte óseo. La sustancia que la ocasiona es la denominada placa, un material pegajoso compuesto por bacterias, restos de comida y otras sustancias que se acumula sobre los dientes y se endurece hasta formar sarro.

SÍNTOMAS

- Encías sensibles o inflamadas, enrojecidas alrededor de los dientes.
- También puede suceder que sangren en el momento del cepillado.
- Mal aliento.

CLAVES PARA TRATARLA

La limpieza bucal frecuente y cuidadosa es clave para eliminar la placa.
Hay que utilizar un buen cepillo de cerdas suaves e hilo dental
Y visite cada 6 meses al odontólogo.

EVITAR EL CONSUMO DE...

Dulces y azúcares que dañan la salud bucal.

AUMENTAR EL CONSUMO DE...

Cereales, naranja, fresa, melocotón, pimiento rojo, melón, hojas verdes, brócoli.

Fresa
18/24/59/61/77
81/102/**200**/318
321/322/323
324/352

Pimiento
31/36/43/61/81
86/**274**/326/329

Melón
10/54/59/90/93
95/**248**/361

Brócoli
16/37/60/81
97/**146**/337

Melocotón
37/44/54/93/95
246/341/359/360

Naranja
14/18/19/50/67
84/98/107/**256**
321/328/344/349
362/367

Es una enfermedad que se produce cuando existe un exceso de ácido úrico en el organismo. Esto puede suceder por diferentes razones; fallas en el funcionamiento de los riñones, consumo elevado de alcohol y ciertos alimentos ricos en purinas que el organismo convierte en ácido úrico. En forma de pequeños cristales, esta sustancia se acumula en las articulaciones, particularmente en las de los miembros inferiores (pies y piernas), lo que genera dolor. También se elimina en forma de piedras a través de la orina.

SÍNTOMAS

■ Dolor articular de los miembros inferiores.
■ Los cálculos renales producen dolor al orinar.

CLAVES PARA TRATARLA

Cuando se producen los ataques de artritis gotosa, se recomiendan los antiinflamatorios no esteroideos. El estrés, la cafeína, el alcohol, el hecho de someterse a contrastes radiológicos iodados, algunos medicamentos y ciertas enfermedades que destruyen tejidos aumentan naturalmente el ácido úrico.

EVITAR EL CONSUMO DE...

Carnes rojas y vísceras de animales en general. Pescados: anchoas, sardinas, arenque, trucha y salmón. Mariscos. Bebidas alcohólicas. Vegetales: berro, coliflor, espinaca, champignon, guisante, lenteja.

AUMENTAR EL CONSUMO DE...

Alcachofa, berenjena, cebolla, pepino, col verde, ciruela, fresa, limón, mandarina, melón, sandía, uva.

Col verde	Limón	Cebolla	Pepino	Fresa
31/80/**186**/327	9/10/14/18/50/52	19/20/21/31/35/36/50	9/20/31/35/41/55	18/24/58/61/77
	55/64/71/75/**232**	55/60/67/80/81/97/104	63/67/85/93/96/98	81/102/**200**/318
	321/324/325/328	107/**160**/319/322/335	**268**/321/322/325	321/322/323
	337/338/344/345	336/337/338/344/345	327/329/330/368	324/352
	353/354/367/382			

Ciruela	Mandarina	Melón	Alcachofa	Berenjena	Sandía	Uva
37/48/63/94	37/51/**238**/367	10/54/58/90/93	41/43/44/48/60	36/54/65/85	31/49/67/**296**	42/52/63/**304**
174/389		95/**248**/361	63/97/**126**/349	**140**/344	323/373	324/376/382

GRIPE

Es una enfermedad típica de los meses fríos del año, que se transmite de persona a persona a través de la tos y los estornudos. Está causada por el virus de la influenza, que varía año a año.

SÍNTOMAS

- Fiebre.
- Escalofríos.
- Dolor muscular y articular.
- Dolor de cabeza.
- Tos y estornudos.

CLAVES PARA TRATARLA

Al ser de origen viral, no se puede recurrir a los antibióticos y hay que dejarla seguir su rumbo. En la medida de las posibilidades, conviene guardar reposo. Los analgésicos ayudarán a disminuir las molestias de los síntomas.

AUMENTAR EL CONSUMO DE...

Boniato, legumbres (arveja), col lombarda, berro, brócoli, acelga, ajo y cebolla, calabaza, remolacha, rábano, alcachofa, cítricos, kiwi, papaya y piña.

Papaya
10/28/51/85/96
97/107/**264**/319
320/323/354/366

Brócoli
16/37/58/81
97/146/337

Rábano
31/36/67/69/71
97/104/**290**/319
322/345

Col lombarda
22/29/31/67/80
184/361

Ajo
16/19/20/28/36/50
52/55/67/70/81/87
90/97/102/107/108
1**22**/319/320/328/329
335/336/338/381

Piña
43/50/53/83/91/97/101
278/318/319/320/322
326/328/330/367/368
369/379/380/384

Cebolla
19/20/21/31/35/36/50
55/59/67/80/81/97/104
107/1**60**/319/322/335
336/337/338/344/345

Berro
28/46/48/69/92
97/1**42**/318/321
322/323/327/328
330/335

Remolacha
31/36/67/69/97/**292**
318/320/321/322
324/325/327/330
337/370/371/389

Calabaza
20/32/37/44/53/63
85/88/90/95/99/15
328/336/337/388
389

Acelga
29/36/37/46/52/53
64/97/98/102/1**16**

Alcachofa
41/43/44/48/59
63/97/1**26**/349

Arveja
16/36/37/41/48
55/102/1**36**

Boniato
54/97/144

Kiwi
18/50/51/52/55
85/97/**222**/321

HEMATOMA (También conocido como contusión o magulladura).

Aparecen cuando, por consecuencia de un golpe o una presión fuerte, se rompen pequeños vasos sanguíneos y se filtran sus contenidos en el tejido blando. Como resultado, aparecen estas zonas oscuras en la piel.

Hay tres tipos de hematomas: subcutáneo, intramuscular y perióstico (en el hueso).

¿EL CONSEJO...?

Guarde reposo y, de ser necesario, mantenga la zona afectada levemente elevada.

SÍNTOMAS

- Dolor en la zona afectada.
- Inflamación y cambio de color en la piel, del rosáceo al azulado y luego al amarillo verdoso.

CLAVES PARA TRATARLA

La aplicación de hielo ayudará a disminuir el dolor y la inflamación.
No intente drenar el hematoma con una aguja.

AUMENTAR EL CONSUMO DE...

Alimentos ricos en vitaminas B y K por su acción cicatrizante: avena, patata, zanahoria, soja, trigo y fresa.
Vitamina C: grosella, cítricos y pimiento verde.

Zanahoria	Soja	Fresa	Grosella	Pimiento
26/32/36/37/42	19/22/33/36/49	18/24/58/59/77	206	31/36/43/58/81
44/46/50/54/57	77/85/86/88/100	81/102/**200**/318		86/**274**/326/329
67/81/85/92/93	**300**/374/375	321/322/323		
94/95/98/99/100		324/352		
106/**310**/316				
318 a 330				
338/371/377/378				

Patata
64/66/74/83/85
96/98/107/**266**
327/328/335
336/338/344/362
363/364/365

HEMORRAGIA NASAL (También conocida como sangrado nasal y epistaxis).

Por diversas razones, el tejido que recubre la nariz puede perder sangre. Entre las razones más frecuentes, aparecen los resfriados o las irritaciones nasales, como alergias y sinusitis. Influye también el hecho de que el revestimiento de la nariz se reseca por la baja humedad. Por eso, las hemorragias nasales son más frecuentes durante los meses fríos. Puede manifestarse también como consecuencia de un golpe, de la presencia de algún objeto en la nariz, o el consumo de anticoagulantes.

SÍNTOMAS

■ Sangrado nasal.

CLAVES PARA TRATARLA

Cuando se presenta el sangrado, apriete suavemente la parte blanda de su nariz e inclínese hacia delante para no tragar sangre. Mientras tanto, respire a través de la boca.
No se tape la nariz con gasa.

EVITAR EL CONSUMO DE...

Aspirinas.

Perejil
16/79/92/**272**
319/321/344

¿EL CONSEJO...?

Las cataplasmas de perejil detrás de la nuca ayudan a frenar la hemorragia.

HEMORROIDES (También conocidas como amorradas).

Son dilataciones de las venas de los plexos venosos del recto o del ano. Pueden ser internas, cuando se ubican por arriba del conducto anal y están cubiertas por mucosa. Las que aparecen cubiertas por piel exterior son las que aparecen debajo de la unión ano rectal, en el plexo venoso inferior.

Pueden ser hereditarias, y su aparición se ve favorecida por factores como el estreñimiento, la diarrea, el embarazo, el hecho de permanecer de pie o sentado durante mucho tiempo seguido y ciertos hábitos alimentarios.

SÍNTOMAS

- Irritación e hinchazón en la zona anal que ocasiona molestias al defecar.
- También un sangrado leve que, en casos más severos, puede llegar a desencadenar un cuadro de anemia.

CLAVES PARA TRATARLAS

Es importante mantener la zona higienizada y evitar rascarse o que el roce de las prendas íntimas produzca más irritación. La idea es intentar reducir el tiempo de defecación y evitar los esfuerzos. Las compresas frías también ayudan a disminuir la molestia, así como también los baños tibios.

EVITAR EL CONSUMO DE...

Harinas blancas, azúcares refinados, bebidas alcohólicas, alimentos muy condimentados o frutas y verduras que pueden producir irritación intestinal (col de Bruselas, coliflor).

AUMENTAR EL CONSUMO DE...

Alimentos ricos en fibra para estimular la actividad intestinal y reducir el estreñimiento. No descuidar la cantidad de líquido que se bebe por día.
Plátano, ciruela, frambuesa, granada, membrillo, uva, alcachofa, pepino, lechuga, nabo, cardo, calabaza.
Otros: aloe vera (ver información en el Capítulo 5), diente de león, manzanilla, pasionaria.

Pepino
9/20/31/35/41/55/59/67
85/93/96/98/**268**/321/322
325/327/329/330/368

Frambuesa	**Granada**	**Membrillo**
37/**198**	42/52/**204**	57/**250**/325

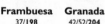

Uva	**Ciruela**	**Cardo**	**Plátano**	**Alcachofa**	**Lechuga**	**Nabo**	**Calabaza**
42/52/59/**304**	37/48/59/94	41/43/48/97	29/41/44/57/81	41/43/44/48/59	17/21/22/36/67	102/**254**/319	20/32/37/44/53/60
324/376/382	174/389	156/342	105/**284**/322/366	60/97/**126**/349	73/74//**226**/318	327/330	85/88/90/95/99
			369/387		322/325/326/335		152/328/336/337
					338/342/380/387		388/389

HERIDAS

Cualquier roce puede llegar a generar un corte en la piel aunque, si se trata de heridas pequeñas, no es necesario recurrir al servicio de emergencias para realizar una sutura.

Hay que estar atento a la correcta cicatrización de la herida para evitar complicaciones.

¿EL CONSEJO...?

Aplicado en forma externa, el aloe vera regenera los tejidos cutáneos y acelera la cicatrización de las heridas (ver información en el Capítulo 5).

SÍNTOMAS

■ Preste atención si la herida se ve inflamada o enrojecida, o si supura pus y otros líquidos.

CLAVES PARA TRATARLAS

En caso de sufrir una herida menor, detenga la hemorragia con un apósito.

Lave y desinfecte la herida con una solución antiséptica. Y coloque un vendaje protector.

AUMENTAR EL CONSUMO DE...

Los alimentos ricos en vitaminas del grupo B, C y K colaboran en el proceso de cicatrización (por ejemplo, el limón).

Los cítricos en general son recomendadas.

Entre las verduras, apio, acelga, patata.

También frutos secos, por su aporte en zinc.

Patata	Limón	Apio	Acelga
61/66/74/83/85	9/10/14/18/50/52	9/15/20/36/52/67	29/36/37/46/52/53
96/98/107/**266**	55/59/71/75/**232**	74/85/91/106/**132**	60/97/98/102/**116**
327/328/335/336	321/324/325/328	318/319/320/321	
338/344/362/363	337/338/344/345	325/326/327/328	
364/365	353/354/367/382	329/335	

HERPES (También conocido como ampolla febril y calentura labial).

Se trata de una infección que puede aparecer tanto en la zona bucal, como en las vías respiratorias superiores o en la zona genital. Está causado por un virus que muchas veces se encuentra latente en el organismo, y se manifiesta visiblemente como consecuencia del estrés, de la exposición solar exagerada, o ante la presencia de cuadros infecciosos. Se forman pequeñas ampollas que, una vez que exudan, dan lugar a una costra. Habitualmente sucede siempre en el mismo lugar.

SÍNTOMAS

- Comienza con una sensación de ardor o picazón en la zona en la que va a aparecer el herpes.
- Puede haber fiebre o no. Luego aparecen las ampollas.

CLAVES PARA TRATARLAS

Determinadas cremas y antibióticos, utilizados a tiempo, ayudan a reducir la duración del cuadro, que en general es de unos diez días.

Hay que ser cuidadoso para mantener la zona bien higienizada y tomar los recaudos necesarios para evitar el contagio.

EVITAR EL CONSUMO DE...

En el caso del herpes labial, nueces, semillas, chocolate y gelatina.

AUMENTAR EL CONSUMO DE...

Frutas, verduras y legumbres que refuerzan el sistema inmunológico. Pimiento de Cayena. La berenjena, en forma externa, ayuda a tratarlo.

Pimiento de Cayena
27/55/81/105/276

Berenjena
36/54/59/85
140/344

HÍGADO (Ataque de...)

En rigor de verdad, el ataque de hígado tal como se lo conoce popularmente es un mito. Se denomina de esta manera a la sensación de malestar que se produce tras una ingesta excesiva de ciertos alimentos, pero en general no existen síntomas que se puedan atribuir a una enfermedad hepática, que suele ser crónica y prolongada en el tiempo.

¿EL CONSEJO...?

Las infusiones diuréticas son de gran ayuda a la hora de limpiar el hígado.

SÍNTOMAS

- Malestar en la parte superior del abdomen.
- Dolor de cabeza.
- Somnolencia.

CLAVES PARA TRATARLO

Los procesos de malestar estomacal se desarrollan por la ingesta excesiva de alimentos que nuestro organismo no suele tolerar.

EVITAR EL CONSUMO DE...

Fundamentalmente de bebidas alcohólicas, causantes de uno de los cuadros crónicos de dolencias hepáticas.
También las grasas y los alimentos difíciles de digerir.

AUMENTAR EL CONSUMO DE...

Una dieta equilibrada ayudará al hígado dañado. El jengibre, por su parte, es considerado protector hepático, al igual que la guanábana y la patata.

Patata
61/64/74/83/85
96/98/107/**266**
327/328/335/336
338/344/362/363
364/365

Guanábana
66/**208**/354

Jengibre
76/80/82/101/104
216/320/323/326
328/336/340
341/344

HIPERTENSIÓN

Es el aumento de la presión de la sangre que el corazón bombea hacia las arterias. Se trata de un mal silencioso, y por eso es importante prevenirlo. Es un factor de riesgo cardiovascular y puede afectar el funcionamiento del corazón, el cerebro y los riñones. En algunos casos es consecuencia de la enfermedad renal crónica, la obstrucción grave de la aorta, ateroesclerosis, alteraciones del sistema endócrino. Entre los factores de riesgo pueden mencionarse la obesidad, el alcohol, el tabaco, la vida sedentaria, el estrés y el consumo elevado de sal.

¿EL CONSEJO...?

Un jugo recomendado para tratar esta dolencia es el que puede preparar con 5 dientes de ajo, 2 zanahorias y 1 pepino.

SÍNTOMAS

- Dolor de cabeza.
- Somnolencia.
- Temblor en los miembros inferiores.
- Dificultad respiratoria y hemorragias nasales.

De cualquier manera, salvo en los casos más severos, no suele presentar síntomas.

CLAVES PARA TRATARLA

Además de los tratamientos farmacológicos, es importante llevar una dieta saludable y realizar actividad física.
No se olvide de controlar su presión sanguínea regularmente.

EVITAR EL CONSUMO DE...

Grasas animales, sal, bebidas alcohólicas.

AUMENTAR EL CONSUMO DE...

Verduras en general, judía, col lombarda, endibia, lechuga, cebolla, apio, legumbres y fibra. Naranja, sandía, rábano, mamón, remolacha, guanábana y níspero.

Cebolla
19/20/21/31/35/36
50/55/59/60/80/81
97/104/107/**160**
319/322/335/336
337/338/344/345

Apio
9/15/20/36/52/64
74/85/91/106/**132**
318/319/320/321
325/326/327/328
329/335

Zanahoria
26/32/36/37/42/44
46/50/54/57/61/81
85/92/93/94/95/98
99/100/106/**310**
316/318 a 330
338/371/377/378

Naranja
14/18/19/50/58
84/98/107/**256**
321/328/344/349
362/367

Ajo
16/19/20/28/36/50/52
55/60/70/81/87/90/97
102/107/108/**122**
319/320/328
329/335/336/338/381

Mamón
27/**236**

Guanábana
67/**208**/354

Níspero
258

Lechuga
17/21/22/36/63
73/74/**226**/318
322/325/326/335
338/342/380/387

Remolacha
31/36/60/69/97
292/318/320/321
322/324/325/327
330/337/370/371/389

Pepino
9/20/31/35/41/55
59/63/85/93/96/98
268/321/322/325
327/329/330/368

Judía
36/37/48/**218**

Rábano
31/36/60/69/71
97/104/**290**/319
322/345

Sandía
31/49/59/**296**
323/373

Col lombarda
22/29/31/60/80
184/361

Endibia
31/43/85/**192**

HIPO

Si bien no ejerce una acción perjudicial en el organismo, puede ocasionar una gran incomodidad en el paciente y traer consecuencias como insomnio, pérdida de peso e infecciones.

El hipo es producto de una contracción involuntaria del diafragma. Las causas gastrointestinales son las más frecuentes: reflujo gastroesofágico, dilataciones en el estómago y patologías del páncreas y del hígado.

¿EL CONSEJO...?

Coma despacio y controle las cantidades que ingiere. Si el cuadro de hipo se presenta en bebés, amamantar o hacerle succionar un chupón (chupete) ayuda a controlarlo.

SÍNTOMAS

- Tras la contracción del diafragma, aparece un sonido brusco similar a un "hip".

CLAVES PARA TRATARLO

Hay diferentes técnicas para frenar el hipo. El objetivo es desviar la atención y tranquilizarse para que el diafragma vuelva a contraerse naturalmente.

Tomar sorbitos de agua, respirar dentro de una bolsa de papel, contar de atrás para adelante o dejar disolver una cucharada de azúcar en la lengua son algunas de ellas.

EVITAR EL CONSUMO DE...

Aquellos alimentos que provoquen malestares digestivos.

AUMENTAR EL CONSUMO DE...

Semillas de eneldo o estragón.

HIPOTIROIDISMO

Este cuadro aparece cuando la glándula tiroides, ubicada en la parte anterior del cuello, no produce la suficiente cantidad de hormonas tiroideas. Estas hormonas intervienen en la función de todas las células del organismo. Ayudan a regular la frecuencia cardíaca, la tensión arterial y la actividad metabólica del cuerpo.

SÍNTOMAS

- Cansancio.
- Debilidad.
- Somnolencia.
- Aumento de peso.
- Caída del cabello.
- Depresión.
- Alteraciones menstruales.

CLAVES PARA TRATARLO

Es necesario tratarlo a tiempo. Más allá de la medicación que recomiende el especialista, conviene llevar una alimentación adecuada y realizar suficiente actividad física.

EVITAR EL CONSUMO DE...

Para controlar el peso, hay que restringir la cantidad de calorías que se ingieren.

AUMENTAR EL CONSUMO DE...

Alimentos que contenga yodo; por ejemplo: remolacha, rábano, mariscos y seta.
Se recomienda el berro.

Seta
103/**298**

Berro
28/46/48/60/92
97/**142**/318/321
322/323/327/328
330/335

Rábano
31/36/60/67/71
97/104/**290**/319
322/345

Remolacha
31/36/60/67/97/**292**
318/320/321/322
324/325/327/330
337/370/371/389

Se denomina de esta manera a la incapacidad de alcanzar o mantener una erección lo suficientemente firme como para tener relaciones sexuales.

Puede tener origen físico (insuficiencia vascular relacionada con la diabetes, la hipertensión, el tabaquismo, el colesterol alto, la arteriosclerosis, entre otros) o psicológico, y presenta diferentes grados.

Es primaria cuando el hombre nunca ha logrado una erección. Secundaria, cuando lo ha hecho en el pasado. Situacional: cuando logra hacerlo en situaciones determinadas o con personas determinadas.

SÍNTOMAS

■ Dificultades para alcanzar o mantener una erección en uno de cada cuatro intentos.

CLAVES PARA TRATARLA

Es importante consultar al especialista con velocidad para poder detectar las causas.
Conviene realizar actividad física a diario y mantener una alimentación saludable.
Existen diversos tratamientos y terapias para combatir esta dolencia.

EVITAR EL CONSUMO DE...

Tabaco y alcohol.

AUMENTAR EL CONSUMO DE...

Nuez, semillas y legumbres. También verduras y frutas en general.
Alimentos ricos en zinc, colágeno y aminoácidos.
Condimente sus alimentos con ajo y comino.

Nuez
20/23/35/81/85
94/106/**260**

Ajo
16/19/20/28/36/50
52/55/60/67/81
87/90/97/102/107
108/**122**/319/320
328/329/335/336
338/381

INAPETENCIA

La falta de apetito aparece por diferentes razones; entre ellas, dificultad a la hora de digerir los alimentos, estreñimiento, situaciones emocionales, infecciones agudas y crónicas y estados febriles.

¿EL CONSEJO...?

Trate de comer acompañado, en un lugar agradable. Si alguien puede prepararle la comida, mejor. De lo contrario, elija platos sencillos o precocidos.

SÍNTOMAS

■ Sensación de apatía o incluso repulsión hacia la comida. Esto trae aparejado debilidad y falta de energía.

CLAVES PARA TRATARLA

No se puede forzar a la persona inapetente. Hay infusiones que ayudan a estimular los jugos gástricos y, en consecuencia, abrir el apetito.
Es importante realizar actividad física moderada al aire libre.

EVITAR EL CONSUMO DE...

Embutidos, carnes difíciles de digerir, snacks y comida "chatarra".

AUMENTAR EL CONSUMO DE...

Cilantro, albahaca, limón y rábano.

Limón
9/10/14/18/50/52
55/59/64/75/**232**
321/324/325/328
337/338/344/345
353/354/367/382

Cilantro
53/75/80/**172**
326

Albahaca
11/28/42/50/56
75/104/**124**/327
336/341/344

Rábano
31/36/60/67/69
97/104/**290**/319
322/345

INCONTINENCIA URINARIA

Así se denomina a la pérdida involuntaria de orina. Puede suceder mientras se tose, se estornuda, se ríe o se realiza actividad física. En general tiene que ver con el debilitamiento de los músculos que regulan o cierran la vejiga (esfínter uretral), por lo que cede ante la presión abdominal. Se produce especialmente en mujeres que han tenido varios partos, por lo que presentan un prolapso pélvico. También puede estar relacionada con una lesión neurológica o con el consumo de ciertos medicamentos.

SÍNTOMAS

■ Pérdida involuntaria de orina.

CLAVES PARA TRATARLA

Siempre dependerá del cuadro y del contexto en el que se esté tratando. Se trata de cambiar aquellos comportamientos que pueden ser perjudiciales, entrenar los músculos pélvicos y, en una última instancia, recurrir a la cirugía.

EVITAR EL CONSUMO DE...

La cafeína, el té y el alcohol pueden generar incontinencia. Alimentos como la zanahoria, el apio y la lechuga, de gran efecto diurético.

AUMENTAR EL CONSUMO DE...

Alimentos ricos en vitamina C.
Uva pasa.

Uva pasa
15/19/**306**

INDIGESTIÓN

Se denomina de esta manera al dolor de estómago que se manifiesta después de las comidas. Es un cuadro que puede aparecer por diversos factores, y no necesariamente está relacionado con dificultades del estómago para realizar la digestión.

Muchas veces tiene que ver con la velocidad con la que se come, y suele estar relacionado con el estrés o la ansiedad.

SÍNTOMAS

- Dolor de estómago.
- Hinchazón.
- Flatulencia y aerofagia.

CLAVES PARA TRATARLA

Es importante dedicarle el tiempo necesario a cada comida. Y si no cuenta con ese tiempo, trate de elegir alimentos livianos y fáciles de digerir.

EVITAR EL CONSUMO DE...

Frutas cítricas, especias, alimentos pesados o estimulantes.

AUMENTAR EL CONSUMO DE...

Manzana y pera, cocidas o en puré.
Verduras cocidas, en lo posible sin aceite.
Jugo de tomate y lechuga.

Manzana
30/37/42/44/57
80/87/88/91/**242**
318/319/320/323
324/325/326/349
355/356/357/358
377/387

Pera
42/56/81/91/**270**
323/324/380

Tomate
22/102/**302**/326
328/336/379/383

Lechuga
17/21/22/36/63/67
74/**226**/318/322
325/326/335/338
342/380/387

Son muchas las situaciones que pueden generar dificultades para conciliar el sueño. Entre ellas el estrés, la depresión, situaciones laborales complejas, dolores por diversos cuadros médicos, entre otros.

En promedio, un adulto precisa descansar entre 7 y 8 horas por noche. De todos modos, lo importante no es la cantidad de horas sino cuán descansado se sienta usted al día siguiente.

¿EL CONSEJO...?

Si no logra conciliar el sueño, no pierda la calma. Tome un vaso de leche tibia e intente relajarse.

SÍNTOMAS

■ Dificultades para conciliar el sueño durante las noches.

■ Despertarse muchas veces durante el descanso.

CLAVES PARA TRATARLO

Hay que cuidar lo que habitualmente se denomina "higiene del sueño". No acostarse inmediatamente después de la comida. Conviene que la cena sea liviana y evitar estimulantes como el café, el té, las bebidas alcohólicas y el tabaco.
Es mejor no realizar actividad física pocas horas antes de irse a dormir.

EVITAR EL CONSUMO DE...

Alimentos estimulantes: gaseosas, té, chocolate, café.
Grasas y comidas fritas.

AUMENTAR EL CONSUMO DE...

Patata, arroz integral, lechuga, vegetales de hoja verde, apio, chirivía, semillas de lino y de sésamo (ver información en el Capítulo 5).

Patata
61/64/66/83/85
96/98/107/**266**
327/328/335/336
338/344/362/363
364/365

Lechuga
17/21/22/36/63/67
73/**226**/318/322
325/326/335/338
342/380/387

Apio
9/15/20/36/52/64
67/85/91/106/**132**
318/319/320/321
325/326/327/328
329/335

Chirivía
20/52/78/**170**

MAL ALIENTO (También conocido como halitosis).

Se manifiesta como el mal olor en la boca y se intensifica en cuadros de estrés o sequedad bucal, o bien, debido a la presencia de llagas bucales, caries, infecciones en encías o tabaquismo.

Es fundamental cuidar la higiene bucal para evitar el desarrollo de bacterias ya que, muchas veces, es allí donde radica el problema. Puede ser síntoma de deterioro dental o sinusitis, de ciertos tipos de diabetes, de obstrucciones nasales y dificultades renales.

¿EL CONSEJO...?

Mastique un trozo de limón, con cáscara, después de cada comida.

SÍNTOMAS

■ Olor desagradable en la boca.

CLAVES PARA TRATARLO

Es fundamental mantener la higiene bucodental y evitar el tabaco. Consulte con su médico para descartar posibles causas.

EVITAR EL CONSUMO DE...

Bebidas alcohólicas en exceso, grasas, ajo y cebolla.

AUMENTAR EL CONSUMO DE...

Bebidas en general, para mantenerse hidratado.
Conviene alimentarse cada tres horas.
Las verduras crudas protegen las encías: albahaca y cilantro.

Cilantro
53/71/80/**172**
326

Albahaca
11/28/42/50/56
71/104/**124**/327
336/341/344

Limón
9/10/14/18/50/55
5/59/64/71/**232**
321/324/325/328
337/338/344/345
353/354/367/382

MAREO

¿Quién no ha sentido alguna vez un mareo? Una leve pérdida de estabilidad que se presenta como si alguna fuerza misteriosa hubiera movido el piso o nos hubiese sacudido muy fuerte la cabeza. Las causas son muchas, pero básicamente se produce cuando el cerebro no recibe suficiente sangre. Esta disminución en la presión sanguínea puede aparecer relacionada con fiebre, diarrea, el proceso natural de envejecimiento, entre otras cosas. En general está relacionada con enfermedades en el oído interno o en sus conexiones cerebrales.

¿EL CONSEJO...?

Si usted se marea al viajar en automóvil o en ómnibus, procure comer liviano. Ingerir frutos secos, chupar una rodaja de limón o una rodaja de raíz de jengibre calma el malestar. No lea ni realice actividades que lo obliguen a fijar la vista en el interior del vehículo.

SÍNTOMAS

■ Sensación de inestabilidad, que puede estar acompañada de cosquilleo en los brazos o piernas.
■ En casos más complicados, puede haber dificultades del habla y de la visión.

CLAVES PARA TRATARLO

No se mueva bruscamente. Siéntese y espere a que se pase el mareo. Y consulte con un especialista para descartar complicaciones mayores.

EVITAR EL CONSUMO DE...

Bebidas alcohólicas.

Jengibre
66/80/82/101/104
216/320/323/326
328/336/340
341/344

Así se denomina a la última menstruación de la mujer. A medida que el cuerpo envejece, disminuye la producción de hormonas como los estrógenos y la progesterona, con la pérdida natural de la capacidad reproductiva. El perído que abarcan estos cambios, con el ajuste metabólico que implican, se conoce como climaterio, y en general sucede entre los 42 y los 56 años.

SÍNTOMAS

■ Los cambios hormonales provocan alteraciones en el ciclo menstrual (en la periodicidad y en la cantidad de la menstruación).
■ Aumento de peso.
■ Calores bruscos.
■ Sudor.
■ Insomnio.
■ Sequedad en las mucosas.
■ Fatiga.
■ Irritabilidad.

CLAVES PARA TRATARLA

No se puede tratar la menopausia, porque es un proceso natural. Lo que se busca con los tratamientos es disminuir los síntomas. Pero hay que consultar al especialista y evaluar cuál es el apropiado, ya que no a todas las pacientes les conviene tomar suplementos hormonales.

EVITAR EL CONSUMO DE...

Alimentos muy calóricos o ricos en grasas.

AUMENTAR EL CONSUMO DE...

Alimentos ricos en calcio y vitamina D.
La soja y sus derivados son fundamentales. Y todos los vegetales, especialmente crudos (entre ellos, la alfalfa). También se recomienda la fresa, la salvia y la ciruela pasa.

Salvia	Soja	Fresa	Alfalfa	Ciruela pasa
50/78/79/93/**294**	19/22/33/36/49/61 85/86/88/100/**300** 374/375	18/24/58/59/61/81 102/**200**/318/321 322/323/324/352	9/15/19/20/87 88/**128**/322	51/**176**

La prostaglandina es una sustancia que se libera con la menstruación y que comprime los vasos sanguíneos del útero y del músculo que lo recubre, lo que provoca dolor. Éste puede ser continuo o presentarse como cólicos intermitentes. Y en algunos casos, también aparece dolor en la espalda o en la cintura.

Hay casos en los que el dolor menstrual se encuentra relacionado con enfermedades como endometriosis, quistes u otras dolencias del aparato reproductor femenino.

¿EL CONSEJO...?

Las infusiones de salvia y manzanilla ayudan a disminuir la hinchazón y otros síntomas que generan molestia.

SÍNTOMAS

■ Dolor intenso, constante o esporádico, durante la menstruación.

CLAVES PARA TRATARLA

Más allá de los medicamentos, los baños calientes ayudan a disminuir el dolor.

También los masajes suaves, el uso de almohadillas o dispositivos que generen calor en la zona afectada, mantener las piernas elevadas, acostarse de lado con las piernas flexionadas.

EVITAR EL CONSUMO DE...

Bebidas estimulantes, alcohol y café, que dificultan la absorción de hierro.

La sal y los alimentos grasos producen hinchazón y aumento de peso.

AUMENTAR EL CONSUMO DE...

Alimentos ricos en calcio y vitamina B6, como las verduras de hoja verde y las legumbres, la chirivía, el aguacate. También el laurel.

Laurel
9/53/80/**224**/340

Chirivía
20/52/74/**170**

Aguacate
90/95/**120**

Salvia
50/77/79/93/**294**

MENSTRUACIÓN IRREGULAR

El ciclo menstrual no tiene la misma duración en todas las mujeres. El tiempo promedio entre menstruaciones es de 28 días, y el rango regular se extiende entre los 24 y los 34 días. La menstruación en sí misma dura unos 4 días, y se considera una regla prolongada cuando se extiende por más de 7 días. Entre las posibles causas de irregularidad aparece la dificultad para producir o liberar óvulos de los ovarios, endometriosis (enfermedad del endometrio, revestimiento interior del útero), aumento de la pared uterina (hiperplasia endometrial), fibromas, desequilibrios hormonales, complicaciones en el embarazo, efecto de anticonceptivos u otros medicamentos con estrógenos o esteroides, estrés e incluso trastornos de alimentación.

SÍNTOMAS

■ Lapso excesivamente largo o breve entre menstruaciones.

CLAVES PARA TRATARLA

Es importante llevar un registro cuidadoso de las fechas de inicio y finalización del período menstrual y sus características (cantidad de flujo), para que el especialista pueda evaluar el cuadro.

EVITAR EL CONSUMO DE...

Aspirinas.

AUMENTAR EL CONSUMO DE...

Perejil: por su aporte de apiol (componente de los estrógenos femeninos), aumenta la menstruación y ayuda a regularizar los períodos. Su jugo alivia los calambres, combinado con remolacha, zanahoria y pepino.
Semillas de coriandro: su infusión limita el sangrado excesivo.
Se recomienda la salvia.

Perejil
16/62/92/**272**
319/321/344

Salvia
50/77/78/93/**294**

MUCOSIDAD

Con las gripes, los resfríos y las alergias aparece un síntoma característico: la mucosidad. La membrana mucosa que se encuentra en el interior de las cavidades nasales se inflama y produce esta sustancia más o menos líquida, que dificulta la respiración.

SÍNTOMAS

■ Presencia de mucosidad en las cavidades nasales, que se puede trasladar al pecho y a la garganta.

CLAVES PARA TRATARLA

El cuadro disminuye en los ambientes húmedos. También es importante incorporar una buena cantidad de líquidos.

EVITAR EL CONSUMO DE...

Lácteos y sus derivados.

¿EL CONSEJO...?

En una olla, hierva abundante agua con un puñado de hojas de eucalipto. Con cuidado para no quemarse, tape su cabeza con una toalla y aspire el vapor que desprende.

AUMENTAR EL CONSUMO DE...

El cilantro, la cebolla, la col blanca y la verde, la col lombarda, el hinojo y el puerro son considerados alimentos de acción expectorante. También se recomienda la acedera, la manzana, el jengibre y tisanas con laurel.

Laurel	**Hinojo**	**Cilantro**	**Acedera**	**Puerro**
9/53/78/**224**/340	53/**214**/326	53/71/75/**172** 326	15/92/114	36/88/**288**

Jengibre	**Col verde**	**Col lombarda**	**Col blanca**	**Cebolla**	**Manzana**
66/76/82/101/104 **216**/320/323/326 328/336/340 341/344	31/59/**186**/327	22/29/31/60/67 **184**/361	25/36/50/51/**180** 325/326/329/335 336/337	19/20/21/31/35/36 50/55/59/60/67/81 97/104/107/**160** 319/322/335/336 337/338/344/345	30/37/42/44/57 73/87/88/91/**242** 318/319/320/323 324/325/326/349 355/356/357/358 377/387

Puede ser consecuencia de la tensión, del cansancio por exceso de uso o de alguna lesión. En estos casos, suele concentrarse en uno o un grupo de músculos en particular. Pero también aparece relacionado con otras enfermedades; entre ellas, la gripe, la fibromialgia o el lupus.

SÍNTOMAS

■ Dolor muscular, concentrado en una zona o en todo el cuerpo.

CLAVES PARA TRATARLO

Como siempre, es importante detectar las causas para poder seguir el tratamiento adecuado. Hay que elongar después de realizar esfuerzos físicos intensos, y mantenerse hidratado antes, durante y después del ejercicio. Dejar reposar el músculo lesionado y aplicar hielo o calor.

EVITAR EL CONSUMO DE...

Alimentos precocinados, alimentos de origen animal, bebidas alcohólicas.

AUMENTAR EL CONSUMO DE...

Magnesio: verduras de hoja verde, nuez, legumbres e higo seco.
Antioxidantes: fresa, cítricos. Nuez. También en el pimiento verde y las verduras de hoja oscura en general.
Betacarotenos: zanahoria.
Selenio: cebolla, ajo y brócoli.
Potasio: plátano, pera, pimiento de Cayena.

Zanahoria
26/32/36/37/42
44/46/50/54/57
61/67/85/92/93
94/95/98/99/100
106/**310**/316
318 a 330
338/371/377/378

Pimiento
31/36/43/58/61
86/**274**/326/329

Pimiento de Cayena
27/55/65/105/**276**

Pera
42/56/73/91/**270**
323/324/380

Plátano
29/41/44/57/63
105/**284**/322/366
369/387

Brócoli
16/37/58/60
97/**146**/337

Ajo
16/19/20/28/36/50/52
55/60/67/70/87/90
97/102/107/108/**122**
319/320/328/329/335
336/338/381

Cebolla
19/20/21/31/35/36
50/55/59/60/67/80
97/104/107/**160**
319/322/335/336
337/338/344/345

Fresa
18/24/58/59/61/77
102/**200**/318/321
322/323/324/352

Higo
107/**212**

Nuez
20/23/35/70/85
94/106/**260**

NÁUSEAS

El vómito es una respuesta refleja del organismo, que genera el cerebro cuando recibe señales de alarma de la boca, el estómago y los intestinos, el flujo sanguíneo o el mismo cerebro (a partir de olores, imágenes, sensación de mareo o pensamientos alterados). El diafragma se contrae hacia abajo y los músculos abdominales se tensan contra el estómago, de modo que expulsan sus contenidos hacia arriba. Llamamos náuseas a la sensación que precede a este malestar.

SÍNTOMAS

- Ardores o molestias estomacales.
- Pesadez.
- Ganas o necesidad de vomitar.

CLAVES PARA TRATARLA

Para mantenerse hidratado, lo mejor es ir tomando líquido de a pequeños sorbos.
Recuéstese, respire profundo y espere a que se le pase.

EVITAR EL CONSUMO DE...

Alimentos calientes, muy olorosos o de difícil digestión.

AUMENTAR EL CONSUMO DE...

Bebidas carbonadas frescas, no frías.
Infusiones de menta o jengibre.

Jengibre
66/76/80/101/104
216/320/323/326
328/336/340
341/344

NERVIOSISMO

Es una reacción ante situaciones cotidianas que generan impaciencia, miedo o preocupación, ya sean del ámbito personal, familiar o laboral. También pueden estar relacionadas con un déficit de vitamina B12. O bien, aparecer como síntoma de enfermedades como el hipertiroidismo, la depresión o el estrés.

¿EL CONSEJO...?

No descuide su cuota de actividad física semanal.

SÍNTOMAS

- Irritabilidad.
- Impaciencia.
- Trastornos del sueño.
- Fatiga.
- Dolor de cabeza.
- Trastornos alimentarios.

CLAVES PARA TRATARLA

Es importante identificar las causas para poder actuar en consecuencia. Buscar actividades que lo ayuden a liberar tensiones es fundamental.

EVITAR EL CONSUMO DE...

Estimulantes como la cafeína, la teína, las bebidas cola. También el ginseng.

AUMENTAR EL CONSUMO DE...

Hidratos de carbono, vitaminas del grupo B, triptófano. Se encuentran en los frutos secos, las legumbres, patata, frutas como la piña.
También se recomienda el uso de plantas como la melisa, la valeriana o el tilo.

Patata
61/64/66/74/85
96/98/107/**266**
327/328/335/336
338/344/362/363
364/365

Piña
43/50/53/60/91
97/101/**278**/318
319/320/322/326
328/330/367/368
369/379/380/384

NEURALGIA

Hay distintos tipos de neuralgia. La más frecuente es la que afecta al principal nervio sensitivo de la cara, el trigémino. Aunque se desconocen sus causas, puede ser consecuencia de pequeños aneurismas o tumores que presionan al nervio. O bien, síntoma de enfermedades como diabetes, artritis o esclerosis múltiple.

Existe también la neuralgia *post-hérpica* (secundaria al virus del herpes *Zoster*), la que se relaciona con la sífilis y también, con la enfermedad de *Lyme*.

SÍNTOMAS

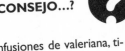

- Dolor agudo y muy localizado en cualquier punto de la superficie corporal, que se repite siempre en la misma zona.
- Cuando sucede en el rostro, puede generar muecas o tics faciales.

CLAVES PARA TRATARLA

El primer paso es detectar las causas del problema. Hay medicamentos que logran inhibir la sensación de dolor.

EVITAR EL CONSUMO DE...

Café, tabaco, bebidas alcohólicas o estimulantes.

AUMENTAR EL CONSUMO DE...

Alimentos ricos en vitaminas del grupo B: frutos secos, legumbres y verduras de hoja verde.

¿EL CONSEJO...?

Las infusiones de valeriana, tilo y hojas de naranja son de gran ayuda.

Naranja
14/18/19/50/58
67/98/107/**256**
321/328/344/349
362/367

84

NEURODERMATITIS (También conocida como dermatitis atópica).

Afección de la piel, muchas veces relacionada con otras enfermedades como el asma bronquial y la rinitis alérgica. La piel se enrojece, presenta prurito intenso y se reseca con frecuencia. Como su nombre lo indica, debido a alteraciones en las terminaciones nerviosas sensitivas, este tipo de pieles ofrecen una reacción anormal ante determinados estímulos.

¿EL CONSEJO...?

Consulte al especialista para evitar que se formen eccemas y otras heridas.

SÍNTOMAS

■ Irritación y comezón en alguna zona de la piel.

CLAVES PARA TRATARLA

Evitar sustancias irritantes como el tabaco o el alcohol y comidas que provoquen este tipo de reacciones.

EVITAR EL CONSUMO DE...

Dependerá de la edad del paciente, la zona en la que se ubique la afección.

AUMENTAR EL CONSUMO DE...

Frutos secos: avellana, almendra y nuez.
Vegetales: apio, berenjena, patata, endibia, pepino, zanahoria y calabaza.
Frutas: cítricos, kiwi, mango y papaya.
Soja y maíz.

Avellana	**Almendra**	**Nuez**	**Mango**	**Endibia**	**Berenjena**	**Kiwi**
19/138/338	21/45/48/90/130 322/332/338 387/388	20/23/35/70/81 94/106/260	240/321/328/329 354	31/43/67/192	36/54/59/65 140/344	18/50/51/52/55 60/97/222/321

Patata	**Zanahoria**	**Calabaza**	**Apio**	**Pepino**	**Papaya**	**Soja**	**Maíz**
61/64/66/74/83 96/98/107/266 327/328/335/336 338/344/362/363 364/365	26/32/36/37/42 44/46/50/54/57 61/67/81/92/93 94/95/98/99/100 106/310/316 318 a 330 338/371/377/378	20/32/37/44/53 60/63/88/90/95 99/152/328/336 337/388/389	9/15/20/36/52/64 67/74/91/106/132 318/319/320/321 325/326/327/328 329/335	9/20/31/35/41/55 59/63/67/93/96 98/268/321/322 325/327/329/330 368	10/28/51/60/96 97/107/264/319 320/323/354/366	19/22/33/36/49 61/77/86/88/100 300/374/375	12/17/25/33/39 45/49/234/342

OBESIDAD

Son obesas aquellas personas cuyo peso supera en un 20% o más el ideal para su edad, estatura y contextura física. Si se toma como parámetro el índice de masa corporal (IMC), la Organización Mundial de la Salud indica que una persona es obesa cuando este índice es superior a 30. La obesidad aparece cuando se acumula un exceso de grasa en el organismo, debido a factores endógenos (problemas glandulares o endocrinos) o exógenos (la cantidad de calorías que se ingieren es superior a las que se gastan). Y tiene serias consecuencias para la salud, ya que hay riesgo de padecer diabetes, cardiopatías, hipertensión y trastornos en la vesícula biliar y en los riñones, osteoartritis y apneas de sueño.

¿EL CONSEJO...?

Para bajar de peso, es necesario realizar actividad física a diario. Recuerde que es mejor perder peso de a poco pero mantenerse, que bajar rápidamente, ya que este último caso habrá un efecto rebote.

SÍNTOMAS

- Exceso de peso.
- Agitación ante cualquier esfuerzo.
- Cansancio.
- Somnolencia.
- Distintas patologías del corazón.
- Infecciones en el aparato respiratorio.
- Dolencias en las articulaciones.
- Trastornos menstruales.

CLAVES PARA TRATARLA

El primer paso será detectar si existe algún factor endógeno que potencie el cuadro. Luego, habrá que diseñar el plan para que el paciente se acerque al peso ideal de una manera saludable.

EVITAR EL CONSUMO DE...

Alimentos azucarados, muy calóricos, ricos en grasas saturadas.

AUMENTAR EL CONSUMO DE...

Lo ideal es distribuir el alimento de la jornada en 5 comidas diarias, en las que predominen las verduras (excepto las feculentas, como la patata y el boniato), las legumbres, los cereales y las frutas (excepto uva y plátano), en las proporciones que indique el médico tratante.
Se recomienda el consumo de pimiento y soja.

Soja
19/22/33/36/49
61/77/85/88/100
300/374/375

Pimiento
31/36/43/58/61
81/**274**/326/329

OSTEOARTRITIS

Esta enfermedad afecta al cartílago de las articulaciones. La función de este tejido es proteger a los huesos, para que se deslicen uno contra el otro y también, amortiguar el daño y el dolor. Cuando se lastiman, se produce hinchazón y pérdida de movimiento en las articulaciones.

Entre las causas aparecen el exceso de peso, el estilo de vida y cierta predisposición genética.

¿EL CONSEJO...?

El extracto de cúrcuma, la yuca y el aloe vera (ver información en el Capítulo 5) aplicados en forma externa ayudan a disminuir los dolores en las articulaciones.

SÍNTOMAS

- Dolor.
- Hinchazón.
- Rigidez en las articulaciones.

CLAVES PARA TRATARLA

Además de la medicación que receten los especialistas, es fundamental llevar una vida sana y activa. El ejercicio diario, de acuerdo con las posibilidades y capacidades de cada uno, es muy beneficioso: mantiene la fuerza muscular y recupera la movilidad de la articulación. Y las aplicaciones de calor ayudan a disminuir el dolor.

EVITAR EL CONSUMO DE...

Berenjena, tomate, patatas y pimientos, que contienen una sustancia llamada solanina que podría llegar a incidir en el desarrollo de esta patología.

AUMENTAR EL CONSUMO DE...

Alimentos ricos en hierro, manganeso y selenio, entre ellos: ajo, legumbres, alfalfa, verduras de hoja verde, frutos secos, semillas. Alimentos ricos en vitamina C: frutas y verduras crudas, especialmente los cítricos y la manzana.

Manzana
30/37/42/44/57
73/80/88/91/**242**
318/319/320/323
324/325/326/349
355/356/357/358
377/387

Alfalfa
9/15/19/20/77
88/**128**/322

Ajo
16/19/20/28/36
50/52/55/60/67
70/81/90/97/102
107/108/**122**/319
320/328/329/335
336/338/381

OSTEOPOROSIS

La osteoporosis es la principal causa de fracturas en ancianos y mujeres postmenopáusicas. Se denomina de esta manera al trastorno que provoca la disminución de la masa ósea que, por ende, multiplica el riesgo de sufrir fracturas óseas, especialmente en muñecas, columna y caderas. En el caso de las mujeres, este proceso se ve acelerado por la pérdida de estrógenos natural que se registra durante el climaterio.

¿EL CONSEJO...?

Las mujeres no deberían descuidar la ingesta de calcio, incluso desde la niñez.

SÍNTOMAS

- Pérdida significativa de la masa ósea.
- Fracturas.

CLAVES PARA TRATARLA

Es importante consumir calcio, vitaminas y realizar actividad física a lo largo de toda la vida. En algunos casos, se recomiendan tratamientos con hormonas sustitutivas.

EVITAR EL CONSUMO DE...

Verduras que contengan oxalatos, como las espinacas y la remolacha.
Proteínas de origen animal, bebidas alcohólicas, tabaco, café, té y bebidas cola.
También comidas muy saladas.

AUMENTAR EL CONSUMO DE...

Alimentos ricos en magnesio, calcio (especialmente lácteos) y vitamina D. Entre ellos se destaca la soja y sus derivados, la alfalfa, los frutos secos, puerro, calabaza y manzana.

Alfalfa
9/15/19/20/77
87/**128**/322

Puerro
36/80/**288**

Manzana
30/37/42/44/57
73/80/87/91/**242**
318/319/320/323
324/325/326/349
355/356/357/358
377/387

Soja
19/22/33/36/49
61/77/85/86/100
300/374/375

Calabaza
20/32/37/44/53/60
63/85/90/95/99
152/328/336/337
388/389

PALPITACIONES

Es la percepción de que los latidos cardíacos están siendo más fuertes o acelerados que lo habitual, independientemente de la normalidad o anormalidad de los mismos.

Se siente en el pecho, en la garganta o en el cuello, y pueden estar ocasionadas por el ejercicio físico, ansiedad o miedo, fiebre, consumo excesivo de cafeína o sustancias estimulantes, hiperactividad de la glándula tiroides, anemia e hiperventilación, entre otros.

SÍNTOMAS

- Sensación de ritmo cardíaco anormal.
- Opresión en el pecho.
- Aceleramiento.
- Leve temblor en los brazos.

CLAVES PARA TRATARLAS

Respirar profundo y relajarse ayuda a disminuir la intensidad de las palpitaciones.
Conviene llevar un registro de estos cuadros para poder detectar las posibles causas.

EVITAR EL CONSUMO DE...

Tabaco, bebidas alcohólicas, cafeína, alimentos con alto contenido graso, embutidos, conservas, harinas refinadas, dulces.

AUMENTAR EL CONSUMO DE...

Verduras y hortalizas frescas y condimentadas con poco aceite, de girasol, oliva, soja o maíz.
Infusiones de manzanilla o poleo.

PARÁSITOS

Son organismos más grandes que las bacterias. Ingresan al organismo a través de la boca o de la piel (particularmente la planta de los pies, cuando la persona camina o nada en aguas infectadas). En general se alojan en el intestino, aunque también hay algunos que se trasladan a otros órganos.

¿EL CONSEJO...?

El jugo de zanahoria en ayunas ayuda a expulsar los parásitos intestinales. Las semillas de calabaza tienen el mismo efecto.

SÍNTOMAS

- Diarrea.
- Inflamación.
- Cólicos y dolor abdominal.
- Pérdida de peso.
- Náuseas.
- Vómitos.
- Fiebre.
- Erupciones cutáneas.
- Comezón en el ano.
- Deposiciones sanguinolentas.

CLAVES PARA TRATARLOS

El tratamiento dependerá del parásito del que se esté hablando. De cualquier manera, lo importante es prevenir el ingreso de parásitos al organismo.
En regiones de riesgo, evite beber agua corriente o del grifo, no consuma hielo ni alimentos crudos. Tampoco frutas y verduras que no puedan pelarse.

EVITAR EL CONSUMO DE...

Alimentos crudos o mal cocidos. Lave bien las frutas y verduras y si su origen resulta sospechoso, pélelas.

AUMENTAR EL CONSUMO DE...

Aceite y semillas de calabaza, ajo. Aguacate, melón, pomelo, chirimoya y almendra.

Ajo
16/19/20/28/36/50/52/55/60/67
70/81/87/97/102/107/108/**122**
319/320/328/329/335/336/338/381

Calabaza
20/32/37/44/53/60/63
85/88/95/99/**152**/328
336/337/388/389

Pomelo
23/35/106/**286**
320/328/349/367
376/380

Melón
10/54/58/59/93
95/**248**/361

Almendra
21/45/48/85/**130**
322/332/338
387/388

Aguacate
78/95/**120**

Chirimoya
168

PESADEZ ESTOMACAL

Cuando el organismo no llega a digerir como corresponde cada uno de los alimentos que ingerimos, se puede presentar un cuadro de mala absorción de los alimentos, que genera la sensación de pesadez estomacal. Esto puede suceder por diversas razones, entre ellas, la mala masticación, la velocidad con la que se come, la cantidad de líquido que se bebe durante las comidas, el horario en el que se come y el estrés.

¿EL CONSEJO...?

Aproveche las bondades de las hierbas digestivas y disfrute de una infusión después de cada comida.

SÍNTOMAS

- Ardor estomacal.
- Sabor ácido en la boca.
- Eructos.
- Reflujo.
- Náuseas.
- Falta de energía.

CLAVES PARA TRATARLA

El momento de la comida debe ser relajado, sin conflictos ni discusiones. Es importante comer despacio y masticar bien lo que se ingiere. Tampoco es bueno comer sin hambre.

EVITAR EL CONSUMO DE...

Hortalizas feculentas: nabos, col (cualquier variedad), col de Bruselas, coliflor, rábano.
Vegetales fuertes o picantes: ajo, cebolla.
Frutas cítricas.
Alimentos ricos en grasas, leche y sus derivados, bebidas alcohólicas, bebidas con gas.

AUMENTAR EL CONSUMO DE...

Manzana, pera, piña, apio.
Frutos secos (con moderación).

Pera	Manzana	Apio	Piña
42/56/73/81	30/37/42/44/57	9/15/20/36/52/64	43/50/53/60/83
270/323/324/380	73/80/87/88/**242**	67/74/85/106/**132**	97/101/**278**/318
	318/319/320/323	318/319/320/321	319/320/322/326
	324/325/326/349	325/326/327/328	328/330/367/368
	355/356/357/358	329/335	369/379/380/384
	377/387		

PICADURAS

Hay personas que presentan reacciones alérgicas severas ante la picadura de insectos como mosquitos, hormigas, abejas, pulgas o avispas, entre otros.

¿EL CONSEJO...?

Cubra la herida con unas gotas de miel o bien, frote la zona con vinagre.

SÍNTOMAS

- Dolor.
- Picazón.
- Enrojecimiento.
- Inflamación en la zona de la picadura.

CLAVES PARA TRATARLAS

Observe la herida y quite el aguijón si queda clavado.
Procure raspar o empujar con algún objeto de borde recto en lugar de utilizar pinzas.
Higienice muy bien la zona y cubra con hielo.
Manténgase atento a los síntomas que puedan surgir.

EVITAR EL CONSUMO DE...

Alimentos que puedan provocar reacciones alérgicas, ricos en grasas o bien, frutas como las fresas.

AUMENTAR EL CONSUMO DE...

Alimentos con vitamina E, como el perejil, la acedera y el berro. También zanahoria.

Perejil
16/62/79/**272**
319/321/344

Acedera
15/80/114

Berro
28/46/48/60/69
97/**142**/318/321
322/323/327/328
330/335

Zanahoria
26/32/36/37/42
44/46/50/54/57
61/67/81/85/93
94/95/98/99/100
106/**310**/316
318 a 330
338/371/377/37

PIEL GRASA

En ocasiones, la piel acumula una cantidad excesiva de sebo. Esto le otorga una apariencia demasiado brillante, especialmente en la zona de la barbilla y la nariz, y produce un efecto negativo tanto el misma piel como en el pelo, ya que aparecen cuadros de acné y seborrea. Esto sucede especialmente durante la adolescencia, y también en casos de obesidad.

¿EL CONSEJO...?

La mascarilla de pepino ayuda a limpiar el rostro y a cerrar los poros. Lo mismo sucede con la infusión de salvia mezclada con yogur. En ambos casos, limpie la piel con agua fría.

SÍNTOMAS

- Piel grasosa, con zonas brillantes.
- Espinillas.
- Granos.
- Poros muy abiertos.

CLAVES PARA TRATARLA

Es importante mantener la piel limpia para eliminar las células muertas.
Utilice productos que ayuden a cerrar los poros.

EVITAR EL CONSUMO DE...

Alimentos de origen animal: carnes muy grasas, mariscos, lácteos enteros, chocolate.

AUMENTAR EL CONSUMO DE...

Semillas y panes integrales, verduras (zanahoria, achicoria), levadura de cerveza, frutas frescas en general (cítricos, melocotón y melón).

Pepino
9/20/31/35/41/55
59/63/67/85/96
98/**268**/321/322
325/327/329/330
368

Salvia
50/77/78/79/**294**

Zanahoria
26/32/36/37/42
44/46/50/54/57
61/67/81/85/92
94/95/98/99/100
106/**310**/316
318 a 330
338/371/377/378

Melocotón
37/44/54/58/95
246/341/359/360

Melón
10/54/58/59/90
95/**248**/361

Achicoria
94/118/329/341

PIEL SECA

La falta de humedad e hidratación en la piel genera sequedad. Esto genera escamaciones, grietas, irritación y exfoliaciones que afecta tanto a la misma piel como al cabello. Puede presentarse como consecuencia natural del envejecimiento, por la excesiva sequedad del ambiente, por causa del acné, del hipotiroidismo, factores hereditarios o químicos.

¿EL CONSEJO...?

Prepare un ungüento con 4 partes de miel y 3 de aceite de oliva. Utilícelo para suavizar las zonas más ásperas de la piel.

SÍNTOMAS

- Poros abiertos.
- Piel seca o escamada.
- Acné.

CLAVES PARA TRATARLA

Consulte con un dermatólogo para que le recete el tratamiento adecuado.

EVITAR EL CONSUMO DE...

Alimentos grasos, harinas refinadas, azúcares. Cacahuete. También frutas en almíbar y confitadas.

AUMENTAR EL CONSUMO DE...

Alimentos ricos en vitamina A: zanahoria, ciruela, chabacano, judía verde, achicoria, nuez.
Alimentos ricos en vitamina C: cítricos, verduras de hoja verde.

Zanahoria
26/32/36/37/42
44/46/50/54/57
61/67/81/85/92
93/95/98/99/100
106/**310**/316
318 a 330
338/371/377/378

Achicoria
93/**118**/329/341

Judía verde
36/37/48/50/51
220/325/326
333/391

Ciruela
37/48/59/63
174/389

Chabacano
37/44/95/102
164/351

Nuez
20/23/35/70/81
85/106/**260**

Estas irritaciones aparecen en los pliegues de la piel o en zonas de roce entre la piel y ciertas prendas o materiales. Puede ser consecuencia de una exposición prolongada o breve a compuestos químicos, cierta fricción constante o bien, la presencia de agentes biológicos (bacterias, virus, hongos e insectos), o situaciones de extremo calor o frío.

SÍNTOMAS

- Picazón.
- Irritación o sarpullido en la zona irritada.

CLAVES PARA TRATARLA

Utilice prendas limpias y suaves.
Recurra al talco o a la vaselina para proteger las zonas afectadas del roce.
De ser posible, elimine el contacto con las sustancias irritantes.

EVITAR EL CONSUMO DE...

Alimentos que puedan desencadenar reacciones alérgicas: fresas, chocolate, mariscos y pescados.

AUMENTAR EL CONSUMO DE...

Aceite de oliva, aguacate, semillas, frutos secos oleaginosos, zanahoria, calabaza, chabacano, cítricos, cereza, melón, melocotón.

Cereza
31/**162**/341

Melón
10/54/58/59/90
93/**248**/361

Melocotón
37/44/54/58/93
246/341/359/360

Aguacate
78/90/**120**

Chabacano
37/44/94/102
164/351

Calabaza
20/32/37/44/53
60/63/85/88/90
99/**152**/328/336
337/388/389

Zanahoria
26/32/36/37/42
44/46/50/54/57
61/67/81/85/92
93/94/98/99/100
106/**310**/316
318 a 330
338/371/377/378

QUEMADURAS

Son aquellas lesiones de la piel (en casos severos pueden afectar también músculos, huesos y tendones) producidas por agentes físicos y químicos como el fuego, el sol, líquidos muy calientes y sustancias abrasivas.

La destrucción celular que provocan trae como consecuencia la aparición de un edema o inflamación y pérdida de líquidos, debido a la destrucción de los vasos sanguíneos. Las quemaduras pueden ser superficiales o de primer grado, profundas o de segundo o tercer grado. En caso de incendios o accidentes, se pueden presentar quemaduras en las vías aéreas debido a la inhalación de gases calientes, humo o vapor.

¿EL CONSEJO...?

En forma externa, la miel reduce el riesgo de que se presenten infecciones. También ayuda el aloe vera (ver información en el Capítulo 5) y el aceite de lavanda.

SÍNTOMAS

- La piel se enrojece y en algunos casos se forman ampollas.
- En quemaduras más profundas puede haber también dolor e hinchazón.
- Las quemaduras solares pueden traer aparejado dolor de cabeza y fiebre.

CLAVES PARA TRATARLAS

Si las quemaduras son severas o graves, consulte con urgencia al médico.

En casos menores, el primer paso es enfríar la zona afectada (con agua y no con hielo).

Retire la piel muerta y limpie bien la zona.

Utilice pomadas regenerantes y cubra la zona con un vendaje.

AUMENTAR EL CONSUMO DE...

Papaya, pepino y jugo de patata.

Alimentos ricos en proteínas y calorías, cobre, selenio y zinc. (Ver más información en el Capítulo 2).

Pepino
9/20/31/35/41/55
59/63/67/85/93
98/**268**/321/322
325/327/329/330
368

Patata
61/64/66/74/83
85/98/107/**266**
327/328/335/336
338/344/362/363
364/365

Papaya
10/28/51/60/85
97/107/**264**/319
320/323/354/366

RESFRÍO (También conocida como resfriado).

Causada por un virus, esta dolencia que ataca las vías respiratorias es típica de los meses fríos, aunque también puede aparecer en verano debido a los cambios climáticos. Los más expuestos son los niños y los ancianos. Se transmite de persona a persona a través de tos, estornudos y objetos contaminados.

SÍNTOMAS

- Sensación de malestar general.
- Tos y estornudos.
- Congestión nasal.

CLAVES PARA TRATARLO

Por tener origen viral, hay que dejarla seguir su curso. El reposo y los analgésicos ayudan a disminuir el malestar. Beba abundante líquido.

EVITAR EL CONSUMO DE...

Alimentos pesados o de difícil digestión.

¿EL CONSEJO...?

La raíz de jengibre es un gran antiviral, descongestiona las vías respiratorias y estimula el organismo. Incorpórela en jugos e infusiones, endulzadas con miel.

AUMENTAR EL CONSUMO DE...

Boniato, legumbres, brócoli, acelga, ajo y cebolla, alcachofa, cardo, remolacha, rábano, berro.
Frutas: cítricos, kiwi, papaya y piña.

Acelga
29/36/37/46/52/53
60/64/98/102/116

Cardo
41/43/48/63
156/342

Kiwi
18/50/51/52/55
60/85/**222**/321

Alcachofa
41/43/44/48/59
60/63/**126**/349

Boniato
54/60/**144**

Brócoli
16/37/58/60
81/**146**/337

Ajo
16/19/20/28/36
50/52/55/60/67
70/81/87/90/102
107/108/**122**/319
320/328/329/335
336/338/381

Cebolla
19/20/21/31/35
36/50/55/59/60
67/80/81/104/107
160/319/322/335
336/337/338/344
345

Rábano
31/36/60/67/69
71/104/**290**/319
322/345

Berro
28/46/48/60/69
92/**142**/318/321
322/323/327/328
330/335

Remolacha
31/36/60/67/69
292/318/320/321
322/324/325/327
330/337/370/371
389

Papaya
10/28/51/60/85
96/107/**264**/319
320/323/354/366

Piña
43/50/53/60/83
91/101/**278**/318
319/320/322/326
328/330/367/368
369/379/380/384

ROSÁCEA (También conocida como acné rosácea).

Es una inflamación que se presenta principalmente en la cara, en la zona de las mejillas, la nariz y la frente. Suele aparecer tras la exposición solar o bien, a elevadas temperaturas, por ejemplo, tras un baño caliente. Clínicamente se caracteriza por la presencia de telangiectasis (lesiones de color rojo brillante que se aclaran bajo la presión), pápulas y pústulas. Se asocia con problemas cutáneos, como acné y seborrea, y con patologías oculares (blefaritis y conjuntivitis).

¿EL CONSEJO...?

El jugo de pepinos purifica la sangre y el sistema linfático.

SÍNTOMAS

■ Aparición de erupciones en la cara de color rojizo especialmente en la zona de la nariz, las mejillas y la frente.

CLAVES PARA TRATARLA

Existen tratamientos cosméticos para reducir sus síntomas y evitar que aparezca con tanta frecuencia.

EVITAR EL CONSUMO DE...

Alimentos muy calientes, picantes y quesos fermentados. También cafeína y bebidas estimulantes.
Chocolates, dulces, pasteles y azúcares.

AUMENTAR EL CONSUMO DE...

Zanahoria, acelga, naranja, espárrago, patata, pepino, vegetales verdes.

Espárrago
15/54/**194**/345
352/389

Naranja
14/18/19/50/58
67/84/107/**256**
321/328/344/349
362/367

Zanahoria
26/32/36/37/42
44/46/50/54/57
61/67/81/85/92
93/94/95/99/100
106/**310**/316
318 a 330
338/371/377/378

Patata
61/64/66/74/83
85/96/107/**266**
327/328/335/336
338/344/362/363
364/365

Acelga
29/36/37/46/52/53
60/64/97/102/116

Pepino
9/20/31/35/41/55
59/63/67/85/93
96/**268**/321/322
325/327/329/330
368

98

SABAÑÓN

Así se denomina a la inflamación que aparce en la piel como consecuencia del frío. En general sucede en la nariz, los dedos de las manos, los pies y las orejas. Los más afectados son los bebés, los ancianos y las personas con problemas de circulación. En climas muy fríos, pueden llegar a ulcerarse.

SÍNTOMAS

- Picazón, ardor y dolor en las zonas afectadas.

CLAVES PARA TRATARLO

En una primera etapa, no existe un tratamiento específico.
En caso de que aparezcan heridas, se deberá estar atento para evitar infecciones mayores.

EVITAR EL CONSUMO DE...

Tabaco y alcohol, debido a sus propiedades vasoconstrictoras.

AUMENTAR EL CONSUMO DE...

Alimentos ricos en vitaminas A y C.
Se recomiendan la zanahoria y la calabaza.

Zanahoria
26/32/36/37/42
44/46/50/54/57
61/67/81/85/92
93/94/95/98/100
106/310/316
318 a 330
338/371/377/378

Calabaza
20/32/37/44/53
60/63/85/88/90
95/152/328/336
337/388/389

SEQUEDAD VAGINAL

Este trastorno, que puede estar ocasionado por causas psicológicas o físicas, aparece como consecuencia de la disminución de las secreciones de la vagina. Además de generar picazón, irritación y sensación de quemazón en la zona genital, puede ocasionar molestias en el momento de las relaciones sexuales.

Entre las causas orgánicas se destaca la falta de estrógenos (acentuada durante el climaterio), el embarazo y la vaginitis (inflamación de los tejidos genitales femeninos).

Las mujeres diabéticas pueden experimentar una disminución en la lubricación.

Y este cuadro puede aparecer como consecuencia del estrés, que produce un desequilibrio en las hormonas.

Entre las psíquicas, todos los mitos y temores que se generan alrededor de la sexualidad y la dificultad de mantener relaciones.

SÍNTOMAS

■ Sequedad e irritación en la zona genital.

CLAVES PARA TRATARLA

Se puede recurrir a lubricantes de base hídrica o soluble en agua.
No utilice demasiados productos cosméticos, que aumentarán la irritación de la zona.

EVITAR EL CONSUMO DE...

Alimentos con muchos conservantes y colorantes, bebidas alcohólicas, azúcar refinado.
Las dietas secas en general.

AUMENTAR EL CONSUMO DE...

Soja y sus derivados. Zanahoria cruda.

Soja
19/22/33/36/49
61/77/85/86/88
300/374/375

Zanahoria
26/32/36/37/42
44/46/50/54/57
61/67/81/85/92
93/94/95/98/99
106/**310**/316
318 a 330
338/371/377/378

SÍNDROME PREMENSTRUAL

Así se conoce a los síntomas que se presentan en algunas mujeres antes y durante el período menstrual, incluso cuando éste es regular. No existe una causa específica que origine esta serie de trastornos que en general se atribuyen a la conjunción de factores sociales, culturales, biológicos y psicológicos, aunque se estima que el 75% de las mujeres lo presenta.

Algunos estudios afirman que se debe a una disminución de la serotonina los días previos a la menstruación.

¿EL CONSEJO...?

La infusión de raíz de jengibre machacada alivia el dolor durante la menstruación.
Las semillas de sésamo también tienen un efecto positivo, tanto si se las ingiere molidas como si se las incorpora al baño de inmersión (ver información en el Capítulo 5).

SÍNTOMAS

- Dolor de cabeza o migraña.
- Hinchazón e incluso aumento de peso.
- Pesadez o cólicos abdominales.
- Náuseas.
- Sensibilidad en las mamas.
- Estreñimiento o diarrea.
- Ansiedad.
- Depresión.
- Irritabilidad.
- Cansancio.
- Necesidad de alimentos.

CLAVES PARA TRATARLO

Mantener una dieta balanceada y realizar actividad física produce efectos positivos y disminuye la aparición de muchos de estos síntomas.

EVITAR EL CONSUMO DE...

Bebidas alcohólicas, sal, azúcar, cafeína.

AUMENTAR EL CONSUMO DE...

Alimentos ricos en vitamina B6, calcio (por ejemplo, la piña) y magnesio. Granos enteros, verduras y frutas, especialmente los de acción diurética, para disminuir la retención de líquidos en este período.

Piña
43/50/53/60/83/91/97
278/318/319/320/322
326/328/330/367/368
369/379/380/384

Jengibre
66/76/80/82/104
216/320/323/326
328/336/340
341/344

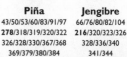

La deficiencia del sistema inmunológico también se conoce como inmunosupresión. Comprende a aquellos trastornos que tienen lugar cuando disminuye o se anula la respuesta inmune del organismo, es decir que se queda sin defensa o protección. Aunque puede afectar a cualquier parte del sistema, habitualmente se reduce el funcionamiento de los linfocitos T y B. Esto sucede como consecuencia de enfermedades congénitas o hereditarias (hipogammaglobulinemia y agammaglobulinemia). Hablamos de inmunodeficiencia adquirida en el caso de enfermedades que afectan al sistema inmunológico.

SÍNTOMAS

Variarán con cada trastorno.

- Hay que estar alerta a la presencia reiterada de infecciones.
- Cuando a partir de elementos que usualmente no deberían generar cuadros de gravedad, se desarrollan infecciones severas.

CLAVES PARA TRATARLA

Mantener una dieta sana y balanceada. Los baños de temperatura alterna estimulan la circulación y fortalecen el organismo. Realizar actividad física y dormir la cantidad de horas necesarias.

EVITAR EL CONSUMO DE...

Grasas saturadas o difíciles de digerir.

AUMENTAR EL CONSUMO DE...

Frutos secos, aceite de oliva, productos lácteos fermentados, acelga, arveja, nabo, chabacano y ajo.
Alimentos ricos en vitamina C: cítricos, fresa, tomate, dátil y hortalizas en general.

Ajo
16/19/20/28/36
50/52/55/60/67
70/81/87/90/97
107/108/**122**/319
320/328/329/335
336/338/381

Chabacano
37/44/94/102
164/351

Acelga
29/36/37/46/52/53
60/64/97/98/116

Fresa
18/24/58/59/61/77
81/**200**/318/321
322/323/324/352

Tomate
22/73/**302**/326
328/336/379/383

Arveja
16/36/37/41/48
55/60/**136**

Nabo
63/**254**/319
327/330

Dátil
12/15/19/21
104/**190**/342

SOBREPESO

Se podría decir que el sobrepeso es una instancia previa a la obesidad. Una persona tiene sobrepeso cuando supera en un 10 % el peso ideal para su edad, estatura y contextura física. La Organización Mundial de la Salud (OMS) establece que un adulto tiene sobrepeso cuando su Índice de Masa Corporal (IMC) es de 25 a 29.9 (existen algunas excepciones, como en el caso de los atletas, cuyo IMC puede alcanzar estas cifras pero, sin embargo, no presentan sobrepeso). Esta acumulación de grasa excesiva es perjudicial para el organismo, ya que puede desencadenar enfermedades de gravedad: enfermedades cardiovasculares, diabetes y patologías del aparato locomotor, entre otras.

¿EL CONSEJO...?

Los grupos de ayuda funcionan como un buen espacio de contención para las personas que están intentando bajar de peso.

SÍNTOMAS

■ Ya sea por causas endógenas (afecciones endocrinas o glandulares) o exógenas (se ingieren más calorías de las que se consumen) el individuo presenta un aumento de peso considerable y perjudicial para su salud.

CLAVES PARA TRATARLO

Es fundamental realizar un mínimo de 3 caminatas de media hora a la semana (si pudiera hacerlo a diario y durante 45 minutos, tanto mejor).
Además, limitar la ingesta de alimentos con una elevada carga calórica.

EVITAR EL CONSUMO DE...

Alimentos azucarados, muy calóricos, ricos en grasas saturadas. Entre los vegetales, limitar el consumo de zanahoria, remolacha y maíz.

AUMENTAR EL CONSUMO DE...

Vegetales y frutas, especialmente los que son ricos en fibra, ya que producen sensación de saciedad. Además, aportan una gran cantidad de nutrientes. Se recomienda la seta.

Seta
69/298

TOS

Es el recurso del que se vale el aparato respiratorio para expulsar alguna sustancia que le genera molestia o que considera que puede ser nociva de alguna manera.

Puede ser seca, es decir, que no produce movimiento de ningún tipo. O productiva, cuando tiene una función expectorante y ayuda a expulsar mucus y, de esta manera, limpiar las vías respiratorias.

Puede estar originada por enfermedades de las vías respiratorias, trastornos gástricos, nerviosismo y factores ambientales, entre otras cosas.

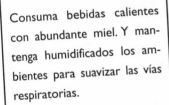

¿EL CONSEJO...?

Consuma bebidas calientes con abundante miel. Y mantenga humidificados los ambientes para suavizar las vías respiratorias.

SÍNTOMAS

- Picazón o ardor en la garganta y en la parte alta del pecho.
- Dolor.
- Carraspera.

CLAVES PARA TRATARLA

Se trata de eliminar las causas que la producen porque, en definitiva, la tos no es más que un síntoma, una respuesta ante otro problema de salud.

EVITAR EL CONSUMO DE...

Alimentos que contengan cafeína. O bien, los que sean de consistencia rugosa.

AUMENTAR EL CONSUMO DE...

Albahaca, jengibre, cebolla, rábano, dátil.

Dátil
12/15/19/21
102/190/342

Rábano
31/36/60/67/69
71/97/**290**/319
322/345

Cebolla
19/20/21/31/35
36/50/55/59/60
67/80/81/97/107
160/319/322/335
336/337/338/344
345

Albahaca
11/28/42/50/56
71/75/**124**/327
336/341/344

Jengibre
66/76/80/82/101
216/320/323/326
328/336/340
341/344

ÚLCERA

Se puede ubicar en el estómago (úlcera gástrica), en el duodeno (úlcera duodenal) o en el esófago (úlcera esofágica). Es una pequeña herida que se produce cuando fallan los mecanismos de defensa que protegen a estos órganos de la acción de los jugos gástricos. En los casos más avanzados, puede desencadenar hemorragias.

¿EL CONSEJO...?

Evite las aspirinas y otros analgésicos que irritan las mucosas. Recuerde que las comidas deben ser un momento relajado.

SÍNTOMAS

■ Dolor quemante en la parte superior del abdomen.
■ Aerofagia.
■ Sensación de pesadez en el estómago que aparece en el horario de las comidas y cede con la ingesta de alimentos.

CLAVES PARA TRATARLA

Una dieta no basta para curar una úlcera, pero es un buen complemento para el tratamiento farmacológico, que buscará aliviar los síntomas y hacer que la úlcera cicatrice.

EVITAR EL CONSUMO DE...

Leche condensada o quesos fuertes.
Carnes pesadas o muy difíciles de digerir.
Verduras flatulentas: col (cualquier variedad), coliflor, col de Bruselas, alcachofa, cebolla, pimiento. También las ensaladas crudas.
Frutas: las que no están muy maduras, ácidas, en almíbar, confitadas y desecadas.
Bebidas con cafeína y estimulantes.

AUMENTAR EL CONSUMO DE...

Cereales y legumbres (estas últimas, peladas).
Todas las verduras y hortalizas, preferentemente pisadas.
Frutas muy maduras, asadas, en compota o en puré. Especialmente el plátano.
Lácteos descremados. Pimiento de Cayena y garbanzo.

Plátano
29/41/44/57/63
81/**284**/322/366
369/387

Garbanzo
36/48/49/**202**

Pimiento de Cayena
27/55/65/81/**276**

VÁRICES

El ensanchamiento y la dilatación de las venas de las piernas por el mal funcionamiento de las válvulas, produce problemas de circulación que pueden llegar a ser severos.

Las várices se clasifican en pequeñas, medianas y grandes y, en general, se presentan en mujeres, básicamente como consecuencia de los embarazos y la influencia hormonal.

Más allá de la predisposición genética, entre los factores influyentes aparecen la obesidad, el sedentarismo y el hecho de permanecer mucho tiempo de pie.

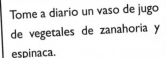

¿EL CONSEJO...?

Tome a diario un vaso de jugo de vegetales de zanahoria y espinaca.

SÍNTOMAS

- Calambres en las piernas.
- Picazón.
- Fuertes dolores.

CLAVES PARA TRATARLAS

Consulte con un flebólogo para dar con el tratamiento más apropiado para su caso.

Las caminatas diarias, los baños alternos fríos y calientes y dormir con las piernas levemente levantadas ayuda a estimular la circulación.

EVITAR EL CONSUMO DE...

Condimentos, bebidas alcohólicas, café, harinas y azúcares blancas.

AUMENTAR EL CONSUMO DE...

Frutas frescas (pomelo, por ejemplo), nuez, granos y semillas. Apio.

Pomelo	Apio	Zanahoria	Espinaca	Nuez
23/35/90/**286**	9/15/20/36/52/64	26/32/36/37/42	15/24/36/37/53	20/23/35/70/81
320/328/349/367	67/74/85/91/**132**	44/46/50/54/57	**196**/318/320/321	85/94/**260**
376/380	318/319/320/321	61/67/81/85/92	324/325/326/327	
	325/326/327/328	93/94/95/98/99	328/330/338/340	
	329/335	100/**310**/316	389/392	
		318 a 330		
		338/371/377/378		

VERRUGA

Esta alteración en la piel es causada por el Virus del Papiloma Humano o HPV. Existen diversos tipos: las vulgares, las plantares (en la planta de los pies), las planas (en la cara o en el dorso de la mano) o genitales.

Aunque el riesgo de contagio es bajo, puede suceder a partir del contacto con el virus.

¿EL CONSEJO...?

Existen varios productos naturales que, aplicados en forma externa, ayudan a eliminarlas: el aceite de ricino (por las noches), jugo de higos frescos (varias veces al día), rodajas de patatas (varias veces al día), cebollas cortadas (una vez por día).

SÍNTOMAS

■ Aparición de una protuberancia de forma redonda, de diversos tamaños.
■ Puede generar dolor o molestias.

CLAVES PARA TRATARLA

Dependerá del tipo de verruga y el lugar en el que se encuentre. Existen lociones ácidas que las van secando progresivamente hasta que se caen.

También se pueden tratar con criocirugía o electrocoagulación.

AUMENTAR EL CONSUMO DE...

Frutas: naranja, papaya e higo.
Ajo y patata.

Naranja
14/18/19/50/58
67/84/98/**256**
321/328/344/349
362/367

Papaya
10/28/51/60/85/96/97/**264**
319/320/323/354/366

Patata
61/64/66/74/83/85
96/98/**266**/327/328
335/336/338/344
362/363/364/365

Higo
81/**212**

Ajo
16/19/20/28/36/50
52/55/60/67/70/81
87/90/97/102/108
122/319/320/328
329/335/336/338/381

Cebolla
19/20/21/31/35/36
50/55/59/60/67/80
81/97/104/**160**
319/322/335/336
337/338/344/345

ZUMBIDO EN LOS OÍDOS (También conocido como Tinnitus).

Es un ruido o silbido constante o intermitente, muy molesto, que se percibe en uno o ambos oídos. En el caso del momentáneo, puede aparecer como consecuencia de la presencia de tapones de cera o algún cuerpo extraño en los oídos, infecciones o un golpe. El crónico está relacionado con la Enfermedad de Ménière, la obesidad, hipertensión, hipotiroidismo, sífilis u otras dolencias del oído, especialmente pérdida de audición. Puede suceder que este zumbido exista únicamente en la mente del paciente. En general está relacionado con la pérdida de la audición. En ocasiones genera depresión y perjudica notablemente la calidad de vida del que lo sufre.

SÍNTOMAS

- Zumbido en uno o ambos oídos.

CLAVES PARA TRATARLO

Es necesario detectar las causas que lo provocan.
Mantener el peso y los niveles de colesterol en sangre ayuda a controlarlo.
Evitar el uso de auriculares y mantenerse a resguardo de los ruidos fuertes.

EVITAR EL CONSUMO DE...

Aspirina o similares.
Las hierbas como sauce, ulmaria y galuteria, que producen un efecto similar.

AUMENTAR EL CONSUMO DE...

Frutas y verduras en general. Ajo.

Ajo
16/19/20/28/36/50
52/55/60/67/70/81
87/90/97/102/107
122/319/320/328
329/335/336
338/381

¿EL CONSEJO...?

Escuchar música es una alternativa para evitar la molestia constante del zumbido en los oídos.

DICCIONARIO DE FRUTAS Y VERDURAS

CAPÍTULO 2

En este capítulo encontrará, ordenadas alfabéticamente, nada menos que cien frutas y verduras de reconocido poder curativo y preventivo de diversas dolencias y trastornos.

En cada caso, se exponen las propiedades nutricionales (vitaminas y minerales), las formas de consumo, los beneficios que su consumo conlleva para la salud, consejos de interés para aplicar a la hora de la compra y otros datos útiles.

Pero antes de comenzar, en las primeras páginas de encontrará datos importantes sobre cada una de las vitaminas y minerales mencionados en el presente Capítulo.

LAS VITAMINAS

Las vitaminas son el engranaje básico y esencial de procesos superiores que se dan dentro del organismo. Es gracias a estos procesos que se produce el crecimiento, el metabolismo y las defensas del organismo frente a factores externos que pueden resultar agresivos.

A
Actúa sobre células de la retina de los ojos favoreciendo la buena visión, especialmente nocturna. Tiene poder cicatrizante en la piel. Mantiene la humedad de las mucosas impidiendo el ingreso de virus y bacterias.

B1
Tanto ésta como las que siguen funcionan en conjunto y se las conoce como las vitaminas del grupo B. La vitamina B1 tiene un papel protagónico en la combustión de las grasas y actúa como niveladora de la energía, equilibrante del sistema nervioso y muscular, y responsable del buen funcionamiento cerebral.

B2
Es el engranaje esencial para que las células respiren y por eso está relacionada con el buen desarrollo del feto, la tensión de los tejidos oculares y el estado armónico general del organismo.

B3
Denominada, también, niacina y vitamina PP. Comparte con la B2 la tarea de la oxigenación celular, pero además participa en la dilatación correcta de los vasos sanguíneos y mantiene la piel nutrida.

B5
Se encuentra en casi todas las funciones del organismo. Su carencia produce un desequilibrio grave y abrupto de la salud en general. Es la responsable de conseguir que las grasas y los azúcares se transformen en energía, contribuye con la regeneración de las superficies externas de la piel, ayuda a la cicatrización y combate los efectos del estrés.

B6
Trabaja sobre el sistema nervioso central. Junto a otras vitaminas del grupo B, regula el nivel de colesterol y suele usársela en terapias para combatir cierta forma de depresión que producen los anticonceptivos femeninos.

B7
Se encarga de deglutir los depósitos de grasa que se acumulan en los órganos.

B12
Se encarga de la formación de glóbulos rojos, facilita la absorción de proteínas, activa los músculos, mantiene el peso corporal, protege al hígado y equilibra el sistema nervioso al metabolizar el fósforo.

C
Es antiinfecciosa, antioxidante y participa en la síntesis del colágeno, renovando así los tejidos, huesos y dientes.

D
Resulta indispensable para la absorción del calcio. Por esta razón, es una pieza fundamental en el desarrollo de los huesos durante el crecimiento y en su fortalecimiento en la adultez y vejez.

E
Es uno de los antioxidantes por excelencia. Además, participa activamente de la regulación del colesterol, evita la esclerosis de los tejidos, ac-

túa como vasodilatadora y evita el envejecimiento prematuro.

F

Bajo esta denominación se engloba, en realidad, a los ácidos grasos esenciales o insaturados. Se divide en la serie Omega 3 –aceites vegetales vírgenes, frutos secos, semillas de girasol y aguacate–, y Omega 6 –pescados grasos.
Esta vitamina purifica las venas y arterias de los depósitos de colesterol "malo" que se adhieren a ellas.

K

Forma parte del proceso de coagulación de la sangre.

ÁCIDO FÓLICO

Es una vitamina del grupo B. Además de colaborar en la producción de glóbulos rojos, cumple una importante función en la prevención de determinados defectos del tubo neural, como la anencefalia y la espina bífida, que pueden afectar al feto en gestación de manera irreversible.

FOLATOS

Son compuestos derivados del ácido fólico. Actúan en la prevención y tratamiento de la anemia y de las malformaciones embrionarias.

PROVITAMINA A

Se denomina provitamina a una sustancia que debe ser transformada en el organismo, tanto sea por el propio metabolismo como por agentes externos, para dar como resultado la vitamina de que se trate. La provitamina A o betacaroteno es la que se transforma en vitamina A, y sólo lo hace cuando el organismo lo necesita evitando, de esta manera, la posibilidad de un exceso vitamínico que podría ser perjudicial.

LOS MINERALES

Los minerales, al igual que las vitaminas, forman parte de la nutrición humana.
Tienen una función específica relacionada con cada órgano y cada proceso del organismo. La dificultad radica en que el cuerpo no puede producir minerales por sí mismos y debe recibirlos de los alimentos que se ingieren.

AZUFRE

Actúa purificando y desintoxicando el organismo. Resulta fundamental para el adecuado mantenimiento del tejido epidérmico.

CALCIO

Junto con la vitamina D, su rol principal es la formación de los huesos. Con el fósforo y el magnesio interviene en la solidez ósea. También actúa en la coagulación de la sangre y la contracción del miocardio.

CLORO

Se introduce en el organismo combinado con el sodio, formando así el cloruro sódico. Este compuesto forma el denominado "medio ácido" del proceso digestivo estomacal.

COBRE

Favorece la absorción del hierro y es esencial en la formación de hemoglobina.

CROMO

Aunque todavía se lo investiga, este mineral participa en el metabolismo de la glucosa y asegura un buen desarrollo fetal.

FÓSFORO

Participa con el calcio en la solidez de los huesos y se une a las grasas para fabricar compuestos (fosfolípidos) de vital importancia para el tejido nervioso.

HIERRO

Sirve para transportar el oxígeno desde los pulmones y fabrica hemoglobina. Por esta razón, su carencia se traduce en anemia.

MAGNESIO

Actúa como sedante cardíaco. Además, se encuentra relacionado con el mejor rendimiento muscular y la acción efectiva del sistema inmunológico.

MANGANESO

Forma parte de las síntesis de las grasas.

MOLIBDENO

Es un oligoelemento esencial que resulta indispensable para el metabolismo del hierro. Favorece la formación de glóbulos rojos y actúa en la prevención de las caries dentales.

POTASIO

Este mineral actúa entrando y saliendo de las células para mantener los niveles adecuados de agua y nutrientes.

SAL

Es el compuesto conocido como cloruro sódico. Constituye el condimento principal de las comidas de la mayoría de las culturas. Su ingesta es necesaria para evitar la deshidratación corporal, pero su abuso resulta perjudicial en casos de hipertensión y trastornos renales.

SELENIO

Actúa en conjunto con la vitamina E para el cumplimento de sus funciones. La carencia de este mineral se encuentra relacionada con la aparición de caspa y seborrea.

SILICIO

Tiene la función de fijar el calcio y de prevenir enfermedades degenerativas.

SODIO

Su principal acción es la regulación y reparto del agua en el organismo. Pero además, está presente en el impulso que genera las contracciones musculares y en la producción de saliva, sudor y jugos digestivos.

YODO

Asegura el adecuado funcionamiento de la glándula tiroides, previniendo el bocio. Además, es fundamental en el desarrollo del sistema nervioso, decanta los nutrientes y mejora el estado de piel y uñas.

ZINC

Interviene en la síntesis de numerosas enzimas. Además, actúa en la regulación de la insulina y la estimulación inmunológica.

OTROS

CINEOL / ESTRAGOL EUGENOL / LINALOL

Son los compuestos químicos básicos pertenecientes al aceite esencial de la albahaca.

FIBRA

Es considerada un carbohidrato complejo. Sus componentes sólo se encuentran en los alimentos de origen vegetal. No puede ser digerida por el organismo, por lo que atraviesa el tracto digestivo sin ser alterada. Según sea el tipo de que se trate, las fibras se dividen en solubles o no solubles en agua.

ACEDERA

EL DICCIONARIO DICE

PLANTA HERBÁCEA PEREN-NE, DE TALLO PEQUEÑO, HOJAS ALTERNAS Y LARGAS, Y FLORES VERDES Y PEQUEÑAS. POR SU SABOR ÁCIDO, SE UTILIZA CO-MO CONDIMENTO.

PRECAUCIONES

Su elevada cantidad de ácido oxálico la convier-te en un alimento desa-consejado para aquellas per-sonas que tienen problemas en los riñones o tendencia a formar cálculos renales. Lo mismo sucede con los casos de artritis. Con-sumida en cantidad, puede dejar en la len-gua cierta sensación de adormecimiento.

TAMBIÉN SE LA CONOCE COMO...

Acelga silvestre o colorada, vinagregra, agrilla o lengua de vaca.

DESCRIPCIÓN GENERAL

La acedera (su nombre científico es *Rumex* acetosa), pertene-ce a la familia de las *Poligonáceas*, al igual que el trigo sarrace-no. Es una planta que en general crece de manera silvestre en ciertas zonas de Europa y cuyo cultivo se desarrolla en pe-queña escala. Se trata de una planta pequeña, que en general no supera el metro de altura y posee hojas verdes y muy bri-llantes. Tanto sus hojas como su tallo son comestibles.
Francia es uno de los países en los que más se consume.

BENEFICIOS PARA LA SALUD *

- Por su grado de acidez, se trata de un vegetal muy refrescante que sirve para quitar la sed.
- Es una muy buena fuente de hierro y de vitamina C. Esta última facilita la absorción del hierro, por lo que la ingesta de este vegetal crudo está reco-mendada en casos de anemia.
- El jugo de sus raíces y sus semillas puede ser utili-zado como diurético. En forma externa, sirve para tratar y descongestionar infecciones de la piel.
- Hay quienes la utilizan para calmar el dolor y la pi-cazón que ocasionan las picaduras de mosquitos y otros insectos.
- Sus hojas -frescas o cocidas-, ayudan a abrir el ape-tito. También se utilizan para curar el empacho.

- En gárgaras, disminuye la inflamación de las encías y de las mucosas orales.
- Posee una leve acción laxante y tiene la capacidad de purificar la sangre.

*Véase en el Capítulo 1 información de interés sobre las dolencias relacionadas.

FORMAS DE CONSUMO

● Se pueden ingerir las hojas, el tallo, las semillas e incluso las raíces.

● Cruda o cocida, en general recibe un tratamiento similar al de la espinaca.

● Como posee una elevada cantidad de oxalatos, es importante descartar su jugo de cocción, conocido como sal de acederas.

● Fresca, es un buen ingrediente para las ensaladas. Por su sabor ácido, muchas veces se utiliza como condimento.

● Es una buena guarnición para acompañar carnes y pescados grasosos.

● Se pueden elaborar purés, salsas o tortillas. O saltear en distintos revueltos.

● En diferentes jugos o infusiones.

CONSEJOS PARA LA COMPRA

Fíjese en el tono: las hojas deben ser de color verde intenso. Y descarte aquellas que parecen envejecidas ya que el sabor se torna demasiado picante.

CONSERVACIÓN

Se trata de una verdura muy frágil. Lávela únicamente cuando vaya a consumirla.

En el refrigerador, guárdela en una bolsa de plástico perforado para que se mantenga aireada.

Se mantiene unos pocos días en buen estado.

SABÍA QUE...

La sal de acederas (el líquido que queda tras la cocción de esta verdura) se utiliza para quitar manchas de tinta. También sirve para limpiar cacerolas de aluminio o esmaltadas. Este líquido no es apto para el consumo humano, por eso es importante colarla bien cuando se consume cocida.

ACELGA

INFORMACIÓN NUTRICIONAL

VITAMINAS:
A • B1 • B2 • C • FOLATOS
ÁCIDO FÓLICO
MINERALES:
CALCIO • FÓSFORO • HIERRO
MAGNESIO • POTASIO • SODIO
YODO • ZINC

Véase en página 111 información de interés sobre las vitaminas y minerales recién mencionados.

EL DICCIONARIO DICE

PLANTA HERBÁCEA ANUAL PERENNE, DE HOJAS GRANDES, ANCHAS, LISAS Y JUGOSAS, CON EL NERVIO CENTRAL MUY DESARROLLADO.

PRECAUCIONES

La acelga posee una elevada cantidad de oxalatos, por lo que aquellas personas que presenten tendencia a formar cálculos renales de oxalato de calcio deben limitar su ingesta.

TAMBIÉN SE LA CONOCE COMO...

Betarroga o espinaca de la China.

DESCRIPCIÓN GENERAL

La acelga (*Beta vulgaris* variedad cicla), pertenece a la familia de las *Quenopodiáceas*, al igual que la espinaca y la remolacha. Es una planta de hoja grande, ancha, levemente ovalada, de color verde intenso. Posee una nervadura central importante y un largo tallo blanco y carnoso, conocido como penca. No existen tantas variedades de acelga. Básicamente se diferencian entre sí por el color (las hay más claras y amarillentas, y también verde oscuro) y las características de la penca (color y tamaño). Se trata de un cultivo originario de Europa, típico de las zonas de clima templado y terrenos con poca acidez.

BENEFICIOS PARA LA SALUD *

■ En su composición, la acelga posee una elevada cantidad de agua y, a su vez, una importante cantidad de nutrientes: vitaminas, minerales y fibra. Por lo tanto, es muy recomendada para las dietas adelgazantes.

■ Es una fuente importante de potasio y folatos, esta última, una vitamina que interviene en la formación de glóbulos blancos y rojos y ayuda a fortalecer el sistema inmunológico.

■ Su gran aporte de vitamina A beneficia, entre otras cosas, la vista, los huesos y el funcionamiento del hígado.

■ Tiene una acción laxante y diurética.

■ El consumo de hojas de acelga es de gran ayuda en el tratamiento de los cólicos hepáticos y renales.

■ Sirve en los cuadros de constipación intestinal y también es útil para combatir la colitis y la hipertensión.

Es un buen antiséptico para tratar superficialmente quemaduras, heridas y abscesos.

En forma externa, se utiliza para controlar cuadros febriles, por lo que se dice que es antitérmica.

Es un antioxidante natural.

Regula el funcionamiento intestinal.

Interviene en el desarrollo del sistema hormonal.

*Véase en el Capítulo 1 información de interés sobre las dolencias relacionadas.

FORMAS DE CONSUMO

● El jugo se utiliza combinado con otros alimentos para combatir diversas afecciones.

● La hoja y la penca se pueden consumir juntas, o por separado.

● Ideal para elaborar guarniciones, en general calientes.

● Se puede comer al natural, gratinada, con diferentes salsas. En budines, tartas, tortillas o pasteles, entre otras alternativas.

● Combina muy bien con las pastas y con los hidratos de carbono en general.

CONSEJOS PARA LA COMPRA

En general, la acelga está disponible durante todo el año. Elija aquellas que muestren sus hojas frescas y de color uniforme y brillante. Es importante que las pencas estén firmes y tengan un tono parejo.

CONSERVACIÓN

Refrigerada: entre dos y cinco días.
Para congelarla, es necesario hervirla previamente.

SABÍA QUE...

Debido a la gran cantidad de ácido fólico que posee, la acelga resulta un alimento ideal para aquellas mujeres que están transitando los primeros meses de embarazo. Su carencia puede llegar a ocasionar malformaciones en el bebé, entre ellas, afecciones cardíacas, espina bífida y labio leporino. El cuerpo asimila mejor esta sustancia cuando se ingiere la acelga cruda.

ACHICORIA

INFORMACIÓN NUTRICIONAL

VITAMINAS:
A • B1 • FOLATOS

MINERALES:
CALCIO • MAGNESIO • POTASIO

Véase en página 111 información de interés sobre las vitaminas y minerales recién mencionados.

EL DICCIONARIO DICE

PLANTA HERBÁCEA DE LA FAMILIA DE LAS COMPUESTAS, DE HOJAS DENTADAS, ÁSPERAS Y COMESTIBLES.

PRECAUCIONES

No es recomendado consumirla en exceso.

DESCRIPCIÓN GENERAL

Su nombre científico es *Cichorium intybus* y pertenece a la familia de las *Asteráceas*. La característica principal de este grupo es que sus flores se componen por una gran cantidad de flores diminutas fusionadas. La achicoria, de la que derivan verduras como la escarola o la endibia, se destaca por sus llamativas flores azules. Puede presentar hojas verdes, delgadas y de bordes dentados o bien, anchas, con bordes ondulados y con cogollo, como si fuera una lechuga. Estamos hablando de la achicoria de raíz (variedad *sativum*) y la achicoria de ensalada (variedad *foliosum*). El tono de las hojas puede ir del verde claro al morado, y siempre presentan una nervadura blanca en el centro.

BENEFICIOS PARA LA SALUD *

- Favorece la función hepática y de la vesícula biliar, lo que facilita la digestión en general. Esto se debe a la presencia de una sustancia amarga llamada intibina.
- Por su aporte de inulina, funciona como aperitivo y tonifica el estómago.
- Contiene vitamina A, beneficiosa para la vista y los trastornos oculares en general.
- De bajo valor calórico, es buena para las personas que buscan descender de peso.
- Aporta betacaroteno, de efecto antioxidante. Inhibe la acción de los radicales libres y ayuda a prevenir enfermedades crónicas y degenerativas como las cardiovasculares y ciertos tipos de cáncer.
- También es beneficiosa para la piel y para los problemas del aparato respiratorio.

■ Posee un suave efecto laxante y diurético. Previene el estreñimiento y ayuda a eliminar líquidos. Recomendada para personas que padecen de hipertensión, hiperuricemia, gota, artritis y oliguria.

*Véase en el Capítulo 1 información de interés sobre las dolencias relacionadas.

FORMAS DE CONSUMO

● Cruda se puede incluir en cualquier ensalada. Es la mejor manera de aprovechar sus propiedades.
● También se puede cocinar como cualquier otra verdura: gratinada, al horno, al vapor.
● Para no desperdiciar sus nutrientes, aproveche el caldo de cocción.

CONSEJOS PARA LA COMPRA

Busque aquellos ejemplares de hojas frescas, de color intenso y sin manchas, zonas descoloridas o picaduras.

CONSERVACIÓN

En lugar fresco y oscuro. En una bolsa de plástico perforada y en el refrigerador para que se mantenga durante una semana. No se congela.

AGUACATE

EL DICCIONARIO DICE

ÁRBOL ORIGINARIO DE AMÉRICA CENTRAL. PERTE-NECE A LA FAMILIA DE LAS *LAURÁCEAS* Y PUEDE LLEGAR A ME-DIR HASTA 15 METROS DE ALTU-RA. SUS HOJAS PERMANECEN SIEMPRE VERDES Y SUS FLORES SON PEQUEÑAS Y CRECEN EN FORMA DE ESPIGA. EL FRUTO ES COMESTI-BLE Y POSEE UNA CORTEZA CO-LOR VERDE OSCURO Y PULPA AMARILLENTA, SUAVE Y MANTE-COSA, CON UNA SEMILLA DE GRAN TAMAÑO. LAS HOJAS Y LA CORTEZA DE ESTE ÁRBOL POSEEN PROPIEDADES MEDICINALES.

PRECAUCIONES

Posee una gran cantidad de lípidos, lo que lo con-vierte en un alimento muy calórico.

TAMBIÉN SE LO CONOCE COMO...

Palta, cura, petro o abacate.

DESCRIPCIÓN GENERAL

La palta o aguacate (su nombre científico es *Persea gratisima* o *americana*) es un fruto típico de las regiones tropicales de América Central. Su forma es similar a la de una pera, aunque hay algunas variedades que son más ovaladas. Proviene de un árbol de gran belleza y existen diferentes especies, entre ellas Bacon, Pinkerton, Pagua y Haas. Se diferencian entre sí por el tamaño del fruto, la apariencia, la textura de su cáscara (más lisa o más rugosa) y por el color (más morado, opaco o ver-de intenso).

Si bien se trata de un fruto, no es dulce y, por lo general, se consume como una verdura.

BENEFICIOS PARA LA SALUD *

■ Es rico en fibra, beneficiosa para los intestinos. Ayuda a prevenir parásitos y la ralladura de su se-milla es buena para eliminar la tenia o lombriz so-litaria.

■ Posee una importante cantidad de vitamina E, lo que lo convierte en un antioxidante natural. Neu-traliza e incluso puede llegar a inhibir la produc-ción de radicales libres y protege las membranas celulares. Además de retrasar el envejecimiento, previene las enfermedades coronarias y el cáncer.

■ Por su aporte de grasas monoinsaturadas, reduce el nivel de colesterol en general, y del LDL o coleste-rol malo en particular. Incrementa el HDL o coles-terol bueno y elimina los triglicéridos en sangre.

■ Debido a la gran cantidad de potasio que aporta al organismo, es recomendado para los hipertensos, aquellos que padecen insuficiencia renal y para las personas que realizan mucha actividad física.

- Protege al hígado.
- Puede tener un leve efecto antiinflamatorio.
- Las cremas que contienen derivados del aguacate son útiles para combatir enfermedades cutáneas como la psoriasis. Existen shampúes y cremas hidratantes para el cabello.
- Su cáscara y su semilla contienen elementos de efecto antirreumático.
- La infusión que se obtiene de las hojas de este árbol elimina el catarro y disminuye los cólicos menstruales. Hay quienes lo toman contra la artrosis.

*Véase en el Capítulo 1 información de interés sobre las dolencias relacionadas.

SABÍA QUE...

Antiguamente era considerado un árbol sagrado. Su nombre proviene del vocablo azteca *ahuacatl*, que quiere decir testículo. Además de la similitud en la forma, el aguacate era considerado un fruto afrodisíaco por este pueblo.

FORMAS DE CONSUMO

● Es una buena guarnición para acompañar platos livianos.
● Además de aportarle una cuota de acidez, es importante rociarlo con limón para que no se oscurezca la pulpa.
● La pulpa se puede preparar pisada (es la base del guacamole, que lleva tomate y cebolla picados, entre otros ingredientes). También en sándwiches, ensaladas y sopas, frías o calientes.

CONSEJOS PARA LA COMPRA

Corrobore que la cáscara no posea manchas negras, golpes ni magulladuras. El fruto termina de madurar fuera del árbol, por lo que no siempre se consiguen "a punto".

CONSERVACIÓN

Si no se encuentra maduro, guárdelo envuelto en un papel de periódico. Si se encuentra a punto y desea conservarlo durante algunos días más, colóquelo en la parte menos fría del refrigerador. La pulpa -previamente pisada y condimentada con jugo de limón- puede congelarse.

AJO

EL DICCIONARIO DICE

PLANTA HERBÁCEA ANUAL DE LA FAMILIA DE LAS *LILIÁCEAS*, ORIGINARIA DE ASIA. MIDE ENTRE 30 Y 40 CM Y SUS HOJAS SON MUY ESTRECHAS. SUS BULBOS BLANCOS Y REDONDOS SE ENCUENTRAN DIVIDIDOS EN BULBILLOS. TANTO SU SABOR COMO SU OLOR SON MUY FUERTES.

PRECAUCIONES

En cantidades elevadas puede llegar a provocar cefaleas y malestar intestinal. Las madres que se encuentran amamantando no deben consumir ajo porque pueden provocarle cólicos al bebé. Contraindicado para los hipotensos. Conviene evitarlo durante el período menstrual.

DESCRIPCIÓN GENERAL

El ajo (su nombre científico es *Allium sativum L*) pertenece a la misma familia que las cebollas. Encontramos tres variedades principales: el blanco, el morado y el rojo. Este último, más grande que los dos primeros, suele estar conformado por un solo diente y en general se utiliza con fines decorativos. Sus bulbos (conocidos como "cabezas") están divididos en unos ocho o diez dientes recubiertos por una membrana de apariencia perlada, similar a la que envuelve al bulbo. Se utiliza como condimento, y es uno de los sabores tradicionales de la cocina mediterránea.

BENEFICIOS PARA LA SALUD *

■ Sus componentes sulfurados lo convierten en un gran antiséptico, antiinflamatorio, bactericida, antiviral y antiparasitario intestinal. Puede llegar a bloquear el desarrollo de algunos tumores, como los del aparato gástrico, de mama, de útero, de piel y de pulmón.

■ Inhibe el desarrollo de la bacteria relacionada con las úlceras gástricas y duodenales.

■ Su uso externo sirve para paliar el dolor de oído, desintegrar tapones de cera, y para tratar úlceras o lesiones cutáneas. Se utiliza para eliminar verrugas.

■ Reduce el nivel de colesterol y de los triglicéridos en la sangre, cualidad que lo convierte en un aliado a la hora de prevenir enfermedades cardiovasculares.

■ Las infusiones a base de ajo ayudan a expulsar parásitos como la lombriz solitaria. También se utilizan para combatir el insomnio y como expectorantes.

■ Disminuye la presión arterial y tiene efecto anticoagulante. Es bueno para prevenir la esclerosis cerebral y la arteriosclerosis.

En forma de tintura se utiliza para disminuir los dolores reumáticos.

Aumenta las secreciones del estómago y regulariza la digestión. Estimula la secreción de bilis. Recomendado para quienes padecen de ácido úrico. Es diurético y colabora en la eliminación de diversos residuos del organismo.

Ayuda a equilibrar el sistema inmunológico.

Por su gran cantidad de fósforo, actúa como sedante.

Frotado sobre la piel, funciona como un repelente y mantiene alejados a los mosquitos.

Mezclado con jugo de limón y frotado sobre el cuero cabelludo, puede llegar a disminuir la calvicie.

*Véase en el Capítulo 1 información de interés sobre las dolencias relacionadas.

FORMAS DE CONSUMO

● En general se utiliza como condimento para las comidas.
● También se elaboran jugos e infusiones.
● Se consume en extracto o también disecado.
● Se puede ingerir tanto crudo como cocido, aunque en el segundo caso pierde un altísimo porcentaje de sus propiedades.

CONSEJOS PARA LA COMPRA

Elija las cabezas firmes y con apariencia fresca, sin brotes. Corrobore que la membrana se encuentre seca y entera, sin manchas que indiquen un estado de putrefacción.

CONSERVACIÓN

En un lugar fresco, seco y bien ventilado pueden llegar a durar hasta dos meses. Si permanecen en la misma ristra, las cabezas se conservan durante unos seis meses.

SABÍA QUE...

La creencia popular indica que una ristra de ajos colgada detrás de la puerta sirve para ahuyentar la mala energía. Y se lo considera un aliado eficaz a la hora de repeler un vampiro. Si bien es cierto que la ingesta excesiva de ajo produce mal aliento y transpiración desagradable, no se trata de una característica del ajo en sí misma sino de la consecuencia de la eliminación de toxinas por parte del organismo. Cuanto más sana sea su alimentación cotidiana, menos tiempo le llevará eliminarlas y el olor desaparecerá una vez que esto suceda.

ALBAHACA

INFORMACIÓN NUTRICIONAL

Su esencia está formada por cineol, linalol, estragol y eugenol.

EL DICCIONARIO DICE

Planta herbácea anual que alcanza unos 30 cm de altura, de sabor y aroma muy característico. Posee un tallo ramoso y velludo, hojas pequeñas, lampiñas y muy verdes, flores blancas y algo purpúreas. Se cultiva en los jardines domésticos y se utiliza como condimento.

PRECAUCIONES

La albahaca es rica en estragol, que en cantidades elevadas es considerado un potencial agente cancerígeno. Por esta razón resulta importante limitar el consumo.

TAMBIÉN SE LA CONOCE COMO...

Basílica, alhabaga o alhábega.

DESCRIPCIÓN GENERAL

La albahaca (su nombre científico es *Ocimum basilicum L*) e una planta que pertenece a la familia de las *Labiadas*. Crece e terrenos simples, soleados y bien regados a partir de una se milla. Aunque existen alrededor de 40 variedades, las más uti lizadas son dos: la albahaca genovesa y la napolitana, esta últi ma con hojas más parecidas a la lechuga y un leve sabor menta. Existen especies rojizas y color ópalo oscuro, que e general se eligen con fines decorativos.

BENEFICIOS PARA LA SALUD *

- Regula el equilibrio estomacal y sirve para calma las reacciones nerviosas que se manifiestan en es te órgano. Es un buen antiespasmódico y tiene u efecto antidiarreico y diurético. Se utiliza en caso de gastritis.
- Ayuda a descongestionar y cumple una función ex pectorante.
- Aplicada en gárgaras disminuye las molestias oca sionadas por amigdalitis, faringitis o aftas. Tambiér combate el mal aliento.
- Cuando se ingiere en forma de infusión colabor en el tratamiento de afecciones urinarias, en cua dros de vómitos y cólicos intestinales. También cuando se presentan afecciones de las vías respi ratorias en general.
- Su esencia estimula el apetito.
- En forma externa, el aceite esencial alivia los dolo res causados por la presencia de quistes ováricos
- Se utiliza como tónico capilar.
- Aromatizante natural para los baños de inmersión

■ Aumenta el flujo de leche en las madres.

■ Sirve para repeler mosquitos y otros insectos.

*Véase en el Capítulo I información de interés sobre las dolencias relacionadas.

FORMAS DE CONSUMO

● Se consumen únicamente las hojas, frescas o secas.

● Realza el sabor de las ensaladas, mezclada con cualquier hoja verde. Es un ingrediente clave de la combinación capresse, típica de la cocina mediterránea: albahaca, tomate y muzzarella.

● Se utiliza para aderezar cualquier tipo de preparación. Su sabor se equilibra con el del ajo.

● Combina muy bien con los pescados y también con otros vegetales como las berenjenas, los zucchinis y los pimientos. También se la incorpora en tortillas y diversos revueltos. Y queda bien con las pastas, tanto fresca como en salsa.

CONSEJOS PARA LA COMPRA

Elija aquellas plantas que posean hojas de aspecto fresco y terso. Las arrugas dan cuenta de la antigüedad de las mismas, y el sabor se vuelve más picante.

CONSERVACIÓN

En un recipiente de vidrio, picada con una pizca de sal y aceite de oliva.
Se mantiene fresca durante unos tres o cuatro días si la guarda en una bolsa cerrada o recipiente plástico dentro del refrigerador.
Previamente hervida se puede congelar.

SABÍA QUE...

Conviene agregarla a último momento a las comidas para que no pierda su sabor. Siempre es mejor cortarla con las manos y no con cuchillo ya que se oxida con facilidad.

ALCACHOFA

EL DICCIONARIO DICE

PLANTA HORTENSE DE LA FAMILIA DE LAS COMPUESTAS, DE RAÍZ FUSIFORME. SU TALLO ESTRIADO Y RAMOSO PUEDE ALCANZAR MÁS DE MEDIO METRO DE ALTURA. PRODUCE UNAS CABEZUELAS CARNOSAS QUE SON COMESTIBLES. LA CABEZUELA DE ESTA PLANTA ES AZUL O VIOLÁCEA.

PRECAUCIONES

Modifica el gusto de la leche materna y puede llegar a disminuir la producción de la misma, por lo que hay que evitar su consumo durante el período de lactancia.

TAMBIÉN SE LA CONOCE COMO...

Alcaucil, alcancil.

DESCRIPCIÓN GENERAL

La alcachofa o alcaucil (su nombre científico es *Cynara scolymus L*) es la inflorescencia madura del alcachofero. Posee un corazón que es comestible, y también se puede ingerir el engrosamiento o la parte inferior de las hojas que protegen este corazón. Sus flores se asemejan mucho a las del cardo. Sucede que, de hecho, esta es una hortaliza creada por el hombre a partir de cruzas sucesivas del cardo silvestre. Se diferencian dos grandes grupos: los primeros, redondos y de hojas verdes bien cerradas; los segundos, de hojas alargadas y puntiagudas, de color violáceo.

BENEFICIOS PARA LA SALUD *

- Tanto la alcachofa como el agua de su cocción son altamente recomendados para los períodos de convalecencia.
- Por la presencia de inulina (un derivado de la sacarosa), se trata de un gran alimento para las personas diabéticas ya que su ingesta ayuda a disminuir los niveles de glucemia en la sangre.
- Altamente eficaz para eliminar el ácido úrico del organismo.
- Estimula los intestinos y es una gran aliada en casos de estreñimiento.
- Protege al hígado y potencia la función hepática, por lo que se recomienda consumirla a aquellos que padecen dolencias relacionadas con este órgano, como ser la hepatitis, la cirrosis o la insuficiencia hepática.
- Debido a sus propiedades diuréticas (que se deben a su contenido de cinarina y la presencia de ácidos málico y cítrico), ayuda en casos de enfer-

medades de las vías urinarias, entre ellas, gota y el mal de piedra. También facilita la digestión y la eliminación de toxinas del organismo.

- Sus ácidos ayudan a eliminar el colesterol de la sangre y reducir la presión arterial. Previene la arterosclerosis y las enfermedades cardiovasculares en general.
- Por su bajo contenido calórico, la alcachofa es recomendada en las dietas adelgazantes.
- En forma externa, disminuye los dolores artríticos y reumáticos. Su capacidad de eliminar la sequedad ocular la convierte en un colirio natural.

* Véase en el Capítulo 1 información de interés sobre las dolencias relacionadas.

FORMAS DE CONSUMO

- Se puede beber el líquido de su cocción o bien, incorporarlo a sopas y jugos.
- Cocida al vapor para que conserven sus nutrientes o cocinada al horno o a las brasas. También, fritas o guisadas.
- Rellena, en ensaladas, tartas, tortillas o sola.
- Para evitar que las hojas se oxiden, rocíelas con jugo de limón.

CONSEJOS PARA LA COMPRA

Cuanto más cerradas y apiñadas estén sus hojas, más tierna será la alcachofa.
Debe ser firme y pesada.
Descarte aquellas que tienen manchas negras en la superficie.

CONSERVACIÓN

Con el tallo, se mantiene hasta tres días en el refrigerador. Una vez cocida hay que consumirla a la brevedad porque puede desarrollar toxinas.

ALFALFA

EL DICCIONARIO DICE

ARBUSTO VERDE DE LA FAMILIA DE LAS *LEGUMINOSAS*. SUS HOJAS SON DENTADAS Y PUEDE ALCANZAR HASTA UN METRO DE ALTURA. SE CULTIVA COMO PLANTA DE ADORNO Y PARA FORRAJE O ALIMENTO DEL GANADO.

PRECAUCIONES

No es bueno consumirla en exceso ya que en algunas personas puede ocasionar molestias intestinales, además de propiciar la aparición de reacciones y síntomas que se asemejan a los del lupus. Estos riesgos disminuyen si se consume cocida.

TAMBIÉN SE LA CONOCE COMO...

Mielga o alfaz, alfalfe y alfalfez.

DESCRIPCIÓN GENERAL

Existen unas 50 variedades de alfalfa, cuyo nombre científico es *Medicago Sativa L.* Se cultiva en regiones templadas. La capacidad de sus raíces de asimilar los minerales del suelo la convierten en una planta muy nutritiva y rica en sales. La germinación es un proceso natural que se realiza a partir de diferentes semillas de leguminosas o cereales (quizás los brotes de soja sean los más difundidos). Debido a su gran aporte de vitamina C, durante mucho tiempo se utilizaron los brotes de alfalfa como un reemplazo en aquellas dietas en las que, por diferentes razones, debía prescindirse de frutas y verduras frescas.

BENEFICIOS PARA LA SALUD *

- Contribuye a la mineralización ósea, por lo que se recomienda su ingesta a las mujeres durante la menopausia. También para aquellas personas que padecen osteoporosis, artritis y artrosis.
- Además de su acción mineralizante, tiene un efecto antiinflamatorio y antirreumático.
- Los brotes de alfalfa son alimento ideal para las personas que buscan descender de peso porque poseen muy pocas calorías y una elevada cantidad de fibra y nutrientes. Sus aminoácidos facilitan al organismo el procesamiento de minerales y vitaminas.
- Estimula los procesos digestivos y sus vitaminas actúan en la regeneración del tejido intestinal. Regula la acidez estomacal.
- Fortalece los músculos, los huesos, el cabello, las uñas y los dientes.

Es rica en clorofila y vitamina K, considerada un antihemorrágico, por lo que los brotes de alfalfa resultan útiles para combatir la anemia.

Su aporte de grasas poliinsaturadas beneficia al corazón y a los vasos sanguíneos.

Es un buen antioxidante debido a la presencia de flavonoides.

Véase en el Capítulo I información de interés sobre las dolencias relacionadas.

FORMAS DE CONSUMO

Crudos o cocidos, los brotes de alfalfa se pueden incorporar en ensaladas, diversos salteados, como complemento de guarniciones y también en salsas.

CONSEJOS PARA LA COMPRA

Los brotes deben estar blancos y crocantes. Evite los amarronados o amarillentos.

CONSERVACIÓN

Entre dos y tres días en el refrigerador.

SABÍA QUE...

Puede germinar las semillas en forma casera. Lávelas muy bien para eliminar cualquier rastro de pesticida. Déjelas en remojo en un frasco de vidrio durante unas cuatro a seis horas. Enjuáguelas con abundante agua y a partir de ese momento, repita el proceso dos veces por día, durante unos cinco días, dejando el frasco en un lugar oscuro.

ALMENDRA

EL DICCIONARIO DICE

FRUTO EN FORMA AOVADA Y COMPRIMIDA QUE DA EL ALMENDRO. POSEE UN PERICARPIO FORMADO POR UN EPICARPIO MEMBRANOSO, UN MESOCARPIO CORIÁCEO Y UN ENDOCARPIO LEÑOSO O HUESO, QUE CONTIENE LA SEMILLA, ENVUELTA EN UNA PELÍCULA COLOR CANELA. POR EXTENSIÓN, SE DENOMINA DE ESTA MANERA A LA SEMILLA DE CUALQUIER FRUTO DRUPÁCEO.

PRECAUCIONES

No siempre es sencillo digerirlas. Las personas con trastornos hepáticos o cálculos biliares deberían evitarlas. Y es preferible consumirlas machacadas (o bien masticadas).
Además, contienen una gran cantidad de grasas y aportan muchas calorías a la dieta.

DESCRIPCIÓN GENERAL

La almendra (su nombre científico es *Amygdalus communis*), e la semilla del fruto del árbol del almendro (*Prunus Amygdalus*) perteneciente a la familia de las *Rosáceas*, que crece en form silvestre en el Mediterráneo. Sus ejemplares alcanzan los ! metros de altura y pueden llegar a vivir hasta 100 años. La al mendra se agrupa dentro del genérico de los frutos secos. E una fruta oleaginosa, de gran poder nutritivo. Existen las al mendras dulces y las amargas, pero únicamente se consume las primeras porque las segundas resultan tóxicas para el se humano. En general, se utilizan para recetas relacionadas cor el mundo de la repostería, aunque los vegetarianos y los na turistas las consumen para reemplazar la carne por su eleva do valor proteico.

BENEFICIOS PARA LA SALUD *

- Por su gran cantidad de ácidos grasos monoinsaturados ayuda a prevenir el LDL o colesterol malo Esto la convierte en un agente protector frente a las enfermedades cardiovasculares.
- Su extracto sustituye la leche de vaca. Y su aceite es un laxante natural. Ambas sustancias se utilizar en la industria de la cosmética para elaborar cremas cutáneas e hidratantes para el cabello.
- Por su aporte de calcio, mantiene fuertes los dientes y los huesos.
- Constituye un antiséptico intestinal y urinario. Es antiparasitaria y antiespasmódica. Y previene las hemorroides y los tumores en el colon.
- Su gran cantidad de vitamina E la convierte en un buen antioxidante.
- Ayuda a prevenir el asma y la anemia. Y colabora en el tratamiento de la diabetes.

■ Contiene una elevada proporción de ácido fólico, lo que lo convierte en un alimento muy recomendado para las embarazadas que están atravesando los primeros meses de gestación.

■ Sus fitonutrientes protegen el tracto digestivo de los agentes cancerígenos.

Véase en el Capítulo 1 información de interés sobre las dolencias relacionadas.

FORMAS DE CONSUMO

Crudas o tostadas, se pueden comer solas como si fueran un snack.

Su pasta se utiliza como baño para recubrir tortas.

Triturada, sirve para rebozar diferentes preparaciones.

También se pueden incluir en ensaladas y diversas preparaciones. Acompañan pollos y otras carnes.

Tanto su leche como su aceite son comestibles.

CONSEJOS PARA LA COMPRA

Siempre es mejor comprarlas con cáscara, ya que poseen menos agentes químicos y además conservan todos sus nutrientes hasta el momento de consumirlas. Y se recomienda elegir aquellas que son más pesadas.

CONSERVACIÓN

Suelen tornarsen rancias con facilidad, por eso deben permanecer en ambientes secos y frescos. En el refrigerador se mantienen en buen estado por más tiempo.

> **SABÍA QUE...** ❓
>
> Para que pelar almendras no se convierta en una tarea incordiosa, pruebe sumergirlas unos minutos en agua hirviendo y luego podrá retirar las cáscaras con facilidad. Preparar la leche de almendras es muy sencillo. Una vez que estén peladas, procéselas y vaya incorporando agua filtrada. Deje reposar un rato y luego cuele la preparación.

APIO

EL DICCIONARIO DICE

PLANTA HERBÁCEA ANUAL DE LA FAMILIA DE LAS *UMBELÍFERAS*, CON TALLO JUGOSO, GRUESO, LAMPIÑO, HUECO, ASURCADO Y RAMOSO, HOJAS LARGAS Y HENDIDAS Y FLORES MUY PEQUEÑAS Y BLANCAS. SE CULTIVA EN LAS HUERTAS.

PRECAUCIONES

Los diabéticos no deberían ingerirlo en ensaladas. Tiende a acumular nitratos que se neutralizan con el consumo de vitamina C. Tampoco es recomendado para las embarazadas.
Y en general, no se recomienda ingerirlo en cantidades elevadas.

TAMBIÉN SE LO CONOCE COMO...

Panul, apio común, apio de huerta, apio acuático, apio bravío apio palustre.

DESCRIPCIÓN GENERAL

El apio (científicamente se denomina *Apium graveolens L,* variedad dulce) fue originariamente un cultivo silvestre en lugare húmedos y pantanosos. De tallo largo y tonalidad verdos crece bianualmente y lo que se ingiere son el tallo y sus ho jas. Sus pencas miden un promedio de 30 cm. Existen difere tes variedades, entre ellas el apio dorado, el blanco, el Pasc y el apio nabo (como su nombre lo indica, muy parecido al n bo). Al igual que el perejil, sus hojas son compuestas, muy d vididas y aromáticas.

BENEFICIOS PARA LA SALUD *

- Por su gran aporte de hierro, es recomendado e cuadros de anemia fuerte.
- Contiene flavonoides, que tienen un efecto antic xidante y por ende anticancerígeno, antiinflamato rio, vasodilatador y antibacteriano.
- Su acción antitérmica y expectorante sirve para a gerar los cuadros febriles y los casos de bronqu tis asmática y laringitis.
- Aplicado en forma externa, beneficia la cicatriza ción de úlceras, contusiones y heridas.
- En ensaladas estimula la secreción de jugos gástr cos, lo que facilita la digestión.
- El jugo constituye un eficaz antiácido. Y, combina do con leche, ayuda a combatir el insomnio.
  - Hay quienes dicen que estimula el proces menstrual en casos de atraso del período.
    - También es recomendado para favorec la circulación sanguínea en aquellas perso nas que tienen várices.

- Combate la hipertensión.
- Indicado para pacientes que registran una elevada cantidad de ácido úrico, o bien, gota o reumatismo.
- El limoneno y selineno de sus semillas y la asparagina de su raíz, lo convierten en un gran diurético.

*Véase en el Capítulo 1 información de interés sobre las dolencias relacionadas.

FORMAS DE CONSUMO

● Antes de comer el tallo es conveniente retirar la piel que lo cubre. Una manera de simplificar este proceso es sumergirlo en agua hirviendo.

● El apio puede comerse crudo o cocido, en ensaladas, salsas, salteados de vegetales. Las pencas pueden hornearse, rellenarse o freírse.

● También se puede procesar y combinar con jugos de, por ejemplo, zanahoria. O bien, con frutas como la manzana.

● La semilla molida se utiliza como condimento (sal de apio), muchas veces combinada con el ajo.

CONSEJOS PARA LA COMPRA

Elija aquellos de tallo o pencas gruesas, compactas, firmes y crujientes. Descarte los que muestren manchas o aquellos cuyas hojas sean más bien blanquecinas. Deben ser verdosas y frescas.

CONSERVACIÓN

Refrigerado, durante dos o tres días. Lo mejor es envolverlo en un papel húmedo.
Previamente hervido, se puede congelar, aunque perderá su textura crocante.

SABÍA QUE...

Homero lo menciona en la Odisea y tanto los egipcios como los griegos lo utilizaban para ornamentar sus tumbas, probablemente debido a su fuerte olor. Al igual que el crisantemo en nuestros días, eran un símbolo de luto. Por el contrario, para los árabes traía buena suerte.

ARÁNDANO

EL DICCIONARIO DICE

ARBUSTO DE LA FAMILIA DE LAS *ERICÁCEAS*, QUE MIDE HASTA 40 CM DE ALTURA. CON RAMAS ANGULOSAS, HOJAS ALTERNAS, AOVADAS Y ASERRADAS Y FLORES SOLITARIAS DE COLOR BLANCO VERDOSO O ROSADO.

PRECAUCIONES

Algunas personas pueden desarrollar reacciones alérgicas a este tipo de bayas. Y su jugo es difícil de tolerar para aquellos que padecen de gastritis o úlcera.

TAMBIÉN SE LO CONOCE COMO...

Blueberry, mirtilo, rasponera, manzanilleta, uva de bosque, gardincha, anavia o uva de monte.

DESCRIPCIÓN GENERAL

El nombre científico del arándano es *Vaccinum Mirtillus L* y es una baya pequeña de forma esférica, del tamaño de una canica o menor, de color violáceo o azulado que pertenece al grupo de los berries o frutos del bosque. También existe una variedad más rojiza y de sabor agrio. Está recubierta por una fina capa de apariencia cerosa y poseen un sabor agridulce.

BENEFICIOS PARA LA SALUD *

- Es un alimento hipocalórico, lo que significa que gastamos más calorías de las que contiene en el proceso de la ingesta.
- Contiene ácido quínico, sustancia que acidifica la orina y ayuda a prevenir infecciones urinarias. Además, evita que se formen cálculos o litiasis renal de fosfato cálcico.
- Dos de sus componentes impiden que la bacteria *E.Coli* -presente en el estómago y en los intestinos- se adhiera al tracto urinario.
- Aporta una cuota de vitamina C y vitamina E que combinada con la antocianina, produce un efecto antioxidante. Esta misma enzima, que es la que le otorga color a la baya, tiene propiedades antiinflamatorias.
- Podría aumentar también el DHL o colesterol bueno, lo que redunda en una disminución del riesgo de padecer afecciones cardiovasculares.

- Inhibe la acción de las bacterias causantes de la placa dental y la enfermedad periodontal.
- Actúa como antidiarreico.

* Véase en el Capítulo 1 información de interés sobre las dolencias relacionadas.

FORMAS DE CONSUMO

- Las posibilidades son infinitas, ya que se puede consumir tanto en platos agridulces como en postres. Para consumirlos frescos no es necesario abrirlos, ya que sus semillas son imperceptibles.
- En ensaladas de frutas, para decorar postres, tortas (va muy bien con el cheese cake), muffins, crepes, helados.
- En mermeladas, jaleas, dulces, jugos, almíbares y licuados.
- Salsas dulces para postres y agridulces para platos salados.
- Con pescados y cualquier tipo de carnes, tanto en platos fríos como calientes.

CONSEJOS PARA LA COMPRA

Elija los arándanos de piel más tersa y brillante. Deben estar secos y firmes al tacto; de lo contrario, se echarán a perder a la brevedad.

CONSERVACIÓN

Se puede conservar hasta veinte días refrigerado.

SABÍA QUE...

En los Estados Unidos, los arándanos constituyen un elemento infaltable en la tradicional cena de Acción de Gracias, la festividad que recuerda aquel banquete que brindaran los peregrinos durante el otoño del año 1621 en agradecimiento a los lugareños que los habían recibido cálidamente tras su largo viaje un año atrás. Es costumbre que las familias estadounidenses se reúnan para compartir un pavo asado, que se suele rellenar con frutas disecadas, bayas y, por supuesto, salsa de arándanos.

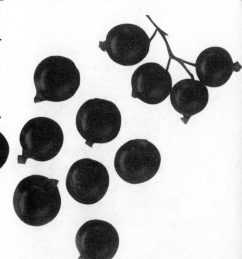

ARVEJA

EL DICCIONARIO DICE

PLANTA HORTENSE DE LA FAMILIA DE LAS *LEGUMINOSAS* Y LA SUBFAMILIA DE LAS *PAPILIONOIDEAS*. SU TALLO MIDE UNO A DOS METROS DE LONGITUD Y SUS HOJAS ESTÁN COMPUESTAS POR TRES PARES DE HOJUELAS ELÍPTICAS, ENTERAS Y ONDEADAS POR EL MARGEN. POSEE FLORES AXILARES EN RACIMOS COLGANTES DE COLOR BLANCO, ROJO Y AZULADO. EL FRUTO SE ENCUENTRA EN UNA VAINA CILÍNDRICA Y LAS SEMILLAS SON CASI ESFÉRICAS Y MIDEN UN PROMEDIO DE 6 MILÍMETROS DE DIÁMETRO.

PRECAUCIONES

Por su alto contenido de fibra, puede dificultar la digestión. Posee un aminoácido que limita la absorción de las proteínas, por lo que se recomienda combinarlo con cereales.

TAMBIÉN SE LA CONOCE COMO...

Guisante, algarroba, algarrobilla, alverja, galbana o chícharo.

DESCRIPCIÓN GENERAL

Científicamente se denomina *Pisum sativum L.* Es una planta herbácea trepadora cuyas semillas se encuentran encerradas en vainas de color verde. Se clasifican en función de diferentes características, entre ellas, la forma que adquieren las semillas durante el proceso de maduración, el tamaño de la planta de origen (baja, trepadora) y el color de la semilla, que puede ser verde, amarilla o blanca (también existen marrones y azuladas).

BENEFICIOS PARA LA SALUD *

- Por su gran aporte de fibra, fundamentalmente insoluble, estimula y acelera el tránsito intestinal. Evita el estreñimiento.
- Contribuye a regular los niveles de azúcar en la sangre y por eso su ingesta es recomendada para personas diabéticas.
- Contiene fitoesteroles, que dificultan la absorción del LDL o colesterol malo y, además, ayudan a eliminarlo del organismo.
- Su aporte de beta-sitosterol es beneficioso para los que padecen algunos problemas de próstata. Y también ejerce una protección ante el cáncer de mama.
- Estimula el sistema inmunológico y tiene propiedades antiinflamatorias.
- La presencia de vitamina B1 es beneficiosa en casos de fatiga y depresión. También equilibra el sistema nervioso.

■ Combinada con cereales es una buena fuente de proteínas vegetales.

*Véase en el Capítulo 1 información de interés sobre las dolencias relacionadas.

FORMAS DE CONSUMO

● Las arvejas son una de las pocas legumbres que se pueden comer crudas. Quedan muy bien en ensaladas. Cocidas, como guarnición de diferentes platos, en guisados, revueltos, tortillas, con arroz.
● Es conveniente agregarlas a último momento para que tomen temperatura, pero no se cocinen demasiado y pierdan sus vitaminas y su sabor.

CONSEJOS PARA LA COMPRA

Hoy en día las arvejas se consiguen frescas, congeladas o enlatadas. En general, lo recomendable es elegir entre los dos primeros grupos. Las vainas no deben tener marcas externas y es importante que sean verdes y brillantes.
No mezcle las diferentes clases ya que tienen puntos de cocción distintos.

CONSERVACIÓN

Si la idea es consumirlas frescas, lo mejor es hacerlo a las 48 horas de cosechadas.
Una vez cocidas, puede guardarlas refrigeradas durante unos tres a cuatro días. Y se pueden congelar.

SABÍA QUE...

Se han encontrado restos de arvejas fosilizadas en yacimientos arqueológicos que tienen más de 10 mil años de antigüedad. En un principio se utilizaban como forraje. Con el tiempo, empezó a incorporarse el grano fresco a la dieta cotidiana.

AVELLANA

INFORMACIÓN NUTRICIONAL

VITAMINAS:
B1 • B2 • B3 (NIACINA/PP) B6 • E

MINERALES:
CALCIO • COBRE • FÓSFORO HIERRO • MANGANESO • POTASIO SAL • SODIO

Véase en página 111 información de interés sobre las vitaminas y minerales recién mencionados.

EL DICCIONARIO DICE

FRUTA COMESTIBLE DEL AVE-LLANO, ARBUSTO PERTENE-CIENTE A LA FAMILIA DE LAS *BETULÁCEAS* QUE PUEDE ALCAN-ZAR LOS 6 METROS DE ALTURA. ES CASI ESFÉRICA Y MIDE APROXI-MADAMENTE DOS CENTÍMETROS DE DIÁMETRO. SU CORTEZA ES DURA, DELGADA Y DE COLOR CA-NELA. EN SU INTERIOR, Y CUBIER-TA POR UNA PELÍCULA ROJIZA, SE ENCUENTRA UNA CARNE BLAN-CA, ACEITOSA Y DE SABOR AGRA-DABLE.

PRECAUCIONES

En exceso puede ocasio-nar trastornos digesti-vos. Conviene ingerirla procesada o ser muy cuida-doso y masticarla bien.

TAMBIÉN SE LA CONOCE COMO...

Ablano, nochizo.

DESCRIPCIÓN GENERAL

Su nombre científico es *Corylus avellana pontica*. Este arbusto posee ramas pardas y flexibles, hojas alternas, rugosas y de forma ovalada. La avellana pertenece al grupo de las llamadas frutas secas y es muy similar a una nuez pequeña y ovoide.

BENEFICIOS PARA LA SALUD *

- En tisanas tiene un efecto diurético, que por su ac-ción desintoxicante ayuda en el tratamiento de vá-rices y trastornos circulatorios.
- Muy rica en vitamina E, un potente antioxidante que neutraliza la producción de radicales libres, disminuye la oxidación y previene el envejecimien-to, además de las enfermedades coronarias y el cáncer.
- El aporte de calcio fortalece huesos y dientes.
- Tiene una gran cantidad de fibra, que estimula el tránsito intestinal y evita el estreñimiento. La acti-vidad regular ayuda a prevenir el cáncer de colon. Por otro lado, su aceite se utiliza como un laxante natural.
- Aplicado en forma externa, el aceite de avellana previene la caída del cabello.
- Su ingesta regular logra incrementar los niveles de HDL o colesterol bueno y además, disminuir la cantidad de LDL o colesterol ma-lo. Por consiguiente, es un gran aliado para preve-nir las afecciones car-diovasculares.

- En las mujeres, la tisana elaborada con las flores de este árbol regula la función menstrual.
- Indicado para personas que padecen diabetes y tuberculosis.

*Véase en el Capítulo I información de interés sobre las dolencias relacionadas.

FORMAS DE CONSUMO

● Se pueden comer frescas o tostadas.
● Una vez que le ha quitado la cáscara, sumérjala unos minutos en agua hirviendo y así podrá retirar la piel con facilidad.
● En general, es un producto que se utiliza en repostería. Pero también se incluye en platos calientes, por ejemplo, con pescados.

CONSEJOS PARA LA COMPRA

Busque aquellas que sean más pesadas y compactas. Fíjese que desprendan aroma fresco y que no estén rancias.

CONSERVACIÓN

Como todo fruto seco, es mejor mantenerlas aisladas de la humedad. De lo contrario, pierden su frescura y se vuelven rancias.

BERENJENA

EL DICCIONARIO DICE

PLANTA ANUAL DE LA FAMILIA DE LAS *SOLANÁCEAS*, QUE ALCANZA LOS 60 CENTÍMETROS DE ALTURA. SU FRUTO ES AOVADO, SE ENCUENTRA CUBIERTO POR UNA CÁSCARA O PELÍCULA MORADA. LA PULPA ES BLANCA Y CARNOSA, Y POSEE PEQUEÑAS SEMILLAS QUE SON COMESTIBLES.

PRECAUCIONES

El centro puede resultar difícil de digerir para algunas personas. En zonas de clima cálido, la berenjena puede generar reacciones tóxicas. Para evitar su sabor amargo, sálelas una vez cortadas y déjelas reposar 1 hora hasta que un líquido amarronado se desprenda de su pulpa. Enjuáguelas bien y proceda a preparar la receta deseada.

TAMBIÉN SE LA CONOCE COMO...

Manzana del amor, pepino morado o alberginia.

DESCRIPCIÓN GENERAL

El nombre científico de la berenjena es *Solanum melongena L.* Se trata de un cultivo originario de la India, y lo curioso es que algunos la consideran una fruta y otros una verdura. Existen diversas variedades. La jaspeada se destaca por su piel bicolor (blanco y morado, o blanco y verde) y su forma redonda ovalada. La pulpa es casi blanca. La alargada tiene cáscara morada uniforme, y su pulpa es verde. La globosa es casi una esfera, la piel también es morada oscura y su pulpa, verde. La esférica posee cáscara casi negra, y la pulpa puede ser tanto verde como blanca. Y finalmente existen variedades blancas y amarillas.

BENEFICIOS PARA LA SALUD *

- Su cáscara posee nasunina, un elemento que protege al organismo de la oxidación de los lípidos sanguíneos y, por ende, de la enfermedad cardiovascular.
- En ese sentido, contiene algunos flavonoides que regulan los niveles de colesterol y disminuyen los niveles de LDL o colesterol malo.
- Si bien no es una verdura con una gran cantidad de nutrientes, posee potasio, mineral que regula la actividad muscular normal, el equilibrio de agua de las células y también interviene en la generación y transmisión de los impulsos nerviosos.
- En forma externa, se recurre a ellas para aliviar el dolor hemorroidal. También para tratar abscesos, forúnculos, quemaduras y herpes.

Su acción diurética beneficia a los pacientes que padecen cistitis, uretritis bacteriana, gota y afecciones hepáticas.

Véase en el Capítulo 1 información de interés sobre las dolencias relacionadas.

FORMAS DE CONSUMO

Siempre se consume cocinada, jamás cruda.

Se utiliza en guarniciones o rellenos, ensaladas, mousse, budines, tartas, pasteles.

Se puede hervir y procesar en purés. También se la utiliza como ingrediente en salteados de verduras. Fritas, al horno, grilladas o braseadas son deliciosas.

CONSEJOS PARA LA COMPRA

Debe tener un tallo de unos dos centímetros. Elija las que poseen piel tersa y bien brillante, sin manchas ni agujeros de ningún tipo. Se arrugan a medida que pierden la frescura.

CONSERVACIÓN

Son muy sensibles a la presión y al agua. Deben guardarse en un lugar fresco, en lo posible en el refrigerador, durante no más de diez días.

SABÍA QUE...

Durante muchísimos años fue considerado un fruto tóxico y se utilizaba únicamente con fines decorativos. En algunas regiones se la denominaba "manzana loca", porque se decía que acarreaba la demencia. Con el tiempo empezó a correr el rumor de que, por el contrario, era un alimento afrodisíaco, cosa que tampoco es cierta. Sin embargo, esa falsa creencia propició el consumo de este noble alimento.

BERRO

EL DICCIONARIO DICE

PLANTA HERBÁCEA DE LA FAMILIA DE LAS *CRUCÍFERAS* QUE CRECE EN LUGARES HÚMEDOS. TIENE VARIOS TALLOS DE HASTA 50 CENTÍMETROS DE ALTURA. SU HOJA ESTÁ COMPUESTA POR HOJUELAS LANCEOLADAS Y FLORES PEQUEÑAS Y BLANCAS. DE SABOR PICANTE, LAS HOJAS SE COMEN EN ENSALADA.

PRECAUCIONES

Es rico en oxalatos, por lo cual, aquellas personas que tengan tendencia a formar cálculos renales o arenilla deberían limitar su consumo. Hay personas a las que, además, puede provocarles irritación en las vías urinarias.

TAMBIÉN SE LO CONOCE COMO...

Mastuerzo, berro de aguas o de río, o agrión.

DESCRIPCIÓN GENERAL

El nombre científico de esta herbácea de tallos rastreros e *Nasturtium officinale, R, Br*. Sus hojas tienen forma similar a la de un trébol, son de color verde intenso y de textura suave y seca. Crece espontáneamente en aguas claras y frías, y también se cultiva en huertas húmedas y oscuras. Su sabor e acre y picante.

BENEFICIOS PARA LA SALUD *

■ Es un aliado para las personas que padecen de inflamaciones bucales, por ejemplo, encías sangrantes. También disminuye las molestias que ocasionan la faringitis, la bronquitis y el reumatismo.

■ De efecto laxante, está recomendado en casos de estreñimiento.

■ Ayuda a calmar las infecciones urinarias.

■ Aplicado en forma externa, estimula el cuero cabelludo y ayuda a prevenir la caída del cabello.

■ Se utiliza para tratar úlceras, heridas y abscesos.

■ Es una gran fuente de caroteno, que el cuerpo transforma en vitamina A.

■ Previene el hipotiroidismo.

■ Por su aporte de gluconasturína, un inhibidor de la carcinogénesis, podría prevenir el cáncer de pulmón y esófago.

*Véase en el Capítulo 1 información de interés sobre las dolencias relacionadas.

FORMAS DE CONSUMO

● No olvide que se trata de una planta que proviene de zonas pantanosas. Hay que lavarla cuidadosamente antes de emplearla en la cocina.

● Se consume fresco, en ensaladas. Es importante agregarle el aderezo a último momento porque se marchita muy fácilmente.

● También se puede utilizar picado como el perejil, o para darle sabor y textura a las sopas.

CONSEJOS PARA LA COMPRA

Elija aquellas plantas que estén frescas, con los tallos tiernos y sus hojas enteras y sin picaduras ni manchas de ningún tipo.

CONSERVACIÓN

El berro se marchita muy rápido. Debe ser lavado y consumido en el día.

SABÍA QUE...

Su nombre latino (*Nasturtium*) alude al gesto de arrugar la nariz que habitualmente se hace al probar el berro por primera vez.

BONIATO

INFORMACIÓN NUTRICIONAL

VITAMINAS:
A • B3 (NIACINA/PP) • B5 • B6
C • E • ÁCIDO FÓLICO

MINERALES:
CALCIO • FÓSFORO • HIERRO
MAGNESIO • MOLIBDENO
POTASIO • SODIO • YODO

Véase en página 111 información de interés sobre las vitaminas y minerales recién mencionados.

EL DICCIONARIO DICE

PLANTA HERBÁCEA DE LA FAMILIA DE LAS *CONVOLVULÁCEAS*. DE TALLO RASTRERO Y RAMOSO, SUS FLORES SON GRANDES, DE COLOR BLANCO POR FUERA Y ROJAS POR DENTRO. POSEE HOJAS ALTERNAS, ACORAZONADAS. LAS RAÍCES SON COMO LAS DE LA PATATA. EL TUBÉRCULO COMESTIBLE DE LA RAÍZ DE ESTA PLANTA ES PARDO POR FUERA Y AMARILLENTO POR DENTRO. DE FORMA FUSIFORME, ALCANZA UN PROMEDIO DE 12 CENTÍMETROS DE LARGO.

PRECAUCIONES

De gran valor calórico, las personas con sobrepeso u obesas deben evitar su consumo. Posee un índice glucémico elevado, perjudicial para las personas diabéticas.

TAMBIÉN SE LA CONOCE COMO...

Batata, moniato, camote, patata dulce, patata de Málaga, aje apichú o moniatera.

DESCRIPCIÓN GENERAL

Su nombre científico es *Ipomoea batatas* y pertenece a la familia de las *Convolvuláceas*, que posee más de 58 especies. El boniato pertenece a la *Ipomoea purpurea*. Hay quienes aseguran que se trata de un cultivo originario de América, que luego llegó a Europa de la mano de Cristóbal Colón.
El boniato se consume como una hortaliza. Aunque existen algunas piezas esféricas, en general son alargadas. Son más de 400 variedades, que se diferencian entre sí por el color de la piel y de la carne o pulpa, y por la textura. Se denomina boniato a la que posee carne más bien anaranjada y dulce.

BENEFICIOS PARA LA SALUD *

- Posee un elevado contenido de azúcares e hidratos de carbono complejos, por lo que se recomienda incluirlo en la dieta de deportistas, personas que deben realizar esfuerzos físicos importantes, niños y convalecientes.
- También se recomienda en casos de anemia.
- En forma externa, sus hojas poseen una acción emoliente y antiinflamatoria, eficaz para tratar abscesos y forúnculos.
- Proporciona una elevada dosis de betacarotenos que ayudaría a prevenir el cáncer de pulmón. Por

eso su ingesta es muy recomendada para las personas adictas al tabaco y para los fumadores pasivos.

■ Su alto contenido de hemicelulosa hace que se digiera con facilidad y que tenga un efecto suavizante sobre las paredes del intestino.

■ Produce mucha sensación de saciedad.

*Véase en el Capítulo 1 información de interés sobre las dolencias relacionadas.

FORMAS DE CONSUMO

● Siempre se consume cocinado, jamás crudo.

● Se puede hervir o hacer puré, asar al horno, a las brasas o bien freír en rodajas o bastones. Se suele usar para acompañar diferentes carnes, especialmente la de cerdo y las aves.

● También se elaboran dulces y compotas. Puede condimentarse con canela, miel y lima.

● En algunas regiones, sus hojas se consumen de manera similar a las de la espinaca.

● Y a partir de su fermentación se elaboran bebidas alcohólicas.

CONSEJOS PARA LA COMPRA

Evite los que tienen brotes, zonas demasiado secas o rugosas en la piel, golpes o magulladuras. Deben tener aspecto firme.

CONSERVACIÓN

A temperatura ambiente, en lugar seco, oscuro y aireado, duran entre una semana y diez días.
Una vez que están cocidos, se mantienen en el refrigerador. Incluso pueden congelarse.

BRÓCOLI

EL DICCIONARIO DICE

VARIEDAD DE LA COL CO-
MÚN, CUYAS HOJAS SON
MÁS OSCURAS Y RECORTA-
DAS, POR LO QUE NO SE APIÑAN.

PRECAUCIONES

Puede llegar a resultar
difícil de digerir para
aquellas personas con dificultades en el proceso de digestión. Incluso, puede provocar flatulencias. Las personas
con problemas renales no deberían consumirlo crudo.

TAMBIÉN SE LO CONOCE COMO...

Bróculi, bróculi rizado o brécol.

DESCRIPCIÓN GENERAL

El *Brassica olerácea L* variedad *itálica* (Brócoli, Brócoli, Bróculi
rizado o Brécol), es originario del sur de Europa y pertenece
a la familia de las *Cruciferas*, la variedad *botrytis* y la subvariedad
cymosa Lam. Es el vegetal que posee mayor valor nutritivo.
Brassica es el nombre latino de las coles, y por eso se suele
decir que se trata de un pariente de la coliflor, aunque tiene
menos hojas alrededor. Es un vegetal duro, y posee un tronco
firme y tierno de unos 12 cm de largo. La parte comestible
está conformada por inflorescencias de pequeñas rosetas verdes azuladas, que dan forma a una cabeza irregular y abierta
(también existen variedades moradas, amarillas y blancas). El
tono es opaco e intenso. Aunque en general se consigue durante todo el año, invierno y primavera son las estaciones en
las que mejor se desarrolla este cultivo.

BENEFICIOS PARA LA SALUD *

- Es un gran antioxidante debido a la gran cantidad de
  fibra, vitamina C y betacarotenos que posee. Este
  podría ser el factor que lo convierte en un alimento anticancerígeno: protege al organismo ante el
  cáncer de pulmón, próstata, mama y útero.
- Por la misma razón, disminuye el riesgo de padecer
  afecciones cardíacas.
- Posee pocas calorías y muchos y variados nutrientes, una combinación ideal para los que buscan
  perder peso. A modo de ejemplo, una porción de
  brócoli contiene tres veces la cantidad de vitamina C que se recomienda comer por día.
- Beneficia el mantenimiento de los tejidos corporales.
- Es un laxante leve.

- Facilita la absorción de algunos nutrientes.
- Estimula la formación de anticuerpos, por lo que fortalece la resistencia a las infecciones. Esto se debe a la gran cantidad de azufre que posee, que tiene una acción antibacteriana.
- El sistema nervioso, el hormonal, la vista, los glóbulos rojos y blancos, los huesos e incluso los dientes se ven favorecidos por los elementos que posee esta hortaliza.
- Aporta mucho potasio a la dieta, por lo que beneficia la actividad muscular. También interviene en la generación y transmisión del impulso nervioso.

*Véase en el Capítulo I información de interés sobre las dolencias relacionadas.

FORMAS DE CONSUMO

● Crudo o cocido. Lo ideal es cocinarlo durante unos pocos minutos y al vapor, para que no pierda sus nutrientes.
● Antes de cocinarlo, lávelo con agua corriente y potable. Evite dejarlo mucho tiempo sumergido.
● Se puede consumir en ensaladas, tartas, tortillas, budines, como guarnición o combinado con pastas.

CONSEJOS PARA LA COMPRA

Busque aquellos ejemplares de racimos pequeños y bien compactos. Descarte aquellos cuya flor se encuentra muy abierta. Fíjese en el tono, debe ser verde intenso y no estar amarillento.

CONSERVACIÓN

Para evitar el moho, lo mejor es guardarlo sin lavar.
En el refrigerador, se mantiene fresco entre tres y cinco días.
Una vez cocido, se puede conservar en el congelador.

SABÍA QUE...

Ya los romanos cultivaban este vegetal. Se cree que se trata de un cultivo originario de la zona mediterránea, y existen referencias históricas de su cultivo desde antes de la Era Cristiana. Sin embargo, demoró algunos siglos en llegar a la zona de Inglaterra. Su cultivo (y por supuesto, su consumo) se incrementó notablemente durante los últimos 20 años, debido a la gran difusión de sus propiedades benéficas.

CACAHUETE

EL DICCIONARIO DICE

PLANTA LEGUMINOSA DE TALLOS VELLOSOS Y RASTREROS, HOJAS ALTERNAS LOBULADAS, FLORES AMARILLAS Y FRUTO EN UNA VAINA QUE PENETRA EL SUELO PARA MADURAR. SU FRUTO CONTIENE UNA CÁSCARA CORIÁCEA Y ENTRE DOS Y CUATRO SEMILLAS BLANCAS Y OLEAGINOSAS, COMESTIBLES UNA VEZ QUE ESTÁN TOSTADAS.

PRECAUCIONES

Es un alimento calórico. En los niños puede llegar a desencadenar alergias. Las personas con problemas biliares, de páncreas o dificultad para absorber las grasas deberían evitar su consumo.

TAMBIÉN SE LA CONOCE COMO...

Maní, mandubí o cacahuate.

DESCRIPCIÓN GENERAL

Su nombre científico es *Arachis hypogea L.* y pertenece a la familia de las *Papilonáceas*. El cacahuete es una legumbre de la que se conocen 22 especies, que se dividen en 4 grandes grupos: Virginiana, Spanish, Voandzeia subterránea y Kersting. La parte comestible de este fruto son las pequeñas semillas blanquecinas, que además se usan en diversas preparaciones.

BENEFICIOS PARA LA SALUD *

- Estimula el tránsito intestinal, por lo que evita el estreñimiento y previene el cáncer de colon y la enfermedad cardiovascular.
- Debido a sus propiedades antioxidantes, neutraliza los radicales libres y protege las membranas celulares. Rejuvenece el organismo y previene las enfermedades cardiovasculares y el cáncer.
- Libera las vías respiratorias.
- Es recomendado durante la infancia, el embarazo y el período de lactancia.
- Tiene la capacidad de regular la insulina y la glucosa en la sangre. Disminuye la absorción del colesterol.

*Véase en el Capítulo 1 información de interés sobre las dolencias relacionadas.

FORMAS DE CONSUMO

● Tostados con o sin sal. También asados o fritos. Se utilizan para elaborar panes, dulces, en pastelería. También como base de diversas salsas.

- La mantequilla de cacahuete es un alimento muy popular en diversos países.
- A nivel industrial, se extrae aceite vegetal.

CONSEJOS PARA LA COMPRA

En general se comercializan empaquetados, ya que es la mejor manera de asegurarse de que no tienen moho.

CONSERVACIÓN

Por la gran cantidad de grasas y aceites tienden a ponerse rancios. Es necesario guardarlos en frascos o paquetes bien cerrados, en lugares secos y frescos.

CAJÚ

EL DICCIONARIO DICE

ÁRBOL DE LA FAMILIA DE LAS *ANACARDIÁCEAS*, DE HOJAS PERSISTENTES Y OVALES, FLORES PEQUEÑAS Y ROSADAS Y FRUTO PULPOSO.

PRECAUCIONES

La nuez cruda puede resultar tóxica. En ese estado, es importante manipularla con guantes porque irrita la piel.

TAMBIÉN SE LA CONOCE COMO...

Anacardo o marañón.

DESCRIPCIÓN GENERAL

Su nombre científico es *Anacardium occidentale L.* y en las regiones tropicales crece en forma silvestre. El fruto que contiene la semilla queda suspendido del extremo inferior de la fruta, conocida como jocote o ciruela colorada. Tiene forma de riñón y su color es verde grisáceo.

BENEFICIOS PARA LA SALUD *

- Es rica en selenio, de efecto antioxidante, por lo que ayuda a prevenir ciertos tipos de cáncer.
- Ayuda a regular los niveles de colesterol en sangre.
- Aporta magnesio, un mineral que facilita la asimilación del calcio.
- Fortalece la memoria.
- Disminuye los trastornos renales.
- Contiene ácido oleico, beneficioso para las encías y los dientes.

* Véase en el Capítulo 1 información de interés sobre las dolencias relacionadas.

FORMAS DE CONSUMO

- Se suelen consumir como snacks, tostadas, con y sin sal. En repostería se utilizan para elaborar chocolates y turrones, pasteles y tartas. Molidas, se usan para espesar salsas.

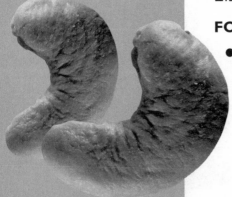

CONSEJOS PARA LA COMPRA

Siempre se comercializan sin piel y tostadas. Elija aquellas de color castaño claro, que no tengan polvo. En los comercios las encontrará también tostadas y con sal.

CONSERVACIÓN

Como todo fruto seco, debe guardarlo en lugares frescos y secos para evitar que se ponga rancio.

SABÍA QUE...

Este árbol posee la particularidad de producir al mismo tiempo un fruto fresco y un fruto seco, aunque el primero habitualmente no se consume. Para llegar a nuestra mesa, la castaña de cajú debe atravesar por un largo proceso. Una vez que la cosechan, se seca al aire libre durante tres días, y luego se deja en remojo durante medio día. Tras un baño en aceite se abren de a una, y se hornean.

CALABAZA

EL DICCIONARIO DICE

ES EL FRUTO DE LA CALABA-
CERA, PLANTA ANUAL DE LA
FAMILIA DE LAS *CUCURBITÁCE-
AS*, CON TALLOS RASTREROS Y
MUY LARGOS, CUBIERTOS DE PELO
ÁSPERO, HOJAS ANCHAS Y LOBU-
LADAS Y FLORES AMARILLAS. LA
CALABAZA ES MUY VARIADA EN
SU FORMA, TAMAÑO Y COLOR.
POSEE UNA GRAN CANTIDAD DE
SEMILLAS EN SU INTERIOR.

TAMBIÉN SE LA CONOCE COMO...

Zapallo, ahuyama o auyama, churo o cabraza.

DESCRIPCIÓN GENERAL

Su nombre científico es *Curcubita pepo L*, y es el fruto en baya de la calabacera. Su forma puede ser esférica y achatada
(es la que predomina), o bien, ovalada y alargada. Lo mismo
sucede con el color de su corteza, siempre gruesa y firme: en
general es anaranjada, pero se consiguen verdes, amarillas,
blancas e incluso moradas. La pulpa es anaranjada o amarillenta, y muy suave.

BENEFICIOS PARA LA SALUD *

■ Aporta a la dieta una gran cantidad de betacarotenos que, además de transformarse en vitamina A,
son antioxidantes y estimulan el funcionamiento
del sistema inmunológico. Su acción antioxidante
la convierte en un aliado a la hora de prevenir el
cáncer.

■ Junto a la vitamina C, la vitamina A beneficia la visión, la piel, los huesos, y la formación de glóbulos
rojos, acción en la que también intervienen los folatos.

■ Su aporte de fibra regula el tránsito intestinal, lo
que previene el estreñimiento y protege al organismo del cáncer de colon.

■ Su bajo contenido de grasa y sodio la convierte en
un alimento recomendado para pacientes hipertensos, con trombosis arterial o que han sufrido
una apoplejía, ya que protege las paredes arteriales.

■ Sus semillas se utilizan para eliminar la tenia o lombriz solitaria y como antiparasitarias en general.

■ Provoca un efecto diurético que ayuda a combatir afecciones leves del tracto urinario.

*Véase en el Capítulo 1 información de interés sobre las dolencias relacionadas.

FORMAS DE CONSUMO

● Se come cocida. En las variedades de corteza más fina, también se puede ingerir la cáscara.
● Se puede hervir, asar, grillar, cocinar al horno, incorporar en guisos y salteados de verduras. En puré, rellenos de tartas, terrinas, pasteles, rellenos de pastas. También en sopas, salsas y cremas.
● Es posible encontrar dulces, compotas y budines de calabaza. Y en algunas regiones se utiliza para elaborar diversos postres.

CONSEJOS PARA LA COMPRA

Busque ejemplares de tamaño mediano, ni muy pequeños ni muy grandes. Tienen que ser livianos, de lo contrario, estaremos ante una calabaza ya pasada y más bien seca. La corteza debe ser suave y brillante y no muy dura o áspera. Es mejor que conserven el cabo o rabo.

CONSERVACIÓN

Es un vegetal que se puede guardar durante meses durante el invierno, en un lugar fresco y a temperatura ambiente.
Para congelarlas, hay que hervirlas previamente.

SABÍA QUE...

Una antigua leyenda popular irlandesa nos habla de Jack Lantern (Jack de la linterna). El hombre, un bebedor empedernido, se había dedicado a engañar durante años al Diablo. Cuando le llegó el momento de la muerte, fue rechazado en el Cielo. Tampoco pudo entrar al infierno, porque en una de sus jugarretas le había hecho jurar al Diablo que nunca se iba a quedar con su alma. Entonces fue condenado a deambular en la oscuridad por el resto de sus días. Jack colocó una brasa en el nabo que estaba comiendo, para que hiciera las veces de linterna. Y se dice que los lugareños hacían lo mismo para mantener alejados a los malos espíritus. Cuando la tradición llegó a los Estados Unidos el nabo fue reemplazado por una gran calabaza (más grande y sencilla de ahuecar) y, desde entonces, la calabaza es uno de los símbolos indiscutidos de la celebración de Halloween.

CAQUI

EL DICCIONARIO DICE

ÁRBOL ORIGINARIO DEL JAPÓN Y DE LA CHINA. SU FRUTO, DEL TAMAÑO DE UN TOMATE, ES DULCE Y CARNOSO.

TAMBIÉN SE LO CONOCE COMO...

Palo Santo.

DESCRIPCIÓN GENERAL

Su nombre científico es *Diospyros kaki Thunb* y pertenece a la familia de las *Ebenáceas*. De forma redondeada, su piel es lisa brillante y el color va desde el amarillo hasta el rojo intenso, en función de la variedad. La pulpa es más oscura, levemente áspera, y de sabor muy dulce. Se dividen en dos grandes grupos: los tomateros o astringentes, y los Sharon o no astringentes.

BENEFICIOS PARA LA SALUD *

■ Fortalece las defensas generales del organismo y mejora la cicatrización.

■ De gran poder antioxidante, previene ciertos tipos de cáncer y enfermedades del sistema cardiovascular, cataratas y enfermedades neurodegenerativas.

■ Por su aporte de provitamina A, es recomendado para los niños, las mujeres embarazadas y durante el período de amamantamiento, y las personas que padecen enfermedades crónicas.

■ Contiene pectina, lo que lo convierte en un alimento recomendado en casos de estreñimiento cuando está bien maduro.

■ Es rico en potasio y bajo en sodio, ideal para los hipertensos.

■ Por el mismo motivo, se adapta también a la dieta de las personas que padecen insuficiencia renal.

*Véase en el Capítulo 1 información de interés sobre las dolencias relacionadas.

FORMAS DE CONSUMO

● Cuando está maduro, el caqui se abre con facilidad y resulta sencillo comerlo como fruta.

También se utiliza para elaborar helados, bebidas, en postres y diferentes confituras.

CONSEJOS PARA LA COMPRA

Si se trata del caqui astringente, es importante que esté bien maduro. Elija aquellos ejemplares que conservan el tallo y el casquete, y que no presentan golpes ni imperfecciones en la superficie.

CONSERVACIÓN

Conviene adquirirlo cuando todavía está duro y dejarlo madurar a temperatura ambiente. Refrigerados pueden durar hasta tres semanas. Una vez que está a punto, hay que consumirlo inmediatamente.

Se puede congelar tanto entero como su pulpa (con un poco de jugo de limón para evitar que se oxide).

SABÍA QUE...

Su nombre científico *Diospyros* proviene del griego Dios (divino) y *pyros* (fruto) y es la manera científica de denominar los sabrosos frutos de ciertas especies. Caqui deriva del nombre japonés del fruto, "Kaki", que además se cultiva en China y en América.

CARDO

EL DICCIONARIO DICE

PLANTA COMPUESTA QUE PUEDE LLEGAR A MEDIR UN METRO DE ALTURA, CON HOJAS GRANDES Y ESPINOSAS, SIMILARES A LAS DE LA ALCACHOFA. DE FLORES AZULES, EN CABEZUELAS, POSEE PENCAS QUE SE COMEN TANTO CRUDAS COMO COCIDAS.

PRECAUCIONES

Su consumo no siempre es recomendado para personas hipertensas.

TAMBIÉN SE LO CONOCE COMO...

Cardón o eringio.

DESCRIPCIÓN GENERAL

Se trata de un ejemplar muy similar al alcaucil o alcachofa. De hecho, se dice que este último es una creación del ser humano a partir del cardo. Su nombre científico es *Cynara Cardunculus* y pertenece a la familia de las *Asteráceas* o *Compuestas* y existe una gran variedad de cardos. De color verde oscuro, su particularidad es que cada fruto o flor se forma a partir de cientos de hojas o pequeñas flores que se apilan en forma cónica. Se consume la penca y la nervadura central de las hojas.

BENEFICIOS PARA LA SALUD *

- Favorece la función hepática y la de la vesícula biliar, por lo que mejora la digestión.
- La presencia de cinarina estimula la secreción de bilis. También tiene la particularidad de disminuir el nivel de glucosa en sangre, de suma utilidad para los diabéticos.
- La inulina estimula el apetito y tiene un suave efecto laxante, beneficioso en casos de estreñimiento, hemorroides y otros trastornos intestinales. Además, reduce la absorción de la grasa y el colesterol, por lo que ayuda a prevenir enfermedades cardiovasculares.
- Su acción diurética es positiva para las personas que padecen de cálculos renales, exceso de ácido úrico y retención de líquidos.

* Véase en el Capítulo 1 información de interés sobre las dolencias relacionadas.

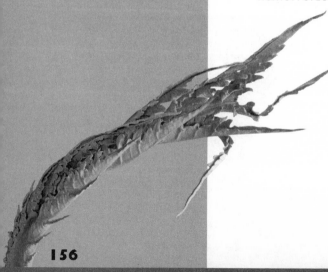

FORMAS DE CONSUMO

● Es fundamental lavarlo y limpiarlo cuidadosamente eliminando las nervaduras que presenta. Una vez que está limpio, hay que rociarlo con jugo de limón para que no se oxide. Lo ideal es cocerlo al vapor para que pierda la menor cantidad de nutrientes.

● Puede incluirse en ensaladas templadas, o prepararse gratinado o rebozado. Ideal como guarnición de carnes particularmente grasas. Integrante estelar del famoso plato conocido como *Bagnacauda*.

CONSEJOS PARA LA COMPRA

Las pencas deben estar firmes y rígidas, y las hojas mantener su color verde intenso. Evite las que tienen manchas o zonas más secas.

CONSERVACIÓN

En la parte baja del refrigerador pueden llegar a mantenerse hasta diez días. Lo mejor es guardarlos en bolsas de plástico para que no pierdan humedad.

CASTAÑA

EL DICCIONARIO DICE

FRUTO DEL CASTAÑO, DEL TAMAÑO DE UNA NUEZ, CUBIERTO CON UNA CÁSCARA GRUESA Y CORREOSA DE COLOR PARDO OSCURO.

PRECAUCIONES

Pueden resultar difíciles de digerir para aquellas personas que presentan trastornos intestinales. Lo mejor es consumirlas picadas, y ser cuidadoso y masticarlas bien.

DESCRIPCIÓN GENERAL

El castaño pertenece a la familia de las *Fagáceas*, puede alcanzar hasta 20 metros de altura y habitualmente crece en regiones frescas. El nombre científico de la castaña que consumimos habitualmente es *Castanea Sativa* y, a diferencia de la mayoría de los frutos secos, su contenido graso es menor. Posee también una carga superior de hidratos de carbono, lo que lo asemeja más a un cereal que a un fruto seco. De forma acorazonada y levemente aplanada en la base, la castaña se encuentra en el interior de una preciosa vaina dura y espinosa, similar a un pequeño erizo, que se abre cuando el fruto madura.

BENEFICIOS PARA LA SALUD *

- Por su gran aporte de calcio, son muy recomendadas a la hora de prevenir la osteoporosis.
- Mantienen los niveles de azúcar equilibrados y otorgan gran sensación de saciedad.
- Su elevada proporción de fibras regula el funcionamiento intestinal y evita el estreñimiento.
- Contienen hierro y potasio. Este último actúa como diurético, ayuda a prevenir la hipertensión e interviene en la generación de los impulsos tanto musculares como nerviosos.

*Véase en el Capítulo 1 información de interés sobre las dolencias relacionadas.

FORMAS DE CONSUMO

- Habitualmente se consumen cocidas o asadas, tanto al horno como a las brasas.
- Hay quienes las preparan en forma de puré, previamente hervidas; o bien, en almíbar. Y son el ingrediente fundamental del marrón glacé, postre tradicional de la repostería francesa.

CONSEJOS PARA LA COMPRA

Su piel debe ser brillante, limpia y sin imperfecciones. Constate que no posea brotes ni moho en su superficie. Los ejemplares más pesados son los mejores.

CONSERVACIÓN

Las castañas deben conservarse en lugares frescos y secos y en recipientes bien cerrados, porque la humedad hará que se llenen de moho y se vuelvan rancias.

En el freezer se mantienen hasta seis meses, tanto crudas como cocidas.

SABÍA QUE...

Durante siglos, fue un ingrediente básico de la cocina asturiana. Debido a su gran proliferación se recogían por doquier y eran consideradas el pan de los pobres. Se trata de un árbol longevo, que puede llegar a vivir hasta 500 años.

CEBOLLA

EL DICCIONARIO DICE

PLANTA DE HUERTA LILIÁ-CEA, CON TALLO HUECO, HOJAS LARGAS Y CILÍNDRI-CAS, FLORES DE COLOR BLANCO VERDOSA Y RAÍZ FIBROSA QUE NACE DE UN BULBO ESFEROIDAL, BLANCO O ROJIZO, FORMADO POR CAPAS TIERNAS Y JUGOSAS, DE OLOR FUERTE Y SABOR MÁS O MENOS PICANTE.

PRECAUCIONES

Su ingesta puede llegar a producir flatulencias en personas con dificultades digestivas.

DESCRIPCIÓN GENERAL

Su nombre científico es *Allium cepa L. var. cepa* y pertenece a la familia de las *Liliáceas*. El bulbo, la parte comestible, no es precisamente una raíz, sino un engrosamiento subterráneo del tallo. Las hay de diferentes formas, colores y tamaños. Básicamente son redondeadas y están cubiertas por una piel compuesta por varias capas amarronadas y quebradizas. El interior, conformado por una gran cantidad de capas compactas y de textura crocante, puede ser blanco, amarillento, rojo o violáceo, con o sin vetas.

BENEFICIOS PARA LA SALUD *

- Por su bajo valor calórico, es apropiada para aquellas dietas en las que el objetivo sea perder peso.
- Aporta una buena cantidad de fibra, que produce sensación de saciedad y estimula el movimiento intestinal.
- Contiene folatos, importantes en la dieta de la mujer durante los primeros meses de embarazo ya que previenen malformaciones en el tubo neural del feto.
- Los compuestos azufrados de su aceite esencial actúan como expectorantes y su efecto es positivo en casos de catarros y bronquitis.
- Contiene tiosulfinatos, antiasmáticos y antiinflamatorios.
- Con mucho potasio y baja en sodio, actúa como diurético y es recomendada en casos de hiperuricemia, gota, cálculos renales, hipertensión y oliguria.
- Las antocianinas y la quercetina son flavonoides antioxidantes. Inhiben a los radicales libres y previenen el envejecimiento del organismo. Además lo protegen de enfermedades como la cardiovascular y algunos tipos de cáncer.

La quercetina también es buena para la circulación sanguínea.

Véase en el Capítulo I información de interés sobre las dolencias relacionadas.

FORMAS DE CONSUMO

Hay quienes prefieren blanquearla porque cruda les resulta demasiado fuerte. El caso es que se puede comer tanto crudas como cocidas, ya que prácticamente no pierde sus flavonoides.

Se puede asar, freír, saltear, rehogar o hervir.

Combina muy bien con cualquier tipo de carne y es la base de la mayoría de guisados o salteados de vegetales.

Se incorpora en tortillas, salsas, rellenos y otras preparaciones.

CONSEJOS PARA LA COMPRA

Busque aquellas que estén duros y firmes, sin rastros de humedad o zonas más blandas.

CONSERVACIÓN

En un lugar seco y fresco se mantienen durante dos a tres semanas, siempre y cuando estén cerradas. Una vez que están abiertas, hay que guardarlas en el refrigerador, envueltas en film.

SABÍA QUE...

El buche de agua, el cuchillo mojado, contener la respiración... no importa cuántas recetas caseras que se intenten, es imposible evitarlo: picar cebollas nos hace llorar. Sucede que cuando cortamos este vegetal, se libera un aceite volátil cargado de compuestos azufrados que se descompone y al llegar al lagrimal transforma el azufre en ácido sulfúrico, lo que desencadena el lagrimeo.

CEREZA

EL DICCIONARIO DICE

FRUTO COMESTIBLE DEL CEREZO, CASI REDONDO, DE PIEL ROJA Y PULPA JUGOSA.

PRECAUCIONES

Por ser rica en azúcares, no es un alimento recomendado para las personas diabéticas. Tampoco para aquellos que tengan sobrepeso o estén realizando una dieta adelgazante.

TAMBIÉN SE LA CONOCE COMO...

Guinda.

DESCRIPCIÓN GENERAL

El nombre científico de la cereza es *Prunus avium L* y es el fruto del cerezo, árbol que pertenece a la familia de las *Rosáceas*. De forma redondeada, esta drupa alcanza un promedio de 2 cm de diámetro. Su piel va desde el rojo claro hasta el morado oscuro. Existen dos grandes grupos: las cerezas dulces y las agrias. Estas últimas son más pequeñas y oscuras, y son las que habitualmente se conocen como guindas. También se cultiva una variedad híbrida, con las características de la cereza común y el sabor de la guinda.

BENEFICIOS PARA LA SALUD *

- Contiene compuestos bioactivos como las antocianinas, de propiedades antioxidantes y, por lo tanto, protectoras de los vasos sanguíneos.
- Fortalece el miocardio.
- Aporta a la dieta alcohol perílico, un compuesto que ayuda a prevenir diferentes tipos de cáncer. Posee antioxidantes que inhiben la acción de los radicales libres y protege al organismo del envejecimiento y de ciertas enfermedades crónicas y degenerativas.
- Por su acción diurética, disminuye las inflamaciones en las vías urinarias y se recomienda su ingesta a personas que padecen gota y cálculos renales.
- En forma externa, ayuda a curar pequeñas afecciones de la piel.

*Véase en el Capítulo 1 información de interés sobre las dolencias relacionadas.

FORMAS DE CONSUMO

Lo ideal es aprovecharla fresca cuando alcanza su punto justo. Fresca, en conserva o desecada, se utiliza para elaborar ensaladas, y salsas o aderezos en preparaciones agridulces.

Es muy utilizada también en repostería, para decorar o dar sabor a diferentes postres.

Con ella se elaboran jugos y bebidas alcohólicas.

CONSEJOS PARA LA COMPRA

Aquellas de apariencia más carnosa son las más sabrosas. Busque las que se vean tersas y firmes, con la piel brillante y sin imperfecciones. Si conservan el tallo, mejor.

CONSERVACIÓN

Conviene guardarlas en un recipiente destapado en la nevera. Como son muy sensibles al agua, lo mejor es lavarlas únicamente antes de consumirlas.

Los ejemplares más oscuros se pueden congelar, frescos o con almíbar.

SABÍA QUE...

En Japón son consideradas un símbolo de la primavera y se utilizan para decorar ambientes o para celebrar el amor durante las bodas.

CHABACANO

EL DICCIONARIO DICE

FRUTO DEL ALBARICOQUERO, DULCE Y CARNOSO, CASI REDONDO, DE COLOR AMARILLENTO Y ALGO ENCARNADO, PIEL ATERCIOPELADA Y CON UN HUESO LISO EN EL CENTRO.

TAMBIÉN SE LO CONOCE COMO...

Albaricoque, albarillo, abricó, albérchigo o damasco.

DESCRIPCIÓN GENERAL

Es una fruta típica de verano. Su nombre científico es *Prunu* *armeniaca* y pertenece a la familia de las *Rosáceas*. Pequeñc casi redondo y con un surco en la parte superior que lo ca racteriza, su tamaño no supera al de una ciruela y cada drup pesa alrededor de 50 gramos. La piel va de los tonos amari llentos al rojizo y tiene una textura suave, aterciopelada. L pulpa es amarilla, algo jugosa y agridulce. En su interior alber ga una semilla no comestible, de superficie lisa y con forma si milar a una almendra.

BENEFICIOS PARA LA SALUD *

- Posee una abundante cantidad de fibra, que estimu la el tránsito intestinal. Como consecuencia, evit el estreñimiento.
- También ayuda a regular el colesterol en sangre, l que previene las enfermedades cardiovasculares.
- Aporta provitamina A y vitamina E, cuya acción an tioxidante retarda el envejecimiento prematuro incluso, previene ciertos tipos de cáncer.
- Beneficia la visión, la piel, el cabello, los huesos y la mucosas. Y al sistema inmunológico en general.
- Su acción diurética es positiva para aquellas persc nas que padecen hipertensión arterial, retenció de líquidos y oliguria (escasa producción de orina
- Los ejemplares más maduros aportan taninos, qu poseen propiedades astringentes y antiinflamatc rias, especialmente en la mucosa intestinal.

*Véase en el Capítulo 1 información de interés sobre las dolencia relacionadas.

FORMAS DE CONSUMO

● Fresco, en almíbar, en postres, tartas, jugos y licuados.
● Está muy difundido el consumo de mermeladas. Y también de orejones, el nombre con el que se conoce a los chabacanos deshidratados.
● Hay quienes lo utilizan en los platos agridulces, para acompañar diferentes tipos de carnes.

CONSEJOS PARA LA COMPRA

Se trata de una fruta de verano aunque, por supuesto, en conserva se consigue durante todo el año. Es una fruta muy delicada, por lo que debe ser tratada con precaución. Busque los chabacanos o damascos de piel tersa, sin manchas en la superficie. Cuando están a punto, se ablandan levemente.

CONSERVACIÓN

Una vez maduros, resisten hasta tres días en el refrigerador.

SABÍA QUE...

El filósofo y escritor francés Bernard le Bovier de Fontenelle, quien vivió cien años (1657-1757), estaba convencido de que su longevidad se debía a un plato que solía preparar su abuela con una gran cantidad de chabacanos.

CHAMPIGNON

INFORMACIÓN NUTRICIONAL

VITAMINAS:
B1 • B2 • B3 (NIACINA/PP)
FOLATOS
MINERALES:
COBRE • FÓSFORO • HIERRO
POTASIO • ZINC

Véase en página 111 información de interés sobre las vitaminas y minerales recién mencionados.

EL DICCIONARIO DICE

HONGO BASIDIOMICETO COMESTIBLE DE COLOR BLANCO, QUE SE CULTIVA ARTIFICIALMENTE.

PRECAUCIONES

Las personas con elevado ácido úrico o gota deben moderar su ingesta.

TAMBIÉN SE LO CONOCE COMO...

Hongo, seta, champiñón o champiñón de París.

DESCRIPCIÓN GENERAL

El champignon es el cuerpo fructífero del hongo *Agaricus bis porus L* y pertenece a la familia de las *Agaricaceas*. Posee tres partes claramente distinguibles: el pie cilíndrico, que es blanco, se desintegra fácilmente y sirve de soporte al sombrero; el sombrero propiamente dicho, una especie de sombrilla blanca y redondeada que se extiende por sobre los límites de la base; y el himenio, que es el nombre que reciben el sinfín de laminillas de color marrón dispuestas en forma radial entre el pie y el centro del sombrero, donde se forman las esporas.

BENEFICIOS PARA LA SALUD *

- Por su aporte de fibra, estimula el tránsito intestinal y protege al organismo del cáncer de colon y de las enfermedades cardiovasculares.
- Además, otorga sensación de saciedad. Como se trata de un alimento de muy bajo contenido calórico, resulta ideal para las personas que precisan bajar de peso.
- Contiene selenio, de efecto antioxidante, por lo que ayuda a neutralizar los radicales libres, a prevenir el envejecimiento y la formación de ciertos tipos de cáncer.
  - Constituye una buena fuente de aminoácidos esenciales.

*Véase en el Capítulo 1 información de interés sobre las dolencias relacionadas.

FORMAS DE CONSUMO

● Frescos se pueden incorporar en diferentes ensaladas. Se utilizan como guarniciones, en diferentes salsas, rellenos, salteados solos o con otras verduras, a la parrilla, en escabeches, con pastas, etc.

CONSEJOS PARA LA COMPRA

Elija aquellos que estén firmes, y que no presenten ni golpes ni magulladuras en la superficie.

CONSERVACIÓN

En la heladera se conservan durante un par de días, siempre y cuando no los deje envueltos en bolsas de plástico ni dentro de recipientes de telgopor.

SABÍA QUE...

En general, tienden a absorber metales pesados y radioactividad, por lo que no conviene recolectarlos en zonas industriales, en las que se haya fumigado o cerca de caminos y carreteras. De cualquier manera, si se trata de hongos silvestres, es fundamental estar completamente seguros de que son comestibles. En general, se distinguen porque los que no son comestibles presentan tonalidades amarillentas y un olor desagradable similar al del gasoil (los comestibles no suelen tener olor). Pero la recolección de hongos silvestres no es aconsejable. El hecho de que algún animal o insecto las esté comiendo no es indicio inequívoco de que son inocuos.

CHIRIMOYA

EL DICCIONARIO DICE

FRUTO DEL CHIRIMOYO, DE PULPA BLANCA, DULCE Y CON SEMILLAS NEGRAS.

PRECAUCIONES

No es recomendable para aquellas personas que deben limitar la ingesta de potasio. Por su elevada carga calórica, tampoco deberían consumirlo los individuos con sobrepeso.

DESCRIPCIÓN GENERAL

Su nombre científico es *Annona cherimola Mill* y pertenece a la familia de las *Anonáceas*. De forma acorazonada, este fruto típicamente andino se encuentra recubierto por una piel verde y repleta de escamas, similares a las de un reptil. Su pulpa blanquecina y de consistencia cremosa está repleta de semillas planas de color negro, que son fáciles de retirar. Aunque se trata de un fruto tropical, crece en las alturas.

BENEFICIOS PARA LA SALUD *

- De gran contenido de fibra, posee propiedades laxantes. Además de prevenir el estreñimiento, disminuye la cantidad de colesterol malo en sangre y regula la glucemia.
- Por su riqueza de potasio y su bajo aporte de sodio se recomienda a aquellas personas que padecen hipertensión arterial y enfermedades cardiovasculares.
- Tanto en sus raíces como en sus semillas hay compuestos que funcionan como antiparasitarios.
- Sus hojas y sus tallos poseen alcaloides que inhiben el ácido araquidónico, lo que disminuye la agregación plaquetaria.
- Debido a su aporte de potasio, favorece la generación y transmisión de los impulsos tanto musculares como nerviosos.

*Véase en el Capítulo 1 información de interés sobre las dolencias relacionadas.

FORMAS DE CONSUMO

● Es una fruta muy sabrosa y fácil de comer. Su pulpa tiende a ennegrecerse, por lo que conviene rociarla con jugo de lima o limón. Se utiliza para realizar mermeladas, batidos y helados.

CONSEJOS PARA LA COMPRA

No debe presentar imperfecciones en la piel. Conviene adquirirla cuando todavía no está madura y dejarla madurar a temperatura ambiente. Como referencia, está a punto cuando la cáscara se aclara.

CONSERVACIÓN

Es muy sensible al frío, por lo que no es recomendable guardarla en la nevera. Su piel también es sensible al tacto, por lo que es necesario manipularla con cuidado. Una vez que está madura, se mantiene apenas durante un par de días.

SABÍA QUE...

En algunos países, las semillas se utilizan como insecticida: se las pisa, se las mezcla con ceniza y se las tamiza.

CHIRIVÍA

EL DICCIONARIO DICE

PLANTA CON TALLO ACA-
NALADO, HOJAS PARECIDAS
A LAS DEL APIO, FLORES PE-
QUEÑAS Y AMARILLAS, SEMILLAS
DE DOS EN DOS Y RAÍZ FUSIFOR-
ME BLANCA O ROJA, CARNOSA Y
COMESTIBLE.

TAMBIÉN SE LA CONOCE COMO...

Quirivia, pastinaca, apio de campo, nabicol o nabo blanco.

DESCRIPCIÓN GENERAL

Su nombre científico es *Pastinaca sativa* y pertenece a la familia de las *Umbelíferas*. Lo que se consume como hortaliza son las raíces, cuya forma es similar a un nabo y cuyos colores blanco, rojizo. De pulpa sabrosa y afrutada, hay quienes la comparan con la zanahoria, aunque es más gustosa y al mismo tiempo, más pálida.

BENEFICIOS PARA LA SALUD *

■ Se recomienda su consumo en cuadros de hidropesía, trastornos estomacales y de la vesícula. También para aliviar dolores de estómago y fiebre.
■ Por su acción diurética, ayuda en casos de reumatismo, artritis, insuficiencia y cálculos renales.
■ Su consumo ayuda a disminuir los dolores menstruales.
■ Sus minerales benefician la vista y fortalecen el cabello, las uñas, los huesos y los dientes.
■ Ayuda a prevenir el insomnio

*Véase en el Capítulo 1 información de interés sobre las dolencias relacionadas.

FORMAS DE CONSUMO

● Para cocinarlas basta con cepillarlas previamente. Después, es mucho más sencillo pelarlas.
● Se utilizan en sopas o diferentes guisos de verduras, de manera similar a la zanahoria o al nabo.

CONSEJOS PARA LA COMPRA

Debe estar tersa y sin ningún tipo de marca en la superficie. Los ejemplares más pequeños son más tiernos.

CONSERVACIÓN

En el refrigerador, se recomienda no conservarla más de una semana.
Se pueden congelar, pero hay que cocerlas previamente.

CILANTRO

EL DICCIONARIO DICE

PLANTA HERBÁCEA CON TALLO LAMPIÑO, HOJAS INFERIORES DENTADAS Y HOJAS SUPERIORES FILIFORMES. LAS FLORES SON ROJIZAS O BLANCAS EN UMBELA.

PRECAUCIONES

No es recomendable ingerirlo en exceso. Es importante desechar las partes verdes de la planta.

DESCRIPCIÓN GENERAL

Su nombre científico es *Coriandrum sativum* y pertenece a la familia de las *Umbelíferas*, al igual que el comino, el eneldo, el hinojo y el perejil. De raíz suave y poco ramificada, su tronco es erecto y se ramifica en la parte superior. El fruto tiene forma de globo y es amarillo intenso.

BENEFICIOS PARA LA SALUD *

- Por sus propiedades carminativas, ayuda a eliminar los gases y facilita la digestión. Es antiséptico y estimulante.
- A esto se suma la acción del linalol, que facilita la digestión, elimina los gases y en pequeñas dosis, tonifica ligeramente el sistema nervioso.
- Estimula el apetito.
- Elimina el mal aliento.
- En infusiones tiene un efecto expectorante.

*Véase en el Capítulo 1 información de interés sobre las dolencias relacionadas.

FORMAS DE CONSUMO

- Fresco o desecado, como condimento de diversos platos, en ensaladas.
  - También se puede beber en infusiones y consumir su esencia.

CONSEJOS PARA LA COMPRA

Si lo va a comprar fresco, procure que los tallos sean firmes y el color homogéneo, de un tono verde intenso.
También puede adquirir las semillas enteras o molidas.

CONSERVACIÓN

El cilantro fresco es muy perecedero, pero dura un poco más si conserva las raíces y se dejan sumergidas en agua, dentro de un recipiente de vidrio o barro cocido.
Lo mejor es guardarlo en el refrigerador.

SABÍA QUE...

El término *coriandrum* deriva del griego y se refiere genéricamente a aquellas cosas que le hacen bien al hombre. *Sativum* proviene del latín y quiere decir "apto para ser cultivado". En la antigüedad se creía que el hecho de dejar algunas semillas debajo de la almohada, hacía desaparecer el dolor de cabeza y prevenía la fiebre.

CIRUELA

EL DICCIONARIO DICE

FRUTO COMESTIBLE DEL CI-RUELO, DE CARNE JUGOSA, MUY VARIABLE EN FORMA, COLOR Y TAMAÑO SEGÚN LA VA-RIEDAD DEL ÁRBOL QUE LA PRO-DUCE.

TAMBIÉN SE LA CONOCE COMO...

Jocote o curuela.

DESCRIPCIÓN GENERAL

La ciruela (su nombre científico es *Prunus domestica L.*) proviene del ciruelo, árbol que pertenece a la familia de las *Rosáceas*. Es una drupa redondeada de diversos tamaños, de piel lisa, tersa y suave, que puede ser amarilla (ácida y bien jugosa) roja (más dulce que la amarilla), negra y verde. La pulpa es más bien transparente y amarillenta, y en su interior posee un carozo o hueso duro.

BENEFICIOS PARA LA SALUD *

- Es el laxante natural por excelencia. Esto se debe a la combinación de pectina que predomina en su fibra soluble y al elevado contenido de sorbitol.
- Los ácidos hidroxicinámicos actúan como antioxidantes, inhibiendo la acción de los radicales libres por lo que previenen el desarrollo de diversos tipos de cáncer. Y lo mismo sucede con el LDL o colesterol malo, por lo que protege de la enfermedad cardiovascular.
  - Las ciruelas rojas poseen antocianinas en la piel, que cumplen la misma función.
    - Su efecto desintoxicante es beneficioso en casos de gota, artritis, reuma y problemas de la piel.
    - Por su bajo aporte de sodio, es recomendada en personas que padecen afecciones cardiocirculatorias, renales, hepáticas, artrósicas y reumáticas.

* Véase en el Capítulo 1 información de interés sobre las dolencias relacionadas.

FORMAS DE CONSUMO

- Fresca, sola o en ensalada de frutas.
- En mermeladas, jaleas, compotas, almíbares, zumos, confituras o desecadas. En este último caso, se incorpora también en salsas o preparaciones agridulces.

CONSEJOS PARA LA COMPRA

Elija aquellas que cedan levemente ante la presión de los dedos pero que de todos modos estén firmes.
La piel debe ser lisa, sin manchas, golpes ni magulladuras.
No descarte las que vienen cubiertas de una especie de polvillo blanco.

CONSERVACIÓN

Si ya están maduras, puede guardarlas en el refrigerador durante dos a tres días.
Las de color oscuro son las que mejor resisten el congelado.

SABÍA QUE...

En los países hispanoparlantes es muy común escuchar hablar del "Maestro Ciruela" para referirse a aquellas personas –quizás un poco pedantes–, que pretenden explicar aquellas cosas de las que poco saben. La frase completa es: "Como el maestro ciruela, que no sabía leer y puso una escuela". Se cree que esta denominación nada tiene que ver con esta fruta, sino con el pueblo de Siruela, una localidad de Extremadura, España. Aunque tampoco hay una razón clara más que la rima entre las palabras escuela y Siruela.

CIRUELA PASA

INFORMACIÓN NUTRICIONAL

VITAMINAS:
PROVITAMINA A
B3 (NIACINA/PP)
MINERALES:
CALCIO • COBRE • HIERRO
POTASIO

Véase en página 111 información de interés sobre las vitaminas y minerales recién mencionados.

EL DICCIONARIO DICE

FRUTA EXTENDIDA AL SOL PARA SECARSE Y TAMBIÉN DESECADA POR CUALQUIER OTRO PROCEDIMIENTO.

PRECAUCIONES

La concentración de azúcar la convierte en un alimento de elevado aporte calórico, y no es conveniente consumirla en caso de diabetes, hipertrigliceridemia y sobrepeso. En algunos casos, puede resultar difícil de digerir.

DESCRIPCIÓN GENERAL

Es una variante de la ciruela, que se obtiene tras secar la ciruela sin que fermente. Este proceso se puede realizar al sol o bien, con calor artificial. Al eliminar el contenido de agua de la fruta se paraliza la acción de los gérmenes que precisan humedad para vivir, y se mantiene comestible durante mucho tiempo. Ya en la Edad Media se consumían orejones o frutas desecadas tanto en platos agridulces como en postres. Se elabora con las ciruelas moradas, especialmente con las variedades Stanley y California.

BENEFICIOS PARA LA SALUD *

- Por su alto contenido en fibra, la ciruela es eficaz en cuadros de estreñimiento. Ayuda a reducir los niveles de colesterol en sangre y también disminuye el riesgo de padecer cáncer de colon.
- Aporta cobre, un mineral que evita la formación de coágulos en la sangre.
- El boro es beneficioso para las mujeres después de la menopausia, ya que colabora en la retención de estrógenos y facilita la absorción del calcio.
- Por su aporte de azúcar y calorías, su ingesta es recomendada para deportistas y aquellas personas que tienen un importante desgaste físico.
- Posee una importante concentración de hierro, positiva en cuadros de anemia ferropénica.
- Al estar desecada concentra mejor el potasio, y se recomienda su ingesta a aquellas personas que consumen diuréticos y también, las que padecen bulimia.

*Véase en el Capítulo 1 información de interés sobre las dolencias relacionadas.

FORMAS DE CONSUMO

- Sola o combinada con cereales.
- También en postres y diferentes dulces. O bien, acompañando salsas y guarniciones de platos agridulces.
- Se utiliza para rellenar carnes de cerdo, pato, pollo y otras carnes de caza.

CONSEJOS PARA LA COMPRA

Elija las ciruelas que presentan un tono uniforme, sin demasiadas arrugas.
En función del uso que les vaya a dar, evalúe si le conviene adquirirlas con o sin hueso.

CONSERVACIÓN

En un frasco de cristal bien cerrado, en un lugar oscuro, fresco y seco.

SABÍA QUE...

El proceso de secado dura entre dos o tres días. Antes hay que lavar bien las frutas y luego pelarlas.
Se extienden en un lugar ventilado y con sombra, sobre una rejilla cubiertas con un paño para que puedan escurrir el agua. Y hay que rotarlas regularmente.
Luego se cocinan en un horno suave.

COCO

EL DICCIONARIO DICE

FRUTO DEL COCOTERO, SEMEJANTE AL MELÓN EN SU FORMA Y TAMAÑO, CUBIERTO DE UNA DOBLE CORTEZA, LA PRIMERA FIBROSA Y LA SEGUNDA MUY DURA; POR DENTRO Y ADHERIDA A ÉSTA TIENE UNA PULPA BLANCA Y SABROSA, Y EN LA CAVIDAD, UN LÍQUIDO DULCE LLAMADO AGUA DE COCO.

PRECAUCIONES

Aquellas personas que presenten sobrepeso deberían limitar su consumo, ya que posee un elevado valor energético. También contiene mucho potasio, lo que no es recomendado para los cuadros de insuficiencia renal.

DESCRIPCIÓN GENERAL

Su nombre científico es *Cocus lucífera* y es el fruto del cocotero, árbol que pertenece a la familia de las palmeras, las *Palmáceas*. Se trata de la palmera más cultivada en el mundo y se clasifica en gigante, enana e híbrida. A su vez, cada uno de estos grupos se divide en distintas variedades. De forma elíptica, el coco tiene varias cáscaras o cubiertas. La primera es una gruesa fibra leñosa de unos 5 milímetros de espesor, con pelos fuertemente adheridos a la superficie. En segundo lugar encontramos una capa más fina y por último una tercera, con tres orificios dispuestos en forma triangular en uno de los extremos. La pulpa de esta fruta es blanca y dura, se encuentra ahuecada y en su interior contiene la denominada "agua de coco", un líquido dulce y transparente.

BENEFICIOS PARA LA SALUD *

- Sus minerales nutren los huesos.
- Por su aporte de fibra, posee un efecto laxante. Combate el estreñimiento, ayuda a regular los niveles de colesterol y glucemia en sangre y previene enfermedades cardiovasculares.
- Contiene una elevada cantidad de potasio, beneficiosa para las personas que deben tomar diuréticos.
- Su agua es considerada una bebida isotónica natural, es decir que es refrescante y posee una gran capacidad de rehidratación.

*Véase en el Capítulo 1 información de interés sobre las dolencias relacionadas.

FORMAS DE CONSUMO

● Como alimento, como bebida, en repostería, deshidratado, en aceite y en leche. También se consume con frecuencia deshidratado y rallado.
● En diferentes platos, tanto dulces como salados. La pulpa madura se puede ingerir cruda o asada.

CONSEJOS PARA LA COMPRA

Para comprobar que el coco esté fresco, agítelo y corrobore que tenga una buena cantidad de agua en su interior. Debe ser aromático.

CONSERVACIÓN

Fresco, puede mantenerse durante dos meses. Una vez abierto, hay que guardarlo en un recipiente tapado con agua por no más de cinco días.

SABÍA QUE...

Si bien no se trata de una planta que posea gran cantidad de propiedades medicinales, el cocotero es una de las que más se aprovechan en el mundo. Sus palmas se utilizan para hacer artesanías, con las conchas se elaboran botones, cucharas y otros adornos y con su fibra, que es muy resistente se elaboran diversos objetos.

COL BLANCA

INFORMACIÓN NUTRICIONAL

VITAMINAS:
PROVITAMINA A
B3 (NIACINA/PP) • C • E
FOLATOS

MINERALES:
AZUFRE • CALCIO • HIERRO
MAGNESIO • POTASIO

Véase en página 111 información de interés sobre las vitaminas y minerales recién mencionados.

EL DICCIONARIO DICE

HORTALIZA CRUCÍFERA CON HOJAS RADICALES Y MUY ANCHAS Y DE PENCAS BLANCAS Y GRUESAS. TIENE FLORES EN PANOJA AL EXTREMO DE UN BOHORDO, PEQUEÑAS, BLANCAS O AMARILLAS, Y SEMILLA MUY PEQUEÑA. SE CULTIVAN MUCHAS VARIEDADES, TODAS COMESTIBLES, QUE SE DISTINGUEN POR EL COLOR Y LA FIGURA DE SUS HOJAS.

PRECAUCIONES

En algunas personas, puede generar flatulencias o dificultar la digestión. Por otro lado, no es recomendado el consumo frecuente de vegetales de esta especie (coles de Bruselas, brócoli) en aquellas personas que presentan inconvenientes en el funcionamiento de la glándula tiroidea.

TAMBIÉN SE LA CONOCE COMO...

Repollo, repollo rizado, repollo crespo redondo, col de cabdell, col de Milán o col de Savoy.

DESCRIPCIÓN GENERAL

Su nombre científico es *Brassica oleracea var. capitata* y pertenece a la familia de las *Crucíferas*. Sus hojas grandes y redondeadas envuelven el núcleo y forman un vegetal compacto y firme, de forma esférica. Sus hojas externas son de color verde claro y en su interior se vuelven casi blancas, son rizadas y de forma redonda u ovalada. La consistencia es crujiente y dura y el sabor, intenso.

BENEFICIOS PARA LA SALUD *

- Por sus propiedades, es recomendada para aquellas personas que registran carencias nutricionales, ya que potencia la asimilación de otros alimentos.
- Contiene importantes compuestos de azufre, que actúan como antioxidantes e inhiben el accionar de los radicales libres. A esto se suma la presencia de los betacarotenos, la vitamina C y el ácido cítrico. En consecuencia, previene enfermedades cardiovasculares y algunos tipos de cáncer.
- Rica en potasio y con baja cantidad de sodio, produce un efecto diurético positivo a la hora de eliminar líquidos del organismo. Se recomienda en casos de hipertensión, hiperuricemia, cálculos renales, retención de líquidos y gota.
- Debido a la elevada presencia de agua, posee bajo valor calórico y es un gran aliado en las dietas que buscan reducir o controlar el peso. Además, produce sensación de saciedad.
- Aporta una importante cantidad de fibra, de efecto laxante. Evita el estreñimiento y ayuda a reducir la tasa de colesterol y glucemia en sangre.

■ Posee propiedades expectorantes, de gran ayuda en caso de afecciones respiratorias.

Véase en el Capítulo 1 información de interés sobre las dolencias relacionadas.

FORMAS DE CONSUMO

● Crudo se incorpora en diferentes ensaladas. También se consume en conservas.

Al vapor o salteado, puede combinarse con diferentes vegetales para convertirse en una buena guarnición para platos a base de carnes.

● Quizás el plato más popular elaborado a base de col o repollo sea el *chucrut*, un alimento muy popular en los países centroeuropeos. Y otra receta difundida es la de la sopa de repollo, base de muchas dietas adelgazantes.

CONSEJOS PARA LA COMPRA

Es mejor elegir unidades duras, compactas y pesadas. Evite las que presentan el núcleo seco, partido o leñoso. O las que tienen hojas marchitas en la superficie.

CONSERVACIÓN

Envueltas en una bolsa de plástico perforada y en el refrigerador pueden llegar a resistir intactas hasta tres semanas. Conviene aislarlas del resto de los alimentos. Para congelarlas, hay que precocerlas o blanquearlas previamente.

SABÍA QUE...

En la antigüedad era considerado un alimento de los campesinos, y las clases sociales distinguidas evitaban su consumo.

EL DICCIONARIO DICE

HORTALIZA CRUCÍFERA CON HOJAS RADICALES Y MUY ANCHAS, Y DE PENCAS GRUESAS. SE CULTIVAN UNA GRAN CANTIDAD DE VARIEDADES, QUE SE DIFERENCIAN ENTRE SÍ POR EL COLOR Y LA FIGURA DE SUS HOJAS.

PRECAUCIONES

Puede provocar algunas molestias gástricas debido a la combinación de fibra insoluble y azufre, entre ellas, flatulencias.

Aunque las proporciones son mínimas, las coles de Bruselas contienen un compuesto que posee la capacidad de bloquear la absorción y utilización del yodo, con lo que se frena la acción de la glándula tiroides. Por lo tanto no es recomendable que aquellas personas que padecen hipotiroidismo las consuman habitualmente.

TAMBIÉN SE LA CONOCE COMO...

Repollo de Bruselas, repollito de Bruselas, repollitos o berza de Bruselas.

DESCRIPCIÓN GENERAL

Su nombre científico es *Brassica Oleracea L.* variedad *gemmifera* y pertenece a la familia de las *Crucíferas*. Son pequeñas yemas ovaladas que crecen a lo largo del tronco de la planta. De color verde amarillento (aunque existen variedades rojas o moradas), sus hojas lisas y compactas se extienden una sobre otra y envuelven un núcleo blanco y carnoso.

BENEFICIOS PARA LA SALUD *

- Debido a su aporte de fibra produce sensación de saciedad y estimula el tránsito intestinal. En este camino, previene el estreñimiento y, al reducir la presencia de colesterol en sangre, las enfermedades cardiovasculares.
- Contiene fotoquímicos que ayudan a disminuir el riesgo de padecer enfermedades degenerativas. Puntualmente se cree que algunos de ellos, como el alil isotiocianato, podría llegar a inhibir el desarrollo de las células precancerosas.
- Estimula el sistema inmunológico en general.
- Su gran aporte de folatos lo convierte en un alimento muy recomendado para las mujeres embarazadas, especialmente durante los primeros meses de gestación, ya que ayuda a prevenir malformaciones del tubo neural.
- Su acción diurética se debe a la importante proporción de agua en su composición y su bajo aporte de sodio. Se recomienda en casos de hipertensión, retención de líquidos y oliguria (escasa producción de orina). Esta acción permite eliminar

también ácido úrico, urea y por eso beneficia también a las personas que padecen hiperuricemia, gota y cálculos renales.

Véase en el Capítulo 1 información de interés sobre las dolencias relacionadas.

FORMAS DE CONSUMO

● Esta verdura no se ingiere cruda. Lo mejor es cocinarla al vapor, para que conserve sus nutrientes. La clave es que no se pase de cocción.
● Se puede servir sola o en diferentes salteados, en guarniciones de platos con carne o pastas. También en ensaladas templadas o frías.

CONSEJOS PARA LA COMPRA

Elija aquellos que sean más compactos, lisos y brillantes. La zona del tallo debe estar limpia. Si son de tamaños similares se asegurará una cocción pareja.

CONSERVACIÓN

En el refrigerador se mantienen hasta una semana.
Lo mejor es guardarlos sin lavar y dentro de una bolsa de plástico perforada.
Para congelarlos es necesario hervirlos previamente.

SABÍA QUE...

Como su nombre lo indica, estas coles empezaron a cultivarse hace poco más de un siglo en los alrededores de la ciudad de Bruselas, Bélgica.

COL LOMBARDA

EL DICCIONARIO DICE

VARIEDAD DE COL DE COLOR MORADO. LA COL ES UNA PLANTA HORTENSE CON HOJAS RADICALES MUY ANCHAS Y PENCAS GRUESAS, FLORES EN PANOJA AL EXTREMO DE UN BOHORDO QUE SON PEQUEÑAS, BLANCAS O AMARILLAS, Y SEMILLA MUY MENUDA. SE CULTIVAN MUCHAS VARIEDADES QUE SE DISTINGUEN POR EL COLOR Y LA FORMA DE SUS HOJAS.

PRECAUCIONES

Por su composición, no es recomendable que las personas con cuadros de hipotiroidismo consuman coles en exceso. Poseen sustancias bociógenas que bloquean la absorción del yodo por parte de la glándula tiroides. En algunos casos puede producir flatulencias.

TAMBIÉN SE LA CONOCE COMO...

Col morada, col roja o repollo morado.

DESCRIPCIÓN GENERAL

Su nombre científico es *Brassica oleracea var. capitata* y pertenece a la familia de las *Crucíferas*. Deriva de la col silvestre. De forma redondeada y hojas levemente rizadas, que se envuelven en forma compacta sobre el núcleo, se destaca por el color morado e intenso de sus hojas, que contrastan con las nervaduras blancas. Aunque se consiguen durante todo el año, los mejores ejemplares se encuentran en el invierno.

BENEFICIOS PARA LA SALUD *

- Contiene derivados del azufre que por su acción antioxidante, ayudan a prevenir diversas enfermedades.
- Las antocianinas y los betacarotenos también actúan con este fin. Inhiben el efecto nocivo de los radicales libres, por lo que disminuyen el riesgo de padecer enfermedades cardiovasculares, degenerativas y algunos tipos de cáncer.
- Regula el LDL o colesterol malo, de gran ayuda para los que padecen aterosclerosis.
- Por su bajo aporte calórico y la sensación de saciedad que genera, suele estar incluido en las dietas para adelgazar.
- Rico en potasio y pobre en sodio, su efecto diurético ayuda a eliminar líquidos del organismo, de consecuencia positiva en casos de hipertensión, hiperuricemia y gota y cálculos renales.
- Aporta una buena cantidad de fibras, que estimulan el funcionamiento intestinal y previenen el estreñimiento. Además, regula el colesterol y la glucemia en sangre.

Los folatos son beneficiosos para la mujer embarazada, durante los primeros meses de embarazo, ya que evitan malformaciones en el tubo neural.
Los compuestos de azufre funcionan como expectorantes, y por eso se recomienda en casos de catarros y bronquitis.

Véase en el Capítulo 1 información de interés sobre las dolencias relacionadas.

FORMAS DE CONSUMO

Córtela por la mitad y elimine el núcleo o centro.
● Se puede comer cruda y cortada en juliana o rallada, se puede incorporar en diferentes ensaladas. También cocida, en salteados o al vapor. O en conservas y encurtidos.

CONSEJOS PARA LA COMPRA

Las mejores coles son las compactas y pesadas en relación con su tamaño. Evite las de hojas marchitas y aquellas en las que el núcleo parezca seco.

CONSERVACIÓN

En una bolsa de plástico perforada y dentro del refrigerador, dura entre dos y tres semanas.

COL VERDE

EL DICCIONARIO DICE

VARIEDAD DE COL CON HOJAS APRETADAS. HORTALIZA CRUCÍFERA CON HOJAS RADICALES Y MUY ANCHAS, DE PENCAS GRUESAS. SE CULTIVAN MUCHAS VARIEDADES, TODAS COMESTIBLES, QUE SE DISTINGUEN POR EL COLOR Y LA FIGURA DE SUS HOJAS.

PRECAUCIONES

Puede provocar flatulencias. Por otro lado, las personas que sufren de hipotiroidismo no deberían comer col cruda, ya que posee una sustancia que puede dificultar la absorción de yodo.

TAMBIÉN SE LA CONOCE COMO...

Repollo, berza o col de hoja suave.

DESCRIPCIÓN GENERAL

Su nombre científico es *Brassica oleracea convar. acephala va. sabellica* y pertenece a la familia de las *Crucíferas*. Sus hoja grandes y de forma redonda u ovalada se envuelven sobre e núcleo en forma compacta. Las de afuera son más blancas en el interior se vuelven más verdosas.

BENEFICIOS PARA LA SALUD *

■ Es un vegetal de muy bajo valor calórico, recomen dado para aquellas personas que buscan controla su peso.

■ Muy rica en vitamina C, aporta una serie de sus tancias que la convierten en un importante antio xidante natural. Inhibe la acción dañina de los ra dicales libres y protege al organismo del envejeci miento. Ayuda a prevenir el desarrollo de alguno tipos de cáncer y de enfermedades cardiovascula res y degenerativas.

■ Los compuestos de azufre le confieren propieda des expectorantes y antibacterianas.

■ Posee una buena cantidad de potasio y bajo sodic lo que favorece la eliminación de líquidos. Reco mendada en casos de hipertensión, hiperuricemia gota y cálculos renales.

■ Por su alto contenido en fibra, actúa como laxan te. Además de mejorar el estreñimiento, regula lo niveles de colesterol y glucemia en sangre.

Contiene folatos, necesarios en la dieta de la mujer embarazada, especialmente durante los primeros meses, ya que previene malformaciones en el tubo neural del feto.

Véase en el Capítulo I información de interés sobre las dolencias elacionadas.

FORMAS DE CONSUMO

● Cruda, se puede incorporar en diferentes ensaladas y guarniciones.
● Se puede cocer al vapor, freír o asar. También, en encurtidos y conservas.
Quite el núcleo o cogollo antes de prepararla.

CONSEJOS PARA LA COMPRA

lija aquellas que se presenten más duros y pesados. El trono o debe estar seco, partido o leñoso. Y las hojas tienen que star tersas.

CONSERVACIÓN

n una bolsa de plástico perforada, refrigeradas se mantienen ntre dos y tres semanas.

SABÍA QUE...

La receta más popular a base de repollo es el chucrut, especialmente en los países centroeuropeos. Lo interesante es que el repollo mantiene sus valores nutritivos cuando se prepara con este proceso.

COLIFLOR

EL DICCIONARIO DICE

VARIEDAD DE COL QUE AL CRECER DESARROLLA UNA PELLA BLANCA, CARNOSA Y GRANULOSA, QUE ES COMESTIBLE.

PRECAUCIONES

Las personas que padecen hipotiroidismo deberían evitar el consumo en exceso de verduras del mismo género (coliflor, coles, brócoli), ya que contienen compuestos que inhiben la absorción del yodo e influyen en la actividad de la glándula tiroidea. Por otro lado, en algunas personas pueden provocar flatulencias.

DESCRIPCIÓN GENERAL

Su nombre científico es *Brassica oleracea L. var. botrytis* y pe
tenece a la familia de las *Crucíferas*, grupo al que correspon
den otras tres mil especies. De tallo grueso y carnoso, la pa
te comestible conocida como pella o cabeza es una inflore
cencia o conjunto de flores grande y redondeada. En la mayo
ría de los casos son de color blanco marfil, aunque tambié
hay variedades verdes y moradas. Otra opción es clasificarl
en función de la época de maduración: de verano, de otoño
de invierno (aunque en rigor de verdad, maduran en primave
ra). En la antigüedad no era consumida como alimento y úni
camente se utilizaba para combatir algunas dolencias.

BENEFICIOS PARA LA SALUD *

- La presencia de fitonutrientes como los glucosilo
  natos, los isotiocinatos y los indoles previene cier
  tos tipos de cáncer.
- De escasa carga calórica, es recomendada en die
  tas de control de peso.
- Aporta una gran cantidad de fibra insoluble, qu
  genera sensación de saciedad. Además, mejora e
  tránsito intestinal y evita el estreñimiento. Reduc
  el nivel de colesterol y glucemia en la sangre.
- Su elevado contenido en agua, sumado a la carg
  de potasio y el bajo contenido en sodio lo co
  vierten en un gran diurético. Es beneficioso en ca
  sos de hipertensión, retención de líqu
  dos y oliguria. De esta manera, ayuda
  eliminar el exceso de ácido úrico y ure
  - Fuente de antioxidantes, neutraliza l
    acción de los radicales libres. Esto ayu
    da a prevenir el envejecimiento. Tan
    bién detiene el aumento del LDL
    colesterol malo, por lo que previe
    ne las enfermedades cardio
    vasculares.

■ Sus folatos son positivos para las mujeres embarazadas, ya que disminuyen el riesgo del desarrollo de anomalías en el feto.

*Véase en el Capítulo 1 información de interés sobre las dolencias relacionadas.

FORMAS DE CONSUMO

● La parte que se consume es la de la inflorescencia. Si está tierna, puede incluirse cruda dentro de la ensalada, aunque lo más común es comerla cocidas.

● Conviene prepararla al vapor, para que conserve la mayor cantidad de nutrientes. También se prepara asada, frita, gratinada.

● Acompaña legumbres, arroces, salteados de vegetales.

● Combina bien con los pescados.

CONSEJOS PARA LA COMPRA

Aquellas que estén limpias, compactas y firmes. Descarte las que presentan las inflorescencias separadas o abiertas.

CONSERVACIÓN

Envuelta en una bolsa de plástico perforada, en el refrigerador, dura hasta una semana. No conviene lavarla hasta que vaya a ser consumida.
Se puede congelar, siempre y cuando esté previamente precocida.

SABÍA QUE...

Hay quienes prefieren directamente evitar el consumo de esta verdura porque no toleran el olor que desprende durante la cocción. Una manera de reducirlo es agregar una patata o una manzana en la cacerola durante este proceso.

DÁTIL

INFORMACIÓN NUTRICIONAL

VITAMINAS:
A • B1 • B2 • B3 (NIACINA/PP)
C • D

MINERALES:
CALCIO • FÓSFORO • HIERRO
MAGNESIO • MANGANESO
POTASIO • SODIO • YODO • ZINC

Véase en página 111 información de interés sobre las vitaminas y minerales recién mencionados.

EL DICCIONARIO DICE

FRUTO DE LA PALMERA, DE FORMA ELIPSOIDAL PROLONGADA, DE UNOS CUATRO CENTÍMETROS DE LARGO Y DOS DE ANCHO. ESTÁ CUBIERTO POR UNA PELÍCULA AMARILLA, SU CARNE BLANQUECINA ES COMESTIBLE Y POSEE UN HUESO CASI CILÍNDRICO, MUY DURO Y CON UN SURCO A LO LARGO.

TAMBIÉN SE LO CONOCE COMO...

Támara.

DESCRIPCIÓN GENERAL

El dátil es el fruto de la palmera datilera (su nombre científico es *Phoenix dactylifera*). El 98% de la producción de dátiles se encuentra en Oriente Medio y en del norte de Africa. Existen muchas variedades, pero entre las más conocidas se encuentran las Sahidi, Medjool y Kadrawi. En general se clasifican en dátiles blandos, semisecos y secos. Estos últimos suelen comercializarse en diferentes formatos (concentrados blandos, negros, rojos, y los amarillos dorados).

BENEFICIOS PARA LA SALUD *

- Por su aporte de potasio, tonifica los músculos, regula el equilibrio de agua de las células y también el funcionamiento del sistema nervioso.
- Su carga de vitamina A beneficia, entre otras cosas, la vista, los huesos y el funcionamiento del hígado. También es buena para la piel, las mucosas y el funcionamiento del sistema inmunológico en general. Es recomendado para las personas que tienen fatiga visual y tuberculosis.
- Las personas con anemia deberían ingerir estos frutos, que constituyen una buena fuente de hierro.
- Hervido y mezclado con leche, es muy recomendado para las afecciones de las vías respiratorias en general: asma, bronquitis, tos y catarro.
- Sus propiedades antioxidantes y su cuota de magnesio previenen el cáncer.
- Debido a su gran aporte de minerales, disminuye el cansancio físico y mental.

*Véase en el Capítulo 1 información de interés sobre las dolencias relacionadas.

FORMAS DE CONSUMO

● Debe esperar a que esté bien maduro para consumirlo. Fresco o disecado, se puede comer en mermeladas, budines, tortas, galletas, helados, en almíbar.

CONSEJOS PARA LA COMPRA

Para asegurar su frescura y su sabor, lo importante es que el color sea uniforme y que no presenten demasiadas arrugas.

CONSERVACIÓN

Aunque su consistencia y su aspecto intenten engañarnos, el dátil no es una fruta desecada, al menos intencionalmente. El proceso de secado se produce naturalmente en el árbol, y se recolectan de esta manera. De todos modos, lo mejor es conservarlo como a todos los frutos desecados: en un frasco de vidrio o cristal, bien cerrado. En estas condiciones pueden llegar a durar un año.

SABÍA QUE...

La cosecha del dátil no es únicamente una acción agrícola con fines económicos. En las regiones en las que principalmente se produce (Medio Oriente y África), existe un respeto intrínseco y personal con la datilera. Durante el período del año conocido como "Khalal" (madurez parcial) se cosecha una pequeña cantidad. Los dátiles que se obtengan en esa etapa serán amarillos o rojos. El resto se cosecha en las etapas de madurez completa ("Rutab" o "Tamar"). Tendrán un alto contenido de azúcar, menos humedad y serán más blandos que los primeros.

EL DICCIONARIO DICE

VARIEDAD DE ACHICORIA CULTIVADA DE MODO ESPECIAL, CUYAS HOJAS LARGAS Y LANCEOLADAS, APRETADAS ENTRE SÍ, SE PRESENTAN EN DISPOSICIÓN FUSIFORME.

TAMBIÉN SE LA CONOCE COMO...

Endivia o achicoria de Bruselas.

DESCRIPCIÓN GENERAL

Su nombre científico es *Cichorium endivia var. crispa* y pertenece a la familia de las *Asteráceas* o *Compuestas*. En rigor de verdad, hablamos de una variedad de la achicoria, resultado de un proceso de cultivo artificial descubierto en 1850 por los belgas. Se clasifican en dos variedades: las forzadas y las no forzadas. También existe una variedad morada, producto del cruce entre la achicoria y el radicchio. De forma puntiaguda y cilíndrica, sus hojas se agrupan alrededor de un cogollo, como en la lechuga. Son blancas y llegan al amarillo verdoso en los extremos.

BENEFICIOS PARA LA SALUD *

- Debido a su baja carga calórica y el buen aporte de fibra, se recomienda en dietas para adelgazar.
- Aporta provitamina A y vitaminas C y E, de efecto antioxidante. Inhibe el efecto de los radicales libres y previene el envejecimiento del organismo, además del desarrollo de enfermedades degenerativas, enfermedades cardiovasculares y algunos tipos de cáncer.
- La vitamina A es beneficiosa para la piel, las afecciones respiratorias, la vista.
- La presencia de intibina y de inulina estimula la función hepática y a la vesícula biliar, por lo que mejora la digestión.
- Contiene folatos, necesarios durante los primeros meses del embarazo ya que ayudan a prevenir malformaciones en el tubo neural del feto.
- La fibra evita el estreñimiento y regula los niveles de colesterol y glucemia en sangre. Además, produce sensación de saciedad.

Con abundante potasio y escaso sodio, genera un efecto diurético que ayuda a eliminar líquidos del organismo, importante en casos de hipertensión, hiperuricemia, gota, cálculos renales, artritis y oliguria.

Véase en el Capítulo 1 información de interés sobre las dolencias relacionadas.

FORMAS DE CONSUMO

● Quite el troncho o nudo y lave bien las hojas. Conviene realizar este proceso pocos minutos antes de ingerirla, para evitar que se oscurezca.

Se pueden comer crudas, en ensaladas o bien cocidas, al vapor, asadas o fritas.

En salsas, rellenas o como guarnición de diferentes platos, entre otras opciones.

CONSEJOS PARA LA COMPRA

Busque aquellas que no presenten manchas ni magulladuras. Las hojas no deben estar demasiado arrugadas ni demasiado tiesas.

CONSERVACIÓN

En una bolsa de plástico perforada, en el refrigerador, dura entre cinco y siete días.

ESPÁRRAGO

EL DICCIONARIO DICE

PLANTA DE LA FAMILIA DE LAS LILIÁCEAS, CON TALLO HERBÁCEO, MUY RAMOSO, HOJAS ACICULARES Y EN HACECILLOS, FLORES DE COLOR BLANCO VERDOSO, FRUTO EN BAYAS ROJAS DEL TAMAÑO DE UN GUISANTE Y RAÍZ EN CEPA RASTRERA, QUE EN LA PRIMAVERA PRODUCE ABUNDANTES YEMAS DE TALLO RECTO Y COMESTIBLE.

PRECAUCIONES

En exceso, puede producir insomnio y ansiedad. Está contraindicado en caso de inflamación en los órganos urogenitales o desórdenes renales.

DESCRIPCIÓN GENERAL

Los espárragos son los tallos y brotes tiernos, llamados turiones, de la esparraguera (su nombre científico es *Asparagus officinalis*). En general, miden un promedio de 30 centímetros. Los tallos están recubiertos por pequeñísimas hojas con forma de escamas, que constituyen la parte tierna y comestible de los mismos. Existen tres grandes grupos: el verde, más pequeño delgado; el blanco, grande y grueso (es el que se suele comercializar enlatado o congelado); y el morado. Conviene tener en cuenta que los espárragos verdes con más ricos en vitaminas que los blancos.

BENEFICIOS PARA LA SALUD *

- Tanto la inulina como la oligofructosa que contiene actúan modificando la flora bacteriana del colon.
- Su aporte de betacarotenos y luteína, por su acción antioxidante, rejuvenece el organismo y ayuda a prevenir el cáncer y las enfermedades cardiovasculares. También las cataratas y la degeneración macular senil.
- La presencia de lignanos es útil para disminuir el desarrollo de algunas enfermedades vasculares como la angiodisplasia, común entre los ancianos. Y este fitoestrógeno sumado a algunos flavonoides colabora para evitar el desarrollo de ciertos tumores.
- Es uno de los diuréticos vegetales más potentes.
- Los espárragos triturados y mezclados con aceite actúan como repelente.

*Véase en el Capítulo 1 información de interés sobre las dolencias relacionadas.

FORMAS DE CONSUMO

● Siempre se comen cocidos, tanto fríos como calientes.
● Se pueden servir solos, en ensaladas, en tartas y pasteles gratinados o como guarnición para diferentes carnes.

CONSEJOS PARA LA COMPRA

Seleccione aquellos cuyas puntas se encuentran cerradas y compactas.

Cuanta menos variación de color tengan, más frescos son.

El tallo debe ser recto y firme, y no tener tierra.

CONSERVACIÓN

Cuanto antes los consuma, más tiernos estarán.

En una bolsa de plástico, se conservan hasta tres días. Otra opción es envolverlos con un paño húmedo.

Se pueden congelar, aunque perderán cierta firmeza. Hay que hervirlos previamente, y si puede guardarlos atados en un manojo, mejor.

SABÍA QUE...

Debido a su aporte de folatos, es muy recomendable que las mujeres embarazadas los incluyan en su dieta. Esta vitamina es importante para asegurar un normal desarrollo del tubo neural del feto, especialmente durante los primeros dos meses de gestación.

ESPINACA

EL DICCIONARIO DICE

PLANTA HORTENSE, COMESTIBLE, ANUAL, DE LA FAMILIA DE LAS *QUENOPODIÁCEAS*. SU TALLO ES RAMOSO, Y LAS HOJAS RADICALES, ESTRECHAS, AGUDAS Y SUAVES, CON PECÍOLOS ROJIZOS, FLORES DIOICAS, SIN COROLA, Y SEMILLAS REDONDAS O CON CUERNECILLOS, SEGÚN LAS VARIEDADES.

PRECAUCIONES

La espinaca es rica en oxalatos, por lo que aquellas personas que presenten tendencia a formar cálculos renales de oxalato de calcio deben limitar su ingesta. El consumo de vitamina C en la misma comida, favorece la absorción del hierro, por lo que es recomendable aderezar la ensalada de espinaca con jugo de limón.

DESCRIPCIÓN GENERAL

El nombre científico de este vegetal de hoja verde y carnos es *Spinacea oleracea L.* Su tallo es tierno y fino y en general s come junto a las hojas. Se cosecha principalmente en zona cercanas a la costa, o en tierras con alto grado de salinidad clima templado. El nombre de espinaca deriva de *spina* o es pina, debido a que cuando están en su punto justo de madu ración, los frutos de esta planta se presentan con espinas.

BENEFICIOS PARA LA SALUD *

■ Contiene hierro vegetal además de otros minera les y oligoelementos que favorecen la producció de glóbulos rojos en la médula ósea, razón por l cual es muy recomendada en casos de anemia.

■ Debido a su bajo valor calórico, integra la colum na vertebral de las dietas para adelgazar.

■ Posee una gran cantidad de fibra, lo que estimula e funcionamiento intestinal, previene el estreñimien to, las enfermedades cardiovasculares y el cánce de colon.

■ Genera una importante sensación de saciedad.

■ Su acción antioxidante rejuvenece el organismo.

■ De gran cantidad de ácido fólico, es muy beneficio so para las mujeres durante los primeros mese del embarazo. La ingesta de esta vitamina previen el desarrollo de espina bífida en el feto.

■ Aporta luteína y zeaxantina, carotenoides que con servan la agudeza visual y previenen las cataratas

■ Sus proteínas dificultan la absorción del LDL o colesterol malo.

*Véase en el Capítulo 1 información de interés sobre las dolencias relacionadas.

FORMAS DE CONSUMO

- Se puede comer tanto cruda como cocida, aunque el fuego destruye sus propiedades.
- Queda muy bien en ensaladas, combinada con quesos y champiñones. En pasteles, tortillas, budines; como relleno de tartas y empanadas.
- Como guarnición para acompañar diferentes carnes.
- Combinada con cereales y pastas.
- En jugos, mezclada con zanahorias y manzanas.

CONSEJOS PARA LA COMPRA

Se recomienda seleccionar aquellas que presenten un color verde uniforme y brillante. Toda la planta debe tener aspecto fresco y tierno. Descarte aquellas que presenten manchas rojizas o amarillentas. También las de hojas ásperas con el tallo fibroso.

CONSERVACIÓN

Para que dure al menos dos semanas, debe introducirla en una bolsa de plástico perforada. O bien, envolverla en papel film.
Se puede congelar, previamente hervida.

SABÍA QUE...

Popeye, el dibujo animado del marinero que cobraba fuerza cuando comía espinaca, apareció por primera vez durante la crisis de la década del '30 en los Estados Unidos. El dibujo expresaba un sentir de la gente: la fuerza y el optimismo ante todo. Y se dice que el objetivo encubierto era difundir entre los niños la importancia del consumo de vegetales. La idea fue un éxito.

FRAMBUESA

EL DICCIONARIO DICE

FRUTO DEL FRAMBUESO, SEMEJANTE A LA ZARZAMORA, ALGO VELLOSO, DE OLOR FRAGANTE Y SUAVE Y SABOR AGRIDULCE MUY AGRADABLE.

PRECAUCIONES

Las personas con diarrea o trastornos gastrointestinales no deberían ingerir esta fruta.

DESCRIPCIÓN GENERAL

La frambuesa (su nombre científico es *Rubus idaeus*), es un hermoso fruto que proviene del frambueso o sangüeso, arbusto que pertenece a la familia de las *Rosáceas* y crece de manera silvestre en todos los países de clima templado. Es de forma redondeada o cónica, y su diámetro tiene un promedio de unos 14 a 21 milímetros. Dependiendo de la variedad, su color es rojo o amarillento. Posee un fino vello que la recubre y por eso su textura parece aterciopelada. Visto muy de cerca, el fruto está integrado por numerosas drupas de minúsculo tamaño, que se encuentran agrupadas una sobre otra y encajadas en receptáculos cónicos.

BENEFICIOS PARA LA SALUD *

- Posee ácido elágico, lo que le otorga un gran poder antioxidante. Rejuvenece el organismo y tiene la capacidad de prevenir las enfermedades cardiovasculares. También algunos tipos de cáncer.
- Rica en fibra y ácidos orgánicos, estimula la actividad intestinal y es útil en casos de estreñimiento.
- Regula la glucemia y la presión arterial.
- Por su aporte de potasio, favorece la producción y generación del impulso muscular.
- Sus propiedades diuréticas la convierten en una fruta recomendada para personas con gota.

*Véase en el Capítulo 1 información de interés sobre las dolencias relacionadas.

FORMAS DE CONSUMO

- Se puede consumir fresca, en ensalada de frutas, o combinada con helado o yogur.
- En diferentes recetas de repostería y también en mermeladas o conservas.
- Se utiliza en la elaboración de bebidas y alcoholes.

CONSEJOS PARA LA COMPRA

Las diferentes variedades de frambuesas maduran en forma escalonada. En cualquiera de los casos, sucede durante los meses de verano y en la entrada del otoño.
La mejor frambuesa es aquella cuya pulpa se encuentra jugosa, carnosa, firme y con cierto dejo de frescor en su sabor agridulce.

CONSERVACIÓN

Se recomienda no lavarla con agua hasta el momento de consumirla, porque se impregna rápidamente y pierde su consistencia y sabor.
Si la guarda en el refrigerador, utilice un envase liso, sin tapa y no las apile.

SABÍA QUE...

La frambuesa es uno de los ingredientes que más se utiliza en la industria farmacéutica para mejorar el sabor de algunos medicamentos.

FRESA

INFORMACIÓN NUTRICIONAL

VITAMINAS:
A • B1 • B2 • B6 • C • E

MINERALES:
CALCIO • FÓSFORO • HIERRO MAGNESIO • SELENIO • SODIO POTASIO • YODO • ZINC

Véase en página 111 información de interés sobre las vitaminas y minerales recién mencionados.

EL DICCIONARIO DICE

PLANTA DE LA FAMILIA DE LAS *ROSÁCEAS*, CON TALLOS RASTREROS, NUDOSOS Y CON ESTOLONES, HOJAS PECIO-LADAS, VELLOSAS, BLANQUECINAS POR EL ENVÉS, DIVIDIDAS EN TRES SEGMENTOS AOVADOS Y CON DIENTES GRUESOS EN EL MARGEN; FLORES PEDUNCULADAS, BLAN-CAS O AMARILLENTAS, SOLITARIAS O EN CORIMBOS POCO NUTRI-DOS, Y FRUTO CASI REDONDO, ALGO APUNTADO, ROJO, SUCU-LENTO Y FRAGANTE.

PRECAUCIONES

Las personas con ten-dencia a formar cálculos renales deben moderar su consumo.

TAMBIÉN SE LA CONOCE COMO...

Frutilla, amarrubia, anube, guindón o magueta.

DESCRIPCIÓN GENERAL

El nombre científico de las fresas es *Fregaria vesca*. En rigor d verdad, se trata de los receptáculos de las flores de este ár bol, sobre los que se insertan los verdaderos frutos, que tie nen forma de pequeños granos y en cuyo interior están la semillas (los pequeños puntos oscuros que se distinguen so bre la superficie de esta fruta). Debido a la facilidad que est especie presenta para la hibridación, se conocen unas mil va riedades de fresa. Su forma es cónica y el color, rojo intens aunque en algunas variedades puede ser más anaranjado.

BENEFICIOS PARA LA SALUD *

- Aporta fibra, lo que favorece el tránsito intestina
- Posee ácido salicílico, de acción antiinflamatoria anticoagulante.
- El ácido cítrico desarrolla una acción desinfectan te y alcalinizadora de la orina. Ayuda a eliminar e ácido úrico. Recomendada en casos de artritis gota.
- Antioxidante, rejuvenece el organismo y ayuda prevenir el cáncer.

- Sus nutrientes intervienen en la formación de colágeno, glóbulos rojos, huesos y dientes.
- Recomendada en pacientes con hipertensión arterial.
- Por su aporte de ácido ascórbico, pectina y lecitina ayuda a disminuir el nivel de LDL o colesterol malo en la sangre.
- Contiene boro, por lo que es bueno consumirla durante la menopausia.

Véase en el Capítulo I información de interés sobre las dolencias relacionadas.

FORMAS DE CONSUMO

Frescas o en conserva. Combinadas con otras frutas, cremas, helados, yogur.

En diferentes tortas y postres. También en jalea o mermelada.

CONSEJOS PARA LA COMPRA

Seleccione aquellas que se destacan por su brillantez, su apariencia fresca y su grosor. Pueden tener los extremos más claros o incluso blanquecinos, lo importante es que conserven el tallo intacto.

CONSERVACIÓN

Siempre es mejor en el frigorífico o, eventualmente, en un lugar oscuro y fresco. Lo importante es que no estén apiladas. Si no están muy maduras, pueden durar hasta cinco días.

SABÍA QUE...

Existen dos reglas inquebrantables a la hora de manipular las fresas. La primera dice que no es recomendable tocarlas en exceso y mucho menos si están (o fueron) expuestas al calor. Lo segundo tiene que ver con el servicio: no deben lavarse sino hasta el momento previo a ser consumidas. Y trate de que el tiempo que transcurre entre que les corta el tallo y las sirve sea el menor posible. Una última cosa: no las deje demasiado tiempo en remojo.

GARBANZO

EL DICCIONARIO DICE

PLANTA HERBÁCEA PAPILIO-NÁCEA, CON TALLO DE UNOS 50 CENTÍMETROS, HO-JAS COMPUESTAS ASERRADAS POR EL MARGEN, FLORES BLANCAS Y FRUTO EN VAINA INFLADA, PELO-SA, CON UNA O DOS SEMILLAS AMARILLENTAS DE 1 CM DE DIÁ-METRO.

PRECAUCIONES

Es de difícil digestión, por lo que resulta fundamental masticarlo cuidadosamente.

TAMBIÉN SE LO CONOCE COMO...

Chícharo, torrado o tostón.

DESCRIPCIÓN GENERAL

Su nombre científico es *Cicer arietinum*, y es una planta herbácea de la familia de las *Leguminosas*, quizás la más antigua. De forma ovoide, el fruto alberga una o dos semillas cuyo tono puede ir de los amarillentos al negro, que son comestibles. Es importante hidratarlos bien antes de cocinarlos. Poseen un sabor que recuerda al de la nuez y son muy utilizados en la cocina de Medio Oriente.

BENEFICIOS PARA LA SALUD *

- Por su gran aporte en fibras, mejora el estreñimiento. Regula los niveles de colesterol en sangre, por lo que previene las enfermedades cardiovasculares.
- Sus hidratos de carbono se asimilan lentamente, por lo que se recomienda su ingesta a las personas diabéticas. Por la misma razón, es bueno para los que realizan un esfuerzo físico importante.
- Combinado con cereales constituye una buena fuente de proteínas.
- Contiene poco sodio, rasgo beneficioso en casos de hipertensión.
- Por su efecto diurético, ayuda a los que padecen gota, hiperuricemia y oliguria.
- Rico en magnesio, un mineral beneficioso en cuadros de estrés.
- Alivia las úlceras pépticas y duodenales.

*Véase en el Capítulo 1 información de interés sobre las dolencias relacionadas.

FORMAS DE CONSUMO

● Hay que dejarlos en remojo durante varias horas antes de cocinarlos. Luego se escurren y se cocinan en agua ya templada para que no se endurezcan.
● Enteros, se incluyen en sopas, guisados, pucheros, paellas.
● En Medio Oriente su consumo está muy difundido, y es el ingrediente fundamental del hummus y el falafel.
● También se utiliza mucho la harina de garbanzos para realizar diversas preparaciones.

CONSEJOS PARA LA COMPRA

Se venden cocidos, tostados, en conserva, envasados y secos. Fíjese que se encuentren enteros y sanos, que tengan tamaño uniforme y que no desprendan olor rancio.

CONSERVACIÓN

Secos, conviene guardarlos en lugares frescos, sin humedad y a oscuras.
Una vez cocidos, manténgalos en el refrigerador, en un recipiente hermético. También se pueden congelar.

GRANADA

EL DICCIONARIO DICE

FRUTO DEL GRANADO, DE FORMA GLOBOSA, CON DIÁMETRO DE UNOS DIEZ CENTÍMETROS Y CORONADO POR UN TUBO CORTO Y CON DIENTECITOS, RESTO DE LOS SÉPALOS DEL CÁLIZ; CORTEZA DE COLOR AMARILLENTO ROJIZO, DELGADA Y CORREOSA, QUE CUBRE MULTITUD DE GRANOS ENCARNADOS, JUGOSOS, DULCES UNAS VECES, AGRIDULCES OTRAS, SEPARADOS EN VARIOS GRUPOS POR TABIQUES MEMBRANOSOS, Y CADA UNO CON UNA PEPITA BLANQUECINA ALGO AMARGA EN SU INTERIOR.

DESCRIPCIÓN GENERAL

El granado, un árbol que puede llegar a medir unos cuatro metros de altura, pertenece a la familia de las *Punicáceas*, una especie cuyos frutos tienen semillas. Justamente por esto, la granada (su nombre científico es *Punica granatum*) es considerada una infrutescencia. Se trata de una baya redonda formada por agrupación de varios frutillos con apariencia de unidad. De piel algo rugosa y gruesa, su pulpa es de color rubí y suele ser muy jugosa. El origen de esta fruta tan adorada en Oriente como símbolo del amor y la fecundidad se sitúa en el sur de Asia.

BENEFICIOS PARA LA SALUD *

- Es una fruta muy refrescante.
- Por su bajo contenido en hidratos de carbono y calorías, es un fruto recomendado en las dietas adelgazantes y también para los enfermos de diabetes.
- La presencia de ácido cítrico y ácido málico le otorga cualidades antisépticas y antiinflamatorias.
- Los taninos de su corteza ayudan en casos de diarreas infecciosas, cólicos intestinales, flatulencias y estómago delicado en general.
- De acción diurética, es beneficiosa para eliminar ácido urémico, en casos de gota o litiasis renal.
- Por su acción antioxidante, reduce el riesgo de padecer enfermedades cardiovasculares y algunos tipos de cáncer.
- Contiene mucho potasio pero poco sodio, lo que beneficia a aquellas personas que sufren hipertensión arterial o afecciones en los vasos sanguíneos.

■ Sus semillas colaboran en la reducción de los niveles de azúcar en sangre.

Véase en el Capítulo I información de interés sobre las dolencias relacionadas.

FORMAS DE CONSUMO

El mayor problema que tiene la granada es la extracción de los granos de su envoltura interior. Los granos de esta fruta se pueden usar en la elaboración de distintos postres. Si se los macera con miel, jugo de limón o mosto de uvas, se obtiene un jugo delicioso.

● En los países árabes se elaboran unas tortas de mazapán con granada y también se utilizan los granos para el relleno de algunos guisos. Y en la Argentina está muy difundido el consumo del jugo de la fruta: la granadina. Se usa para hacer jarabes, confituras y helados. Se puede tomar solo o con otros jugos o agua gasificada.

CONSEJOS PARA LA COMPRA

Conviene elegir la fruta sin cortes, golpes ni magulladuras. Es importante que la piel esté dura y tersa. Un buen tamaño y que sea bien pesada es un buen indicio. Consumir preferentemente cuando la cáscara adquiera un tono pardo.

CONSERVACIÓN

Las granadas se mantienen durante varios días si se conservan a temperatura ambiente.
Si las refrigera, no deje pasar más de tres semanas.

SABÍA QUE...

Hay quienes dicen que el fruto de la discordia en el Paraíso no fue una manzana, sino una granada. Herodes tomaba jugo de granada para controlar ciertos problemas en el aparato digestivo. No sólo eso: ciertas culturas orientales utilizan los granos mezclados en un preparado con pimienta, sal y jengibre, para realizar una tarea profunda de limpieza de encías y de dientes.

GROSELLA

EL DICCIONARIO DICE

FRUTO DEL GROSELLERO, CON FORMA DE UVA O BAYA GLOBOSA DE COLOR ROJO, BLANCO O NEGRO, JUGOSA Y DE SABOR AGRIDULCE MUY GRATO. SU JUGO ES MEDICINAL Y SUELE USARSE EN BEBIDAS Y EN JALEA.

TAMBIÉN SE LA CONOCE COMO...

Uva de señora.

DESCRIPCIÓN GENERAL

El arbusto del grosellero mide unos dos metros y proviene de la familia de las *Saxifragáceas*. La grosella (su nombre científico es *Ribes rubrum*) se presenta en distintas variedades. La roja es la más popular y su sabor va del ácido al agrio. La grosella negra es amarga y muy ácida y no suele comerse cruda. Aunque en menor medida, otra de las grosellas típicas son las blancas. Estas frutas crecen en zonas húmedas e incluso en la altura: suelen sobrevivir hasta los 1.500 metros.

BENEFICIOS PARA LA SALUD *

- Debido a la cantidad de antocianos y carotenoides que presenta, posee una gran capacidad antioxidante, gracias a la cual previene el envejecimiento del organismo y las enfermedades cardiovasculares.
- Los antocianos también favorecen la acción antibacteriana y antiinflamatoria.
- Su aporte de vitamina C favorece la absorción de hierro de los alimentos, por lo que es especialmente beneficiosa en cuadros de anemia.
- Recomendada para las embarazadas y las personas que padecen enfermedades crónicas. También para los deportistas y las personas que realizan grandes esfuerzos físicos.
- Rica en fibra, estimula el movimiento intestinal y previene el estreñimiento. Cuando está a punto adquiere propiedades laxantes y depurativas.

*Véase en el Capítulo 1 información de interés sobre las dolencias relacionadas.

FORMAS DE CONSUMO

Fresca, al natural o en mermeladas o jaleas.

Es un gran complemento en platos y salsas agridulces y combina muy bien con la carne. También con otros frutos silvestres como arándanos, frambuesas, moras y fresas.

CONSEJOS PARA LA COMPRA

Las frutas tienen que ser brillantes, secas y firmes, ya que las blandas se echan a perder rápidamente. Además, su aroma debe ser perfumado y refrescante.

CONSERVACIÓN

Siempre es mejor en el frigorífico o, eventualmente, en un lugar oscuro y fresco. Si no están demasiado maduras, pueden durar unos cinco días.

SABÍA QUE...

Las grosellas ya eran conocidas en la Grecia Antigua, donde se las denominaba "sangre de titanes". El jugo de grosellas era un manjar que muy pocos podían disfrutar. Simbolizaba status y poder.

GUANÁBANA

EL DICCIONARIO DICE

ÁRBOL ANONÁCEO DE HAS-
TA 8 M DE ALTURA, CON EL
TRONCO RECTO DE CORTE-
ZA GRIS, HOJAS DE COLOR VERDE
INTENSO Y GRANDES FLORES
AMARILLENTAS.

TAMBIÉN SE LA CONOCE COMO...

Anona de México, cabeza de negro, catoche, corrosol, chachi‐
mán, graviola, huana huana, nasasamba, sinini, yaca o zapote d‐
viejas.

DESCRIPCIÓN GENERAL

Su nombre científico es *Annona muricata* y pertenece a las fa‐
milias de las *Anonáceas*. Puede llegar a pesar hasta 4 kilos y es‐
tá recubierta de púas suaves. La forma es ovoide e irregula‐
la piel de color verde oscuro y cubierta de púas, la pulpa e‐
jugosa, blanca y agradable, un poco más ácida que la de la chi‐
rimoya. Posee semillas de color marrón que se desprende‐
con facilidad.

BENEFICIOS PARA LA SALUD *

- Facilita el vaciamiento de la vesícula biliar y es di‐
  gestiva. Beneficiosa para los hipertensos, obesos‐
  cardíacos y diabéticos.
- Su jugo es diurético y beneficioso para mejorar la‐
  dolencias hepáticas.
- Con las hojas de este árbol, se preparan infusione‐
  antidiarreicas y digestivas. También se aplican en‐
  forma externa como cataplasmas para aliviar lo‐
  síntomas de las paperas.
- Con las flores se hacen tisanas para tratar gripes y‐
  afecciones bronquiales.
- Pulverizadas, las semillas se usan para repeler in‐
  sectos y las hojas, piojos.
- Sus semillas, hojas y corteza constituyen un impor‐
  tante agente antitumoral.

*Véase en el Capítulo 1 información de interés sobre las dolencia‐
relacionadas.

FORMAS DE CONSUMO

● Fresca, directamente desde el fruto.

● En distintos postres o ensalada de frutas.

● Combina muy bien con crema batida. También se bebe el jugo.

● Los frutos verdes se cocinan para elaborar licores, mermeladas, mousses y otros postres.

CONSEJOS PARA LA COMPRA

La cáscara pasa de brillante a mate cuando está a punto.

CONSERVACIÓN

Es mejor consumir el jugo inmediatamente. La fruta entera se mantiene durante un par de días en el refrigerador.

SABÍA QUE...

Ciertas culturas indígenas de las zonas tropicales de América del Sur utilizaban las semillas molidas de la guanábana para combatir los piojos y otros insectos.

GUAYABA

EL DICCIONARIO DICE

FRUTO DEL GUAYABO, DE FORMA AOVADA Y DEL TAMAÑO DE UNA PERA MEDIANA, DE VARIOS COLORES, Y MÁS O MENOS DULCE, CON LA CARNE LLENA DE UNOS GRANILLOS O SEMILLAS PEQUEÑAS.

TAMBIÉN SE LA CONOCE COMO...

Guayabo, guara, arrayana o luma.

DESCRIPCIÓN GENERAL

Su nombre científico es *Psidium guajava*, es un fruto de un árbol del género *Psidium* y pertenece a la familia de las *Mirtáceas*. Es una fruta extremadamente aromática y puede ser blanca o roja, dependiendo del color de la pulpa. En función de la variedad, su forma es similar a la de un limón o a la de una pera. Gracias a la comercialización de esta fruta, las variedades más famosas son: Rojo Africano, Extranjero, Blanca puertorriqueña, Trujillo, Polnuevo y la Guayabita de Sadoná.

BENEFICIOS PARA LA SALUD *

- El consumo de la guayaba está muy recomendado para niños, jóvenes, adultos, deportistas, mujeres embarazadas, madres de lactantes y personas mayores por su gran valor nutritivo.
- Su aporte de vitaminas A y C la convierten en un gran antioxidante, y esta acción ayuda a prevenir el envejecimiento del organismo, las enfermedades cardiovasculares e incluso ciertos tipos de cáncer.
- Por su contenido en fibra, estimula el intestino y funciona como laxante.
- Posee una gran cantidad de potasio y poco sodio, lo que la convierte en un alimento recomendado para personas que padecen diabetes, hipertensión arterial y diversas afecciones de vasos sanguíneos y del corazón.

* Véase en el Capítulo 1 información de interés sobre las dolencias relacionadas.

FORMAS DE CONSUMO

● La guayaba se consume como fruta fresca, en batidos, jugos o helados.

● En mermeladas, jaleas y compotas. Combina muy bien con lácteos.

● Si la va a tomar fresca, debe ser cuidadoso y masticar muy bien la parte interior, en la que se ubican las semillas.

CONSEJOS PARA LA COMPRA

Hay que tener en cuenta el color. Las mejores son las que presentan una tonalidad verde amarilla, porque todavía no están del todo maduras. No deben perder su firmeza.

Conviene dejarlas a temperatura ambiente hasta que estén a punto, es decir, amarillas y más blandas.

CONSERVACIÓN

Se recomienda consumirla cuanto antes o conservarla a una temperatura de unos 8°C.

SABÍA QUE...

La guayaba es uno de los frutos que más veces aparece en la bibliografía del Premio Nobel de Literatura Gabriel García Márquez. En su país de origen, Colombia, se prepara una jalea conocida como "Pasta de guayaba", algo parecido al membrillo, pero más viscosa.

HIGO

EL DICCIONARIO DICE

SEGUNDO FRUTO, O EL MÁS TARDÍO, DE LA HIGUERA. ES BLANDO, DE GUSTO DULCE, SU COLOR POR DENTRO ES MÁS O MENOS ENCARNADO O BLANCO Y ESTÁ LLENO DE SEMILLAS SUMAMENTE MENUDAS. LO RECUBRE UNA PIEL FINA Y VERDOSA, NEGRA O MORADA, SEGÚN LA VARIEDAD.

PRECAUCIONES

Cuando el higo está verde, posee una savia que puede provocar sarpullidos o irritación en la piel. Si no están maduros, no los consuma.

DESCRIPCIÓN GENERAL

Su nombre científico es *Picus carica*, y se dice que es el falso fruto de la higuera, árbol que pertenece a la familia de las *moráceas*. En realidad es una inflorescencia o un grupo de flores. Su forma se asemeja a la de una pera pequeña, con la base un tanto achatada. La pulpa es blanda y suave, muy dulce. Existen unas 600 variedades de esta fruta y el verano es la estación en la que más se producen.

BENEFICIOS PARA LA SALUD *

■ Tanto fresco como seco, por su elevado contenido de azúcares, es muy recomendado para los deportistas y para las personas que deben realizar grandes esfuerzos físicos o intelectuales.

■ Cuando se encuentra fresco aporta una importante cantidad de fibra, que favorece el tránsito intestinal, evita el estreñimiento, previene el cáncer de colón y la enfermedad cardiovascular.

■ Contiene cradina, una sustancia que facilita el proceso de la digestión.

■ Aporta ácido cítrico, que alcaliniza la orina.

*Véase en el Capítulo 1 información de interés sobre las dolencias relacionadas.

FORMAS DE CONSUMO

● Frescos o secos, en ensaladas de frutas u otros postres. Se pueden caramelizar, cocinar en almíbar, dulces o mermeladas.

● Como ingrediente en ciertas salsas. Combina muy bien con carnes asadas, especialmente cerdo y pato.

CONSEJOS PARA LA COMPRA

El refrán popular dice que un higo a punto debe tener cuello de ahorcado, ropa de pobre y ojo de viuda. Es decir que el rabo debe estar seco, la piel arrugada y al abrirlo, debe desprender una lágrima de almíbar.

CONSERVACIÓN

Son frutos muy sensibles. Frescos se conservan durante unos tres días.
La manera de conservarlos durante más tiempo es sumergirlos en almíbar y luego cerrar los frascos al vacío.

SABÍA QUE...

El higo es un fruto con mucha historia. En el libro Génesis del Antiguo Testamento, Moisés envía a un grupo de exploradores a reconocer la tierra de Canaán, y a su regreso ellos traen, entre otras cosas, higos. En la Grecia Clásica eran considerados un manjar. Galeno (el gran médico y filósofo), se lo recetaba a los atletas como un alimento básico. Hipócrates también los consumía. Y era el fruto favorito de Platón.

HINOJO

EL DICCIONARIO DICE

PLANTA HERBÁCEA UMBELÍFERA QUE PUEDE LLEGAR A MEDIR HASTA 2 METROS DE ALTURA. SUS TALLOS SON ERGUIDOS Y RAMOSOS, Y LAS HOJAS SE ENCUENTRAN DIVIDIDAS EN LACINIAS FILIFORMES Y POSEE FLORES PEQUEÑAS Y AMARILLAS. EL FRUTO ES OBLONGO, CON LÍNEAS SALIENTES BIEN SEÑALADAS.

PRECAUCIONES

No es recomendable administrar sus aceites esenciales a niños pequeños. En cualquiera de los casos, no conviene consumirlo en exceso porque puede resultar tóxico.

DESCRIPCIÓN GENERAL

El hinojo (su nombre científico es *Foeniculum vulgare L.*) pertenece a la familia de las *Umbelíferas* o *Apiáceas*. En general son plantas de estaciones frías. Se caracterizan por ser muy aromáticas, esencia que se encuentra en sus semillas. Habitualmente consumimos el bulbo y la variedad que más se consigue proviene del hinojo silvestre. Se catalogan a partir de la forma del bulbo, más esférico o alargado. Su color va del blanco al verde.

BENEFICIOS PARA LA SALUD *

■ Sus propiedades ayudan a equilibrar las funciones del sistema digestivo. Elimina los gases, reduce la hinchazón y favorece la digestión. Evita el estreñimiento. Especialmente indicado para niños.

■ Por su aporte de ácidos ascórbico, oleico y linoli co, reduce los niveles de LDL o colesterol malo en la sangre y por ende, la probabilidad de padecer enfermedades cardiovasculares.

■ Posee hierro, necesario en los casos de anemia.

■ Debido a su acción antioxidante, rejuvenece el organismo y previene afecciones como algunos tipo de cáncer.

■ Tiene acción expectorante.

■ Aplicado en forma externa, alivia las irritaciones de los ojos.

*Véase en el Capítulo 1 información de interés sobre las dolencias relacionadas.

FORMAS DE CONSUMO

● Los tallos y las hojas se utilizan como hierba aromática. Las semillas secas, como especias.
● El bulbo se consume como cualquier hortaliza en tartas, panes, guisados o como guarnición.
● Combinan muy bien con los platos que llevan pescado.

CONSEJOS PARA LA COMPRA

Elija aquellos que presenten un color verde más intenso. Los tallos deben estar rígidos y firmes y el bulbo debe ser grueso y redondeado.

CONSERVACIÓN

Dentro del refrigerador, en una bolsa de papel o de plástico perforada.

SABÍA QUE... ❓

Durante la Edad Media se creía que el hinojo era una planta mágica, y que sus poderes podían incluso combatir los hechizos de las brujas. Se colgaban ramilletes de hinojo en las puertas de las casas para mantener alejados a los malos espíritus.

JENGIBRE

INFORMACIÓN NUTRICIONAL

MINERALES:
CROMO • FÓSFORO
MANGANESO

Véase en página 111 información de interés sobre las vitaminas y minerales recién mencionados.

EL DICCIONARIO DICE

PLANTA DE ORIGEN ASIÁTICO DE LA FAMILIA DE LAS *CINGIBERÁCEAS*, CON HOJAS RADICALES Y LANCEOLADAS, CASI LINEALES, FLORES EN ESPIGA, FRUTO CAPSULAR BASTANTE PULPOSO Y RIZOMA AROMÁTICO, DEL GRUESO DE UN DEDO, ALGO APLASTADO, NUDOSO Y CENICIENTO POR FUERA, BLANCO AMARILLENTO POR DENTRO.

PRECAUCIONES

En cantidades elevadas, puede producir gastritis. Tampoco se recomienda su consumo durante el embarazo y el período de lactancia. También deben ser precavidos aquellos que han tenido cálculos biliares. Y los que son propensos a la acidez.

TAMBIÉN SE LO CONOCE COMO...

Gengibre, ajengibre, jengibre dulce o kión.

DESCRIPCIÓN GENERAL

Su nombre científico es *Zingiber officinale* y pertenece a la familia de las *cingiberáceas*. Se trata de una hierba perenne con tallos subterráneos o rizomas horizontales, que crece en las regiones tropicales y subtropicales. El rizoma es la parte que se utiliza tanto con fines comestibles como medicinales. Blanco en su interior, es muy aromático y su sabor es picante. Las raíces maduras son fibrosas y secas.

BENEFICIOS PARA LA SALUD *

- Facilita la secreción de la bilis y por lo tanto, es considerado un protector del hígado.
- Estimulante digestivo, abre el apetito, elimina los gases y tiene acción laxante. Como elimina las náuseas, es considerado un buen aliado para el tratamiento de quimioterapia.
- Estimula la circulación sanguínea y es un buen antiinflamatorio.
- De acción expectorante, analgésico y antiséptico.
- En forma externa, se utiliza para tratar traumatismos y reumatismos.
- Combate el virus del resfrío y disminuye sus síntomas.

*Véase en el Capítulo 1 información de interés sobre las dolencias relacionadas.

FORMAS DE CONSUMO

● Conservado en vinagre, se sirve como aperitivo. O bien, se utiliza como condimento en diferentes platos.
● En la cocina oriental acompaña platos agridulces, muchas veces con mariscos o carnes de cordero.
● La rama occidental, en cambio, lo incluye seco o en polvo en postres, panes, caramelos y bebidas dulces.
● Además, es la base de la bebida ginger ale.

CONSEJOS PARA LA COMPRA

Fíjese en el tono: las hojas deben ser de color verde intenso. Y descarte aquellas que parecen envejecidas ya que el sabor se torna demasiado picante.

CONSERVACIÓN

Entero o troceado, en un frasco bien cerrado. Lo mejor es guardarlo en un lugar fresco, seco y oscuro.

SABÍA QUE...

En caso de afonía o fuerte dolor en la garganta, hay quienes recomiendan cortar una rodaja fina de jengibre y deshacerla en la boca cual si fuera un caramelo. El sabor es fuerte, pero al día siguiente la molestia desaparecerá por completo.

JUDÍA

EL DICCIONARIO DICE

PLANTA LEGUMINOSA PAPI-LONÁCEA DE TALLOS ENDE-BLES, HOJAS COMPUESTAS Y FRUTO EN VAINAS APLASTADAS CON VARIAS SEMILLAS EN FORMA DE RIÑÓN, QUE SE CULTIVA EN LAS HUERTAS.

PRECAUCIONES

Enteras, pueden ser difí-ciles de digerir para aquellos que padecen tras-tornos intestinales. Conviene triturarlas y quitarles los ho-llejos. También pueden produ-cir flatulencias.

TAMBIÉN SE LA CONOCE COMO...

Alubia, bajoca, caparrón, faba, fabe, fréjol, fríjol, haba, habichue-la, mongete, pinta, pocha o poroto.

DESCRIPCIÓN GENERAL

Su nombre científico es *Phaseolus vulagris*, aunque existen otros tipos pertenecientes a diferentes géneros botánicos. La planta produce tanto vainas verdes, que se consumen cocidas como vegetales, como semillas maduras que se comen como legumbres. Existe una gran cantidad de variedades, pero estos ejemplares se destacan por su forma arriñonada. Con respec-to a su piel, puede ser blanca, negra o morada.

BENEFICIOS PARA LA SALUD *

- Aporta una gran cantidad de fibra soluble, por lo que evita el estreñimiento y regula la tasa de co-lesterol y glucosa en sangre.
- Con mucho potasio y poco sodio, es un alimento recomendado para hipertensos.
- Los folatos ayudan a combatir la anemia y son re-comendados para las mujeres embarazadas, espe-cialmente durante los primeros meses, ya que dis-minuyen el riesgo de malformaciones en el tubo neural del feto.

* Véase en el Capítulo 1 información de interés sobre las dolencias relacionadas.

FORMAS DE CONSUMO

● En cualquiera de los casos, el primer paso es dejarlas en re-mojo durante unas 12 horas. Después se cocinan.
● Pueden incorporarse a diversas ensaladas, guisados, guarni-ciones.

CONSEJOS PARA LA COMPRA

Las judías deben ser firmes, de tamaño uniforme y no debe observarse rastro de insectos o moho.
Es importante que la piel sea tersa y no presente manchas ni arrugas.

CONSERVACIÓN

Duran hasta un año. Guárdelas en un lugar fresco y seco, cerradas herméticamente.

JUDÍA VERDE

EL DICCIONARIO DICE

PLANTA HERBÁCEA ANUAL, DE LA FAMILIA DE LAS *PAPI-LIONÁCEAS*, CON TALLOS EN-DEBLES, VOLUBLES, DE TRES A CUA-TRO METROS DE LONGITUD, HO-JAS GRANDES, COMPUESTAS DE TRES HOJUELAS ACORAZONADAS UNIDAS POR LA BASE, FLORES BLANCAS EN GRUPOS AXILARES Y FRUTO EN VAINAS APLASTADAS, TERMINADAS EN DOS PUNTAS, Y CON VARIAS SEMILLAS DE FORMA DE RIÑÓN. SE CULTIVA EN LAS HUERTAS POR SU FRUTO, COMESTI-BLE, TANTO SECO COMO VERDE, Y HAY MUCHAS ESPECIES, QUE SE DI-FERENCIAN POR EL TAMAÑO DE LA PLANTA Y EL VOLUMEN, COLOR Y FORMA DE LAS VAINAS Y SEMILLAS.

PRECAUCIONES

Las judías verdes no de-ben ser consumidas cru-das. Contienen una sustan-cia tóxica llamada faseolina que se elimina durante la cocción.

TAMBIÉN SE LA CONOCE COMO...

Habichuela verde, judía de enrame, frijol, poroto o alubia.

DESCRIPCIÓN GENERAL

Su nombre científico es *Phaseolus vulgaris* var. *vulgaris* y exis ten más de cien variedades, que se dividen en dos grupos: ju días enormes y judías enanas. Las primeras tienen una vain gruesa y aplanada; en cambio, las otras presentan vainas má estrechas y redondeadas. A su vez, las judías verdes puede clasificarse según el color de sus vainas. En ese sentido, en contramos otras especies conocidas como la judía azul, la ju día *bobby*, *borlotto* y de cera, entre otras. En principio sólo s comían sus semillas, pero en la actualidad se consumen en s totalidad. Aunque hay investigaciones que aseguran que e Asia existían desde aproximadamente el año 5.000 a.C., lo primeros indicios del consumo de esta verdura se ubican e América.

BENEFICIOS PARA LA SALUD *

■ Debido a su bajo contenido calórico, se recomier dan en dietas de control de peso.
■ Son ricas en fibra, por lo que ayudan a reducir lo niveles de colesterol en sangre y previenen las er fermedades cardiovasculares.
■ Por la misma razón, estimulan el movimiento intes tinal y evitan el estreñimiento.
■ Contienen vitamina C, betacarotenos y compue tos fenólicos de acción antioxidante, que bloque an el efecto dañino de los radicales libres y prote gen el organismo.
■ Tienen un efecto diurético y depurativo, por lo qu está recomendado su consumo en casos de hipe tensión, gota, cálculos renales, retención de líquid e hiperuricemia.

■ Aportan folatos, una vitamina muy beneficiosa para las mujeres embarazadas porque previene malformaciones en el tubo neural del feto.

*Véase en el Capítulo 1 información de interés sobre las dolencias relacionadas.

FORMAS DE CONSUMO

● Antes de cocinarlas, hay que separar el filamento que presentan algunas variedades. Luego se lavan y se cocinan en agua hirviendo.
● Se recomienda añadir la sal al final de la cocción para que no se endurezcan.
● Tibias se pueden incorporar en ensaladas o con alguna vinagreta.
● Son una buena guarnición para carnes, arroces o pescados. También en tortillas, tartas u omelettes.

CONSEJOS PARA LA COMPRA

Hay que seleccionar aquellas que presenten un color brillante, forma regular y no sean demasiado duras o fibrosas. Las de mejor calidad son aquellas en las que las semillas se encuentran poco marcadas.

CONSERVACIÓN

En una bolsa de plástico perforada, refrigeradas, durante entre cinco y diez días. Para congelarlas, hay que hervirlas previamente.

SABÍA QUE...

¿Cómo saber si una judía verde está fresca? Tómela por los extremos e intente acercarlos. Si la verdura no se rompe, significa que está pasada y le convendrá desechar esas vainas.

KIWI

EL DICCIONARIO DICE

PLANTA ARBUSTIVA DE LA FAMILIA DE LAS *ACTINIDÁCE-AS*. ES DE ORIGEN CHINO Y SUS FLORES SON BLANCAS Y AMARILLAS. EL FRUTO DE ESTA PLANTA ESTÁ RECUBIERTO POR PIEL GRUESA Y MARRÓN, RUGOSA Y PELUDA, Y SU PULPA ES VERDE Y BLANCA.

PRECAUCIONES

Por su elevado contenido de potasio, las personas con insuficiencia renal deben consumirlo con moderación.

TAMBIÉN SE LO CONOCE COMO...

Kivi, grosella china, actinidia o quivi.

DESCRIPCIÓN GENERAL

Su nombre científico es *Actinida chinesis Planch*. Es una baya de forma esférica, cuyo tamaño es similar al de un huevo grande. El kiwi está recubierto por una cáscara repleta de vellosidades, su pulpa es de color verde esmeralda intenso y el núcleo de la fruta es blanco. Se encuentra repleto de pequeñas semillitas o pepitas negras y crocantes dispuestas en forma concéntrica, que le otorgan una textura muy particular. De claro sabor agridulce, resulta muy refrescante.

BENEFICIOS PARA LA SALUD *

- Por su aporte de fibra, se recomienda su ingesta en caso de estreñimiento. Es un aliado a la hora de reducir el colesterol y la glucemia en la sangre.
- Se destaca por su elevada cantidad de vitamina C, por lo que es beneficioso para los cuadros de fatiga, trastornos nerviosos y para la memoria. También disminuye el riesgo de padecer enfermedades cardiovasculares. Y facilita la absorción de hierro, lo que lo convierte en un buen complemento en los casos de anemias severas.
- Combate fiebres, resfríos, estados gripales e infecciosos en general.
- Posee mosmina, un alcaloide que podría prevenir trastornos del esófago.
- Además de la vitamina C, sus sustancias bioactivas lo convierten en un importante antioxidante, por lo que rejuvenece el organismo y previene el cáncer.
- Es altamente refrescante y da sensación de saciedad.

- Recomendado para niños y adolescentes, durante el embarazo y durante el período de amamantamiento.

- Aporta ácido fólico, vitamina que previene la anemia, el riesgo de padecer enfermedades cardiovasculares y, durante el embarazo, la posibilidad de que el feto desarrolle espina bífida, un trastorno del sistema nervioso.

*Véase en el Capítulo 1 información de interés sobre las dolencias relacionadas.

FORMAS DE CONSUMO

● Hay que quitarle la cáscara antes de ingerirlo.
● Se puede comer solo o en ensalada de frutas. Por su tono intenso, muchas veces se utiliza para decorar postres y tortas. También se elaboran dulces y jaleas. Y es un gran complemento en jugos y licuados.

CONSEJOS PARA LA COMPRA

Elija aquellos cuya superficie se encuentre intacta. Tampoco los compre si están blandos, porque al pasar el punto de maduración pierden sabor y en algunos casos, se tornan demasiado picantes.

CONSERVACIÓN

A temperatura ambiente, dura aproximadamente quince días.
Si lo guardamos en un lugar fresco, con una bolsa de uso alimentario que lo proteja de la deshidratación, se conserva durante mucho más tiempo.
En el refrigerador puede llegar a durar hasta un mes. Pero es importante alejarlo de otras frutas que aceleran su maduración.

SABÍA QUE...

Esta fruta es originaria de Nueva Zelanda (en rigor de verdad, crecía en forma silvestre en China, pero alrededor del año 1900 fue llevada a Nueva Zelanda, donde se desarrollaron las técnicas para su cultivo de la manera en la que lo conocemos en la actualidad). Por su gran parecido al ave nacional de ese país, decidieron bautizarla con su nombre: kiwi.

LAUREL

EL DICCIONARIO DICE

ÁRBOL SIEMPRE VERDE, CON TRONCO LISO, RAMAS LE-VANTADAS, HOJAS CORIÁ-CEAS, AROMÁTICAS Y LAMPIÑAS. LAS FLORES SON PEQUEÑAS Y BLANCAS Y EL FRUTO ES UNA BA-YA NEGRA Y OVALADA.

PRECAUCIONES

Consumido en exceso puede generar algunas molestias gástricas. En algunos casos, puede generar reacciones alérgicas a nivel externo.

TAMBIÉN SE LO CONOCE COMO...

Llorero.

DESCRIPCIÓN GENERAL

Su nombre científico es *Laurus nobilis* y pertenece a la familia de las *Lauráceas*. Sus hojas son de forma coriácea y color verde oscuro. De un lado lustrosas y del otro, más opacas y pálidas. Es un condimento muy difundido y utilizado en diversas preparaciones.

BENEFICIOS PARA LA SALUD *

■ Estimula el apetito y las secreciones gástricas, en consecuencia, los movimientos intestinales. Es decir que previene el estreñimiento.
■ La presencia de ácidos como el oleico y el linoleico actúa para reducir el riesgo de padecer enfermedades cardiovasculares.
■ Previene la acidez.
■ Aceites esenciales como el cineol y el eugenol le otorgan propiedades carminativas: reduce los gases y las flatulencias.
■ En infusiones o tisanas, ayuda a expulsar la mucosidad de las vías respiratorias. Se recomienda consumirlas en cuadros de bronquitis, faringitis, resfríos.
■ Su efecto diurético es beneficioso para persona que padezcan gota, artritis, reuma y diversas infecciones de las vías urinarias.
■ Puede ayudar a regular la menstruación.

*Véase en el Capítulo 1 información de interés sobre las dolencia relacionadas.

GUÍA DE CONSULTA Exprés

Busque este icono para obtener más información en otras páginas del libro.

- Quita la sed.
- Tiene acción diurética.
- Colabora en el tratamiento de la anemia.
- Descongestiona infecciones de la piel.
- Calma la picazón de picaduras de mosquito.
- Ayuda a abrir el apetito y se utiliza para curar el empacho.
- Disminuye la inflamación de las encías.
- Tiene acción laxante y purificadora de la sangre.

Busque este icono para obtener más información en otras páginas del libro.

- Recomendada en dietas adelgazantes.
- Fortalece el sistema inmunológico.
- Buena para la vista, los huesos y el hígado.
- Tiene acción laxante y diurética.
- Recomendada para cólicos hepáticos y renales.
- Es antitérmica y tiene acción antioxidante.
- Sirve en cuadros de constipación intestinal, colitis e hipertensión.
- Es antiséptica en el tratamiento de quemaduras, abscesos y heridas.
- Regula el funcionamiento intestinal.
- Interviene en el desarrollo del sistema hormonal.

Busque este icono para obtener más información en otras páginas del libro.

- Facilita la digestión, es aperitiva y tonifica el estómago.
- Buena para los trastornos oculares.
- Recomendada en dietas adelgazantes.
- Tiene efecto antioxidante. Ayuda a prevenir enfermedades cardiovasculares y ciertos tipos de cáncer.
- Es beneficiosa para la piel y ciertos problemas del aparato respiratorio.
- Posee efecto laxante y diurético. Previene el estreñimiento y ayuda a eliminar líquidos. Recomendada en caso de hipertensión, hiperuricemia, gota, artritis y oliguria.

Busque este icono para obtener más información en otras páginas del libro.

- Es antioxidante y previene enfermedades coronarias y cáncer.
- Ayuda a prevenir parásitos intestinales.
- Reduce el nivel de colesterol malo, e incrementa el nivel del bueno. Elimina los triglicéridos.
- Colabora en el tratamiento de la hipertensión y la insuficiencia renal. Indicada para
- quienes realizan gran actividad física.
- Protege al hígado.
- Tiene leve efecto antiinflamatorio.
- Combate la psoriasis y tiene efecto antirreumático.
- Elimina el catarro y alivia el cólico menstrual.

Busque este icono para obtener más información en otras páginas del libro.

- Equilibra el sistema inmunológico y es sedante.
- Es antiséptico, antiinflamatorio, bactericida, antiviral y antiparasitario intestinal.
- Previene úlceras gástricas y duodenales.
- Calma el dolor de oído. Trata úlceras y lesiones cutáneas.
- Reduce el nivel de colesterol malo. Previene
- enfermedades cardiovasculares.
- Combate el insomnio y es expectorante.
- Disminuye el dolor reumático.
- Disminuye la presión arterial, es anticoagulante y previene la arteriosclerosis.
- Regulariza la digestión y es diurético.
- Funciona como repelente de mosquitos.
- Ayuda a disminuir la calvicie.

ALBAHACA

Busque este icono para obtener más información en otras páginas del libro.

- Calma reacciones nerviosas manifestadas en el estómago. Es antiespasmódica, antidiarreica y diurética.
- Es descongestiva y expectorante.
- Alivia las molestias de amigdalitis, faringitis o aftas. Combate el mal aliento.
- Ayuda a tratar afecciones urinarias, vómitos y cólico intestinal.
- Alivia el dolor de quistes ováricos.
- Estimula el apetito y es tónico capilar.
- Aumenta el flujo de leche en madres.
- Es repelente de mosquitos y otros insectos.

ALCACHOFA

Busque este icono para obtener más información en otras páginas del libro.

- Recomendada para la diabetes.
- Elimina el ácido úrico.
- Combate el estreñimiento.
- Es buena para tratar hepatitis, cirrosis o insuficiencia hepática.
- Es diurética. Facilita la digestión y la eliminación de toxinas.
- Elimina el colesterol malo y reduce la presión arterial.
- Previene la arteriosclerosis y las enfermedades cardiovasculares.
- Recomendada en dietas adelgazantes.
- Disminuye el dolor artrítico y reumático.
- Es un colirio natural.

ALFALFA (BROTES)

Busque este icono para obtener más información en otras páginas del libro.

- Recomendada durante el climaterio y para tratar osteoporosis, artritis y artrosis. Tiene acción antioxidante.
- Ejerce efecto antiinflamatorio y antirreumático.
- Recomendada en dietas adelgazantes.
- Estimula los procesos digestivos. Colabora en la regeneración del tejido intestinal y regula la acidez estomacal.
- Fortalece los músculos, los huesos, el cabello, las uñas y los dientes.
- Es antihemorrágica y ayuda a combatir la anemia.
- Beneficia al corazón y los vasos sanguíneos.

ALMENDRA

Busque este icono para obtener más información en otras páginas del libro.

- Previene la aparición de colesterol malo y las enfermedades cardiovasculares. Su aceite es un laxante natural.
- Mantiene fuertes los dientes y los huesos.
- Es un antiséptico intestinal y urinario. Es antiparasitaria y antiespasmódica. Previene las hemorroides y tumores en el colon.
- Es un buen antioxidante.
- Ayuda a prevenir el asma y la anemia, y a tratar la diabetes.
- Recomendada para embarazadas durante los primeros meses de gestación.
- Protege el tracto digestivo de los agentes cancerígenos.

APIO

Busque este icono para obtener más información en otras páginas del libro.

- Se utiliza en cuadros de anemia.
- Tiene efecto antioxidante, anticancerígeno, antiinflamatorio, vasodilatador y antibacteriano.
- Tiene acción antitérmica y expectorante y sirve para aligerar los cuadros febriles y los casos de bronquitis asmática y laringitis.
- Ayuda a cicatrizar úlceras y heridas.
- Estimula la secreción de jugos gástricos, lo que facilita la digestión.
- Es antiácido. Estimula el proceso menstrual.
- Favorece la circulación sanguínea en aquellas personas que tienen várices.
- Combate la hipertensión.
- Ayuda a tratar la gota o reumatismo.
- Tiene acción diurética.

ARÁNDANO

Busque este icono para obtener más información en otras páginas del libro.

- Recomendado en dietas adelgazantes.
- Ayuda a prevenir infecciones urinarias y evita que se formen cálculos o litiasis renal.
- Impide que la bacteria E. Coli se adhiera al tracto urinario.
- Tiene efecto antioxidante y propiedades antiinflamatorias.
- Aumenta el nivel de colesterol bueno, y disminuye del riesgo de padecer afecciones cardiovasculares.
- Previene la placa dental y la enfermedad periodontal.
- Actúa como antidiarreico.

ARVEJA

- Estimula y acelera el tránsito intestinal. Evita el estreñimiento.
- Recomendada para personas diabéticas.
- Dificulta la absorción del colesterol malo y ayuda a eliminarlo.
- Estimula el sistema inmunológico y tiene propiedades antiinflamatorias.
- Es beneficiosa para problemas de próstata. Y también ejerce protección ante el cáncer de mama.
- Es beneficiosa en casos de fatiga y depresión. También equilibra el sistema nervioso.
- Combinada con cereales es una buena fuente de proteínas vegetales.

AVELLANA

- Es diurética y, por su acción desintoxicante, ayuda en el tratamiento de várices y trastornos circulatorios.
- Es antioxidante. Previene el envejecimiento, las enfermedades coronarias y el cáncer.
- Fortalece huesos y dientes.
- Evita el estreñimiento. Ayuda a prevenir el cáncer de colon. Su aceite es laxante.
- El aceite previene la caída del cabello.
- Aumenta el nivel de colesterol bueno y disminuye el colesterol malo. Previene afecciones cardiovasculares.
- Regula la función menstrual.
- Indicada para quienes padecen diabetes y tuberculosis.

BERENJENA

- Protege de la enfermedad cardiovascular.
- Regula el nivel de colesterol.
- Regula la actividad muscular, el equilibrio de agua de las células y también la generación y transmisión de los impulsos nerviosos.
- Alivia el dolor hemorroidal. También es eficaz para tratar abscesos, forúnculos, quemaduras y herpes.
- Su acción diurética beneficia a los pacientes que padecen cistitis, uretritis bacteriana, gota y afecciones hepáticas.

BERRO

- Colabora en el tratamiento de inflamaciones bucales. Alivia la faringitis, la bronquitis y el reumatismo.
- Recomendado en casos de estreñimiento.
- Ayuda a calmar las infecciones urinarias.
- Previene el hipotiroidismo.
- Estimula el cuero cabelludo y previene la caída del cabello.
- Es bueno para tratar úlceras, heridas y abscesos.
- Podría prevenir el cáncer de pulmón y esófago.

BONIATO

- Recomendado para quienes deben realizar esfuerzos físicos, niños y convalecientes.
- Se recomienda en casos de anemia.
- Ejerce acción emoliente y antiinflamatoria, eficaz para tratar abscesos y forúnculos.
- Ayudaría a prevenir el cáncer de pulmón. Por eso es recomendado a fumadores y fumadores pasivos.
- Tiene efecto suavizante sobre las paredes del intestino.
- Produce sensación de saciedad.

BRÓCOLI

- Es un gran antioxidante y protege al organismo ante el cáncer de pulmón, próstata, mama y útero.
- Disminuye el riesgo de padecer afecciones cardíacas.
- Recomendado en dietas adelgazantes.
- Beneficia el mantenimiento de los tejidos corporales.
- Es un laxante leve.
- Estimula la formación de anticuerpos, por lo que fortalece el sistema inmunológico.
- Aporta mucho potasio a la dieta, por lo que beneficia la actividad muscular. También interviene en la generación y transmisión del impulso nervioso.

CACAHUETE

Busque este icono para obtener más información en otras páginas del libro.

- Estimula el tránsito intestinal, evita el estreñimiento y previene el cáncer de colon y la enfermedad cardiovascular.
- Rejuvenece el organismo y previene enfermedades cardiovasculares y cáncer.
- Libera las vías respiratorias.
- Recomendado durante la infancia, el embarazo y la etapa de lactancia.
- Regula la insulina y la glucosa en la sangre. Disminuye la absorción del colesterol.

CAJÚ

Busque este icono para obtener más información en otras páginas del libro.

- Es antioxidante, por lo que ayuda a prevenir ciertos tipos de cáncer.
- Regula el nivel de colesterol en sangre.
- Aporta magnesio, que facilita la asimilación del calcio.
- Fortalece la memoria.
- Disminuye los trastornos renales.
- Contiene ácido oleico, beneficioso para las encías y los dientes.

CALABAZA

Busque este icono para obtener más información en otras páginas del libro.

- Es antioxidante y estimula el funcionamiento del sistema inmunológico. Ayuda a prevenir el cáncer.
- Beneficia la visión, la piel, los huesos, y la formación de glóbulos rojos.
- Provoca un efecto diurético que ayuda a combatir afecciones del tracto urinario.
- Regula el tránsito intestinal, previene el estreñimiento y protege del cáncer de colon.
- Recomendada para pacientes hipertensos, con trombosis arterial o que han sufrido una apoplejía.
- Es antiparasitaria en general.

CAQUI

Busque este icono para obtener más información en otras páginas del libro.

- Fortalece el sistema inmunológico y mejora la cicatrización.
- Es antioxidante, previene ciertos tipos de cáncer y enfermedades del sistema cardiovascular, neurodegenerativas y cataratas.
- Recomendado en estreñimiento.
- Recomendado para los hipertensos.
- Recomendado para niños, embarazadas y durante el amamantamiento, y a personas que padecen enfermedades crónicas.
- Se adapta a la dieta de las personas que padecen insuficiencia renal.

CARDO

Busque este icono para obtener más información en otras páginas del libro.

- Favorece la función hepática y de la vesícula biliar, por lo que mejora la digestión.
- Estimula la secreción de bilis y disminuye el nivel de glucosa, ideal para diabéticos.
- Estimula el apetito y tiene un suave efecto laxante, beneficioso en casos de estreñimiento, hemorroides y otros trastornos intestinales. Además, reduce la absorción de la grasa y el colesterol, por lo que ayuda a prevenir enfermedades cardiovasculares.
- Tiene acción diurética.

CASTAÑA

Busque este icono para obtener más información en otras páginas del libro.

- Tiene poder diurético, ayuda a prevenir la hipertensión e interviene en la generación de los impulsos tanto musculares como nerviosos.
- Previene la osteoporosis.
- Mantiene los niveles de azúcar equilibrados y otorga sensación de saciedad.
- Regula el funcionamiento intestinal y evita el estreñimiento.

CEBOLLA

Busque este icono para obtener más información en otras páginas del libro.

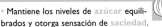

- Recomendada en dietas adelgazantes.
- Produce sensación de saciedad y estimula el movimiento intestinal.
- Recomendada durante los primeros meses de embarazo.
- Actúa como expectorante en caso de catarros y bronquitis.
- Es antiasmática y antiinflamatoria.
- Es diurética y se recomienda en caso de hiperuricemia, gota, cálculos renales, hipertensión y oliguria.
- Es antioxidante. Previene el envejecimiento. Protege de enfermedades cardiovasculares y algunos tipos de cáncer.
- Es buena para la circulación sanguínea.

Busque este icono para obtener más información en otras páginas del libro.

CEREZA

- Tiene propiedades antioxidantes y, por lo tanto, protectoras de los vasos sanguíneos.
- Fortalece el miocardio.
- Ayuda a curar pequeñas afecciones de la piel.

- Por su acción diurética, se recomienda a personas que padecen gota y cálculos renales.
- Ayuda a prevenir diferentes tipos de cáncer. Protege del envejecimiento y de ciertas enfermedades crónicas y degenerativas.

Busque este icono para obtener más información en otras páginas del libro.

CHABACANO

- Estimula el tránsito intestinal y evita el estreñimiento.
- Ayuda a regular el colesterol, y previene las enfermedades cardiovasculares.
- Tiene acción antioxidante, retarda el envejecimiento e incluso, previene ciertos tipos de cáncer.
- Beneficia la visión, la piel, el cabello, los

huesos y las mucosas. Y al sistema inmunológico en general.
- Tiene acción diurética, positiva para aquellas personas que padecen hipertensión, retención de líquidos y oliguria.
- Posee propiedades astringentes y antiinflamatorias, especialmente en la mucosa intestinal.

Busque este icono para obtener más información en otras páginas del libro.

CHAMPIGNON

- Estimula el tránsito intestinal y protege al organismo del cáncer de colon y de la enfermedad cardiovascular.
- Otorga sensación de saciedad y se lo recomienda en dietas adelgazantes.
- Tiene efecto antioxidante, por lo que ayuda

a neutralizar los radicales libres, prevenir el envejecimiento y la aparición de ciertos tipos de cáncer.
- Constituye una buena fuente de aminoácidos esenciales.

Busque este icono para obtener más información en otras páginas del libro.

CHIRIMOYA

- Posee propiedades laxantes. Previene el estreñimiento, disminuye la cantidad de colesterol en sangre y regula la glucemia.
- Se recomienda a aquellas personas que padecen hipertensión arterial y enfermedades cardiovasculares.

- Funciona como antiparasitario.
- Inhibe el ácido araquidónico, lo que disminuye la agregación plaquetaria.
- Favorece la generación y transmisión de los impulsos tanto musculares como nerviosos.

Busque este icono para obtener más información en otras páginas del libro.

CHIRIVÍA

- Se recomienda en cuadros de hidropesía, trastornos estomacales y de la vesícula, dolores de estómago y fiebre.
- Por su acción diurética, ayuda en casos de reumatismo, artritis, insuficiencia y cálculos renales.

- Su consumo ayuda a disminuir los dolores menstruales.
- Sus minerales benefician la vista y fortalecen el cabello, las uñas, los huesos y los dientes.
- Ayuda a prevenir el insomnio.

Busque este icono para obtener más información en otras páginas del libro.

CILANTRO

- Estimula el apetito.
- Elimina el mal aliento.
- Tiene efecto expectorante.
- Elimina los gases intestinales y facilita la

digestión. Es antiséptico y estimulante.
- En pequeñas dosis, tonifica ligeramente el sistema nervioso.

Busque este icono para obtener más información en otras páginas del libro.

CIRUELA

- Es el laxante natural por excelencia.
- Actúa como antioxidante, y previene el desarrollo de diversos tipos de cáncer. Y lo mismo sucede con el LDL o colesterol malo, por lo que protege de la enfermedad cardiovascular.

- Su efecto desintoxicante es beneficioso en casos de gota, artritis, reuma y problemas de la piel.
- Es recomendado en personas que padecen afecciones cardiocirculatorias, renales, hepáticas, artrósicas y reumáticas.

CIRUELA PASA

Busque este icono para obtener más información en otras páginas del libro.

- Es eficaz en cuadros de estreñimiento. Ayuda a reducir los niveles de colesterol en sangre y disminuye el riesgo de padecer cáncer de colon.
- Evita la formación de coágulos en la sangre.
- Es beneficiosa después de la menopausia, ya que colabora en la retención de estrógenos y facilita la absorción del calcio.
- Su ingesta es recomendada para deportistas y aquellas personas que tienen un importante desgaste físico.
- Positiva para la anemia ferropénica.
- Se recomienda a aquellas personas que consumen diuréticos y también, las que padecen bulimia.

COCO

Busque este icono para obtener más información en otras páginas del libro.

- Sus minerales nutren los huesos.
- Posee un efecto laxante. Combate el estreñimiento, ayuda a regular los niveles de colesterol y glucemia en sangre y previene enfermedades cardiovasculares.
- Es beneficioso para las personas que deben tomar diuréticos.
- Su agua es refrescante y posee una gran capacidad de rehidratación.

COL BLANCA

Busque este icono para obtener más información en otras páginas del libro.

- Es recomendada para personas que registran carencias nutricionales.
- Actúa como antioxidante, y previene enfermedades cardiovasculares y algunos tipos de cáncer.
- Tiene efecto laxante. Evita el estreñimiento y ayuda a reducir la tasa de colesterol y glucemia en sangre.
- Ejerce acción diurética. Recomendada en casos de hipertensión, hiperuricemia, cálculos renales, retención de líquidos y gota.
- Recomendada en dietas adelgazantes. Además, produce sensación de saciedad.
- Posee propiedades expectorantes.

COL DE BRUSELAS

Busque este icono para obtener más información en otras páginas del libro.

- Produce sensación de saciedad y estimula el tránsito intestinal.
- Previene el estreñimiento y las enfermedades cardiovasculares, y reduce el nivel de colesterol malo.
- Ayuda a disminuir el riesgo de padecer enfermedades degenerativas.
- Estimula el sistema inmunológico.
- Es muy recomendado para las mujeres embarazadas, especialmente durante los primeros meses de gestación, ya que ayuda a prevenir malformaciones del tubo neural del feto.
- Tiene acción diurética. Se recomienda en casos de hipertensión, retención de líquidos y oliguria (escasa producción de orina). Esta acción permite eliminar también ácido úrico, urea y por eso beneficia también a las personas que padecen hiperuricemia, gota y cálculos renales.

COL LOMBARDA

Busque este icono para obtener más información en otras páginas del libro.

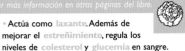

- Tiene acción antioxidante y ayuda a prevenir diversas enfermedades.
- Previene el riesgo de padecer enfermedades cardiovasculares, degenerativas y algunos tipos de cáncer.
- Regula el LDL o colesterol malo.
- Recomendada en dietas adelgazantes.
- Funciona como expectorante, ideal para cuadros de catarros y bronquitis.
- Posee efecto diurético, de consecuencia positiva en casos de hipertensión, hiperuricemia, gota y cálculos renales.
- Estimula el funcionamiento intestinal y previene el estreñimiento. Además, regula el colesterol y la glucemia en sangre.
- Beneficiosa para la mujer embarazada, ya que evita malformaciones en el tubo neural del feto.

COL VERDE

Busque este icono para obtener más información en otras páginas del libro.

- Recomendada en dietas adelgazantes.
- Tiene acción antioxidante y evita el envejecimiento. Ayuda a prevenir el desarrollo de algunos tipos de cáncer y de enfermedades cardiovasculares.
- Favorece la eliminación de líquidos. Se recomienda en casos de hipertensión, hiperuricemia, gota y cálculos renales.
- Actúa como laxante. Además de mejorar el estreñimiento, regula los niveles de colesterol y glucemia en sangre.
- Indicada en la dieta de la mujer embarazada durante los primeros meses, ya que previene malformaciones en el tubo neural del feto.
- Es expectorante y antibacteriana.

Busque este icono para obtener más información en otras páginas del libro.

COLIFLOR

• Previene ciertos tipos de cáncer.
• Recomendada en dietas adelgazantes.
• Genera sensación de saciedad. Mejora el tránsito intestinal y evita el estreñimiento. Reduce las tasas de colesterol y glucemia en la sangre.
• Es un gran diurético. Es beneficiosa en casos de hipertensión, retención de líquidos y

oliguria. Ayuda a eliminar el exceso de ácido úrico y urea.
• Recomendada para las mujeres embarazadas, ya que disminuye el riesgo del desarrollo de anomalías en el feto.
• Ayuda a prevenir el envejecimiento. También detiene el aumento del LDL o colesterol malo, por lo que previene las enfermedades cardiovasculares.

Busque este icono para obtener más información en otras páginas del libro.

DÁTIL

• Tonifica los músculos, regula el equilibrio de agua de las células y también el funcionamiento del sistema nervioso.
• Beneficia la vista, los huesos y el funcionamiento del hígado. También es bueno para la piel, las mucosas y el funcionamiento del sistema inmunológico en general. Es recomendado para las personas que tienen fatiga visual y tuberculosis.

• Es recomendado en el tratamiento de la anemia.
• Es muy recomendado para las afecciones de las vías respiratorias en general: asma, bronquitis, tos y catarro.
• Sus propiedades antioxidantes y su cuota de magnesio previenen el cáncer.
• Disminuye el cansancio físico y mental.

Busque este icono para obtener más información en otras páginas del libro.

ENDIBIA

• Tiene efecto antioxidante. Previene el envejecimiento, además del desarrollo de enfermedades degenerativas, cardiovasculares y algunos tipos de cáncer.
• Recomendada en dietas adelgazantes.
• Es beneficiosa para la piel, las afecciones respiratorias y la vista.
• Estimula la función hepática y la vesícula biliar, por lo que mejora la digestión.

• Indicada durante los primeros meses del embarazo ya que ayuda a prevenir malformaciones en el tubo neural del feto.
• Evita el estreñimiento y regula los niveles de colesterol y glucemia en sangre. Además, produce sensación de saciedad.
• Genera un efecto diurético, importante en casos de hipertensión, hiperuricemia, gota, cálculos renales, artritis y oliguria.

Busque este icono para obtener más información en otras páginas del libro.

ESPÁRRAGO

• Tiene acción antioxidante, rejuvenece el organismo y ayuda a prevenir el cáncer y las enfermedades cardiovasculares. También las cataratas y la degeneración macular senil.
• Modifica la flora bacteriana del colon.
• Disminuye el desarrollo de algunas enferme-

dades vasculares como la angiodisplasia, común entre los ancianos. Colabora para evitar el desarrollo de ciertos tumores.
• Es uno de los diuréticos vegetales más potentes.
• Actúa como repelente.

Busque este icono para obtener más información en otras páginas del libro.

ESPINACA

• Recomendada en casos de anemia.
• Es ideal para dietas adelgazantes.
• Estimula el funcionamiento intestinal, previene el estreñimiento, las enfermedades cardiovasculares y el cáncer de colon.
• Genera sensación de saciedad.
• Tiene acción antioxidante.

• Es beneficiosa para embarazadas durante los primeros meses del embarazo ya que previene malformaciones en el tubo neural del feto.
• Ayuda a conserva la agudeza visual y previene las cataratas.
• Dificulta la absorción del LDL o colesterol malo.

Busque este icono para obtener más información en otras páginas del libro.

FRAMBUESA

• Ejerce gran poder antioxidante y previene enfermedades cardiovasculares.
• Estimula la actividad intestinal y es útil en casos de estreñimiento.

• Regula la glucemia y la presión arterial.
• Favorece la producción y generación del impulso muscular.
• Tiene propiedades diuréticas, ideales para personas con gota.

FRESA

Busque este icono para obtener más información en otras páginas del libro.

- Favorece el tránsito intestinal.
- Tiene acción antiinflamatoria y anticoagulante.
- Tiene acción desinfectante y alcalinizadora de la orina. Recomendada en casos de artritis y gota.
- Antioxidante, rejuvenece el organismo y ayuda a prevenir el cáncer.

- Interviene en la formación de colágeno, glóbulos rojos, huesos y dientes.
- Recomendada en pacientes con hipertensión arterial.
- Ayuda a disminuir el nivel de LDL o colesterol malo en la sangre.
- Es bueno consumirla durante el climaterio.

GARBANZO

Busque este icono para obtener más información en otras páginas del libro.

- Mejora el estreñimiento. Regula los niveles de colesterol en sangre, por lo que previene las enfermedades cardiovasculares.
- Se recomienda su ingesta a las personas diabéticas, y a quienes realizan un esfuerzo físico importante.
- Constituye una buena fuente de proteínas.

- Es beneficioso en casos de hipertensión.
- Tiene efecto diurético, y ayuda a los que padecen gota, hiperuricemia y oliguria.
- Es beneficioso en cuadros de estrés.
- Alivia las úlceras pépticas y duodenales.

GRANADA

Busque este icono para obtener más información en otras páginas del libro.

- Está recomendada en dietas adelgazantes y también para los enfermos de diabetes.
- Posee cualidades antisépticas y antiinflamatorias.
- Ayuda en casos de diarreas infecciosas, cólicos intestinales y flatulencias.
- Es beneficiosa para eliminar ácido urémico, en casos de gota o litiasis renal.

- Tiene acción antioxidante, reduce el riesgo de padecer enfermedades cardiovasculares y algunos tipos de cáncer.
- Beneficia a quienes sufren hipertensión arterial o afecciones en los vasos sanguíneos.
- Colabora en la reducción de los niveles de azúcar en sangre.

GROSELLA

Busque este icono para obtener más información en otras páginas del libro.

- Posee una gran capacidad antioxidante, previene el envejecimiento y las enfermedades cardiovasculares.
- Tiene acción antibacteriana y antiinflamatoria.
- Favorece la absorción de hierro de los alimentos, especialmente beneficiosa en cuadros de anemia.

- Recomendada para las embarazadas y las personas que padecen enfermedades crónicas. También para los deportistas y las personas que realizan grandes esfuerzos físicos.
- Estimula el movimiento intestinal y previene el estreñimiento. Cuando está a punto, adquiere propiedades laxantes y depurativas.

GUANÁBANA

Busque este icono para obtener más información en otras páginas del libro.

- Facilita el vaciamiento de la vesícula biliar y es digestiva. Beneficiosa para los hipertensos, obesos, cardíacos y diabéticos.
- Tiene efecto diurético y es beneficiosa para mejorar las dolencias hepáticas.
- Como tisana, trata gripes y afecciones bronquiales.

- En infusión, es antidiarreica y digestiva. En forma externa, como cataplasmas, alivia los síntomas de las paperas.
- Pulverizadas, las semillas se usan para repeler insectos y las hojas, piojos.
- Sus semillas, hojas y corteza constituyen importantes agentes antitumorales.

GUAYABA

Busque este icono para obtener más información en otras páginas del libro.

- Es un gran antioxidante, previene el envejecimiento del organismo, las enfermedades cardiovasculares e incluso ciertos tipos de cáncer.
- Estimula el intestino y funciona como laxante.
- Está recomendada para personas que padecen

diabetes, hipertensión arterial y diversas afecciones de los vasos sanguíneos y del corazón.
- Es muy recomendable para niños, jóvenes, adultos, deportistas, mujeres embarazadas, madres que amamantan y personas mayores por su gran valor nutritivo.

HIGO

Busque este icono para obtener más información en otras páginas del libro.

- Es altamente recomendado para deportistas y personas que deben realizar grandes esfuerzos físicos o intelectuales.
- Facilita el proceso de la digestión.

- Alcaliniza la orina.
- Favorece el tránsito intestinal, evita el estreñimiento, previene el cáncer de colón y la enfermedad cardiovascular.

HINOJO

Busque este icono para obtener más información en otras páginas del libro.

- Reduce el nivel del colesterol malo y la probabilidad de padecer enfermedades cardiovasculares.
- Equilibra la función del sistema digestivo. Elimina gases, reduce la hinchazón y favorece la digestión. Evita el estreñimiento.

- Indicado en casos de anemia.
- Tiene acción antioxidante, rejuvenece el organismo y previene afecciones como algunos tipos de cáncer.
- Es expectorante.
- En forma externa, alivia la irritación ocular.

JENGIBRE

Busque este icono para obtener más información en otras páginas del libro.

- Es protector del hígado.
- Estimulante digestivo, abre el apetito, elimina gases y es laxante. Es considerado un aliado en el tratamiento de quimioterapia.
- Estimula la circulación sanguínea y es un buen antiinflamatorio.

- Tiene acción expectorante, analgésica y antiséptica.
- En forma externa, se usa para tratar traumatismos y reumatismos.
- Combate el virus del resfrío y disminuye sus síntomas.

JUDÍA

Busque este icono para obtener más información en otras páginas del libro.

- Recomendada para hipertensos.
- Evita el estreñimiento y regula el nivel de colesterol y glucosa en sangre.
- Ayuda a combatir la anemia y se recomienda

a las embarazadas, durante los primeros meses, ya que disminuye el riesgo de malformaciones en el tubo neural del feto.

JUDÍA VERDE

Busque este icono para obtener más información en otras páginas del libro.

- Reduce el nivel de colesterol y previene enfermedades cardiovasculares.
- Se recomienda en dietas adelgazantes.
- Estimula el movimiento intestinal y evita el estreñimiento.
- Tiene acción antioxidante.

- Tiene efecto diurético y depurativo, por lo que está recomendado en hipertensión, gota, cálculos renales, retención de líquido e hiperuricemia.
- Recomendada a las embarazadas porque previene malformaciones en el tubo neural.

KIWI

Busque este icono para obtener más información en otras páginas del libro.

- Recomendado en caso de estreñimiento, para reducir el colesterol malo y la glucemia en la sangre.
- Beneficioso para cuadros de fatiga, trastornos nerviosos y para la memoria. Disminuye el riesgo de padecer enfermedades cardiovasculares. Y ayuda en casos de anemias severas.

- Combate fiebres, resfríos, estados gripales e infecciosos en general.
- Es antioxidante, rejuvenece el organismo y previene el cáncer.
- Da sensación de saciedad.
- Recomendado para niños y adolescentes, durante el embarazo y durante el amamantamiento.

LAUREL

Busque este icono para obtener más información en otras páginas del libro.

- Reduce el riesgo de padecer enfermedades cardiovasculares.
- Estimula el apetito y las secreciones gástricas, y previene el estreñimiento.
- Previene la acidez.
- Reduce los gases y las flatulencias.

- Ayuda a expulsar la mucosidad de las vías respiratorias. Se recomienda en cuadros de bronquitis, faringitis, resfríos.
- Tiene efecto diurético, beneficioso para personas que padecen gota, artritis y reuma.
- Puede ayudar a regular la menstruación.

LECHUGA

Busque este icono para obtener más información en otras páginas del libro.

- Es un gran antioxidante. Fortalece el sistema inmunológico, previene enfermedades cardiovasculares e incluso algunos tipos de cáncer.
- Es buena para la circulación y disminuye el riesgo de padecer arteriosclerosis.
- Recomendada para dietas adelgazantes. Tiene un suave efecto laxante. Facilita la digestión y tonifica el estómago.
- Recomendada en cuadros de hiperuricemia, gota, cálculos renales, hipertensión, retención de líquidos y oliguria.
- Calma los nervios y evita el insomnio.
- Se utiliza para tratar ataques de asma y espasmos bronquiales.
- Colabora en casos de anemia y se recomienda a las embarazadas, ya que previene malformaciones en el tubo neural del feto.

LENTEJA

Busque este icono para obtener más información en otras páginas del libro.

- Regula el nivel del colesterol malo y por ende, es aliada a la hora de prevenir enfermedades cardiovasculares.
- Estimula el movimiento intestinal y evita el estreñimiento. Se recomienda en dietas adelgazantes.
- Se recomienda en casos de anemia.
- Recomendada para los diabéticos.

LIMA

Busque este icono para obtener más información en otras páginas del libro.

- Es muy refrescante.
- Ejerce acción astringente, efectiva en cuadros de diarrea.
- Previene enfermedades infecciosas y fortalece el sistema inmunológico.
- Ejerce efecto antioxidante, previene enfermedades cardiovasculares, degenerativas y algunos tipos de cáncer.
- Recomendada en caso de anemia ferropénica.
- Ayuda a eliminar el ácido úrico y es beneficiosa para las personas que presentan cálculos renales, hiperuricemia o gota.

LIMÓN

Busque este icono para obtener más información en otras páginas del libro.

- Combate el dolor de garganta, catarros, resfríos y bronquitis. Fortalece las defensas.
- Es antioxidante, por lo que previene algunos tipos de cáncer.
- Recomendado en caso de reuma, artritis o gota.
- Ayuda a eliminar las grasas y puede neutralizar la acidez estomacal.
- Ayuda a eliminar el colesterol y la glucosa de la sangre y previene afecciones cardiovasculares.
- Tiene propiedades antiinflamatorias.
- Recomendado para infecciones urinarias.
- Estimula el apetito.
- Es cicatrizante y astringente.

MAÍZ

Busque este icono para obtener más información en otras páginas del libro.

- Recomendado para celíacos y personas con problemas de absorción intestinal.
- Estimula el movimiento intestinal y previene el estreñimiento. Otorga sensación de saciedad y regula el nivel de colesterol.
- Recomendado para el hipertiroidismo.
- Interviene en la absorción de glucosa por parte del cerebro.
- La infusión de cabellos de maíz actúa como diurético y es recomendada para eliminar toxinas del riñón, de la vejiga y de la sangre en general.
- Beneficia la absorción de proteínas y mejora el cabello y la piel.
- Recomendado para embarazadas durante los primeros meses de gestación, ya que previene malformaciones en el tubo neural del feto.

MAMÓN

Busque este icono para obtener más información en otras páginas del libro.

- El té elaborado a partir de su cáscara disminuye el dolor de cabeza.
- Es muy refrescante.
- Estimula la eliminación de toxinas del organismo. Positivo en caso de hipertensión arterial, hiperuricemia, gota, litiasis renal y oliguria.
- Actúa como antioxidante. Previene el desarrollo de enfermedades crónicas y degenerativas, y de algunos tipos de cáncer.
- Interviene en la formación de colágeno, huesos y dientes. También favorece la absorción de hierro, ideal en casos de anemia ferropénica. Y refuerza el sistema inmunológico.
- Estimula el movimiento intestinal, mejora el estreñimiento y regula los niveles de colesterol y glucosa en sangre

MANDARINA

• Tiene acción antiinfecciosa.
  Interviene en la formación de anticuerpos y refuerza las defensas.
• Recomendada para la anemia ferropénica.
• Es refrescante e ideal para deportistas que han realizado un esfuerzo físico importante.
• Es un buen diurético. Ayuda a eliminar toxinas, tanto de la sangre como de los riñones y la vesícula. Recomendada para hipertensión arterial, gota, hiperuricemia o afecciones de los vasos sanguíneos.
• Estimula el movimiento intestinal y mejora el estreñimiento. Además, regula el nivel de colesterol. Previene enfermedades cardiovasculares y algunos tipos de cáncer.
• Recomendado para embarazadas, ya que previene el desarrollo de malformaciones en el tubo neural del feto.

MANGO

• Es refrescante.
  • Ejerce acción antioxidante, y ayuda a prevenir enfermedades cardiovasculares, las degenerativas y algunos tipos de cáncer.
• Recomendada para la anemia ferropénica.
• Es un laxante natural. Mejora el estreñimiento y regula los niveles de colesterol y glucemia en sangre.
• Beneficioso para aquellas personas que pierden potasio.

MANZANA

• Ayuda en el tratamiento de la diarrea y del estreñimiento.
• Es astringente y antinflamatoria.
• Elimina el plomo y el mercurio.
• Se recomienda para personas con artritis, gota y reumatismo.
• Beneficia la actividad muscular e interviene en la generación y transmisión del impulso nervioso.
• Es antioxidante y expectorante.
• Recomendada en dietas adelgazantes.
• Facilita la digestión del calcio y el magnesio, por lo cual ayuda a prevenir las osteopatías.
• Ayuda a bajar el nivel de colesterol malo.

MARACUYÁ

• Es muy refrescante.
  • Tiene acción antioxidante, contribuye a reducir el riesgo de enfermedades cardiovasculares, degenerativas y algunos tipos de cáncer.
• Recomendado para anemia ferropénica.
• Mejora el estreñimiento. Además, regula el nivel de colesterol y glucosa en sangre, necesario en casos de diabetes.

MELOCOTÓN

• Estimula el movimiento intestinal y evita el estreñimiento. Regula el nivel de colesterol y glucosa y previene la enfermedad cardiovascular, además de algunos tipos de cáncer.
• Aumenta la resistencia de venas y arterias.
• Beneficia la vista, la piel, las encías y los dientes.
• Tiene efecto antioxidante y protege del envejecimiento, disminuye el riesgo de desarrollo de enfermedades crónicas y degenerativas.
• Sus hojas ejercen acción antimicrobiana.
• Tiene efecto diurético.
• Protege el estómago.

MELÓN

• Tiene efecto antioxidante. Previene el desarrollo de ciertos tipos de cáncer y de enfermedades crónicas y degenerativas.
• Evita la formación de coágulos en la sangre y ayuda a aquellas personas con riesgo de sufrir trastornos cardíacos.
• Se recomienda en casos de anemia y a las embarazadas, ya que disminuye el riesgo de malformaciones en el tubo neural del feto.
• Sus semillas se utilizan para las curas de parásitos o lombrices intestinales.
• Protege los ojos, la piel, los dientes.
• Se recomienda en dietas adelgazantes.
• Estimula los riñones y por ende la eliminación de toxinas, por lo que beneficia la función renal.
• Es muy refrescante.

MEMBRILLO

Busque este icono para obtener más información en otras páginas del libro.

Sus propiedades benéficas suelen verse inhibidas porque, en la mayoría de los casos, se consume cocido.
- Ayuda a eliminar ácido úrico y es desinfectante.

- Interviene en la generación y la transmisión del impulso nervioso y en la actividad muscular.
- Ejerce acción astringente.

MORA

Busque este icono para obtener más información en otras páginas del libro.

- Tiene efecto antioxidante, protege del desarrollo de enfermedades degenerativas, cardiovasculares y algunos tipos de cáncer.
- Favorece la absorción de hierro de los alimentos.

- Previene el estreñimiento. También regula el nivel de colesterol malo y glucosa en la sangre.
- Fortalece el sistema inmunológico.

NABO

Busque este icono para obtener más información en otras páginas del libro.

- Estimula el tránsito intestinal. Evita el estreñimiento y ayuda a regular el colesterol y la glucemia. Previene enfermedades cardiovasculares y el cáncer de colon.
- Protege de ciertos tipos de cáncer (pulmón, próstata, mama, útero, tracto intestinal).

- Actúa como antioxidante. Fortalece las defensas, favorece la absorción de hierro e interviene en el desarrollo de huesos y dientes.
- Ayuda a formar glóbulos blancos y rojos.

NARANJA

Busque este icono para obtener más información en otras páginas del libro.

- Regula el nivel de colesterol y glucosa, y previene las enfermedades cardiovasculares.
- Estimula la producción de colágeno, que interviene en el crecimiento de las células, los tejidos, las encías, los vasos sanguíneos y los huesos. Mejora la cicatrización y fortalece las defensas.
- Posee acción antioxidante, neutraliza sustan-

cias cancerígenas y evita el desarrollo de enfermedades crónicas como cataratas o trastornos neurodegenerativos.
- Protege los ojos.
- Facilita la eliminación del ácido úrico.
- Tiene efecto antiinflamatorio, analgésico, antihipertensivo y diurético.

NÍSPERO

Busque este icono para obtener más información en otras páginas del libro.

- Regula el nivel de colesterol y glucemia, es benéfico en caso de diabetes e hipertensión.
- Es astringente y protege las mucosas del estómago.
- Es antioxidante, protege del envejecimien-

to y disminuye el riesgo de enfermedades degenerativas, cardiovasculares y ciertos tipos de cáncer.
- Es diurético. Se recomienda en caso de gota, hiperuricemia y cálculos.

NUEZ

Busque este icono para obtener más información en otras páginas del libro.

- Ideal para reponer energías.
- Recomendada en el tratamiento de afecciones cardiovasculares.
- Estimula el movimiento intestinal, y previene el cáncer de colon. Regula el nivel de colesterol y glucosa en sangre.
- Es beneficiosa para las pieles secas.

- Ayuda al funcionamiento del cerebro y la producción de glóbulos rojos.
- Es antioxidante, protege de enfermedades crónicas, cardiovasculares y algunos tipos de cáncer.
- Previene la formación de coágulos y mejora la circulación y los vasos sanguíneos.

OLIVA

Busque este icono para obtener más información en otras páginas del libro.

- Es antioxidante. Protege la vista y el corazón. Protege de diversas enfermedades crónicas y degenerativas.
- Mejora el estreñimiento. Regula el nivel de colesterol en sangre.

- Protege del desarrollo de ciertos tipos de cáncer.
- Estimula la digestión y abre el apetito.
- Estimula el vaciamiento de la vesícula biliar.

PAPAYA

Busque este icono para obtener más información en otras páginas del libro.

PAPAYA

- Es refrescante.
- Posee un efecto diurético.
- Interviene en la formación de colágeno, huesos y dientes. Recomendada para anemia ferropénica.
Refuerza el sistema inmunológico.
- Mejora la vista, la piel, el cabello, las mucosas y los huesos.

- Es antioxidante. Previene enfermedades crónicas y degenerativas, y algunos tipos de cáncer.
- Estimula el movimiento intestinal, mejora el estreñimiento y regula el nivel de colesterol y glucosa en sangre
- En forma externa, la pulpa alivia quemaduras.

Busque este icono para obtener más información en otras páginas del libro.

PATATA

- Contiene almidón, emoliente para la piel.
- El jugo tiene propiedades antiácidas. También reduce los problemas hepáticos.
- En forma externa, el jugo actúa como cicatrizante y calmante del dolor causado por golpes, heridas y quemaduras.

- Ayuda en caso de cansancio visual.
- Es diurética y vasodilatadora. Ayuda a controlar la presión arterial alta.
- Recomendada para reuma, cistitis, prostasis y litiasis renal.
- Actúa como sedante, disminuye los calambres, espasmos y mejora el sueño.

Busque este icono para obtener más información en otras páginas del libro.

PEPINO

- En forma externa, se utiliza para disminuir la hinchazón ocular. También para tratar quemaduras y dermatitis. Mejora el aspecto de la piel.
- Su emulsión alivia las hemorroides.
- Es refrescante y de fácil digestión, apropiado para cuadros de acidez.
- Estimula la circulación sanguínea y purifica los intestinos.
- Tiene acción diurética, efectiva en caso de gota, hiperuricemia, cálculos renales,

retención de líquidos y oliguria.
- Su jugo es bueno para mejorar las inflamaciones del aparato digestivo y de la vejiga. Ayuda a curar enfermedades de la garganta.
- Protege de ciertos tipos de cáncer y refuerza el sistema inmunológico.
- Es antiinflamatorio e hipoglucemiante, y es beneficioso en casos de artritis reumatoide, diabetes e hiperplasia benigna de próstata.

Busque este icono para obtener más información en otras páginas del libro.

PERA

- Posee un suave efecto laxante.
- Es beneficiosa en caso de enfermedades vasculares degenerativas. Impide el desarrollo de ciertos tumores.
- Posee ácidos que previenen enfermedades como la fibromialgia.

- Es antioxidante, y reduce el riesgo de enfermedad coronaria y cierto tipos de cáncer.
- Es astringente y beneficiosa en cuadros de diarrea.

Busque este icono para obtener más información en otras páginas del libro.

PEREJIL

- Posee efecto diurético. Beneficioso en casos de hipertensión, gota, hiperuricemia y oliguria.
- Estimula la menstruación.
- Es vasodilatador y tonificante.

- En forma externa, sus hojas frescas alivian la inflamación de la picadura de insectos.
- Es antioxidante y previene el desarrollo de enfermedades crónicas y degenerativas.

Busque este icono para obtener más información en otras páginas del libro.

PIMIENTO DE CAYENA

- Aporta capsaicina, sustancia que ayuda a tolerar el dolor.
√• En forma interna, mejora la digestión y podría ser un protector ante las úlceras.
- Externamente se puede utilizar para disminuir dolores ocasionados por herpes, dolor de

espalda y cefalea, fibromialgia, también en tratamientos de psoriasis y otras patologías cutáneas.
- En gárgaras con agua templada, mejora el dolor de garganta.

PIMIENTO

Busque este icono para obtener más información en otras páginas del libro.

- Es antioxidante. Previene el envejecimiento y el desarrollo de enfermedades crónicas y degenerativas, entre ellas, ciertos tipos de cáncer.
- Mejora la dispepsia funcional. Y reduce la inflamación y el dolor.
- Recomendado en dietas adelgazantes.
- Es diurético. Ideal en caso de hipertensión, hiperuricemia, gota, cálculos renales y oliguria.
- Estimula el movimiento intestinal, mejora el estreñimiento, controla el nivel de colesterol y glucemia en sangre y reduce el riesgo de enfermedades en el tracto gastrointestinal.
- Recomendado para las embarazadas durante los primeros meses de gestación.

PIÑA

Busque este icono para obtener más información en otras páginas del libro.

- Recomendada en dispepsia o dificultades digestivas. Disminuye las flatulencias y tiene efecto laxante.
- Favorece las secreciones del estómago y estimula la actividad del intestino.
- Antifebril, posee cualidades antisépticas. Combate faringitis, laringitis y amigdalitis.
- Es desestresante.
- Es diurética y ayuda a eliminar toxinas. Recomendada en tratamientos contra la celulitis.
- Es antiinflamatoria. Reduce el dolor de procesos inflamatorios, como la artritis o el síndrome premenstrual.
- Es antioxidante y previene ciertos tipos de cáncer.

PIÑÓN

Busque este icono para obtener más información en otras páginas del libro.

- Recomendado en caso de anemia o cansancio físico.
- Previene la arteriosclerosis.
- Recomendado en osteoporosis o descalcificación.
- Indicado en caso de enfermedades cardiovasculares.
- Recomendado para las embarazadas, ya que previene malformaciones en el tubo neural del feto.

PISTACHO

Busque este icono para obtener más información en otras páginas del libro.

- Recomendado en afecciones cardiovasculares. Incrementa el colesterol bueno.
- Estimula el tránsito intestinal y protege del cáncer de colon. Regula el nivel de colesterol y glucemia en sangre.
- Produce sensación de saciedad.
- Recomendado para las embarazadas durante los primeros meses de embarazo, ya que ayuda a prevenir malformaciones en el tubo neural del feto.

PLÁTANO

Busque este icono para obtener más información en otras páginas del libro.

- Estimula el movimiento intestinal, previene el estreñimiento, regula el nivel de colesterol y glucosa en sangre y ayuda a prevenir diversas enfermedades, entre ellas las cardiovasculares y el cáncer de colon.
- Ayuda a reducir el riesgo de padecer enfermedades cardiovasculares, diabetes, osteoporosis y cáncer.
- Recomendado para hipertensión o afecciones en los vasos sanguíneos.
- Disminuye los calambres, por lo que es recomendado para los deportistas.
- Mejora las úlceras.
- Estimula el crecimiento de bacterias beneficiosas como los lactobacilos.

POMELO

Busque este icono para obtener más información en otras páginas del libro.

- Es muy refrescante.
- Es un buen antioxidante y positivo para la piel y la visión. Previene la enfermedad cardiovascular y el cáncer.
- Recomendado en dietas adelgazantes. Favorece la eliminación de toxinas y estimula las funciones renales, digestivas y hepáticas.
- Reduce la inflamación de la próstata y se utiliza para eliminar parásitos intestinales.
- De acción antihemorrágica, se recomienda para personas con problemas circulatorios y várices.
- Es beneficioso para tratar afecciones pulmonares y respiratorias.
- Sus ácidos ayudan a disminuir los dolores reumáticos y artríticos.

PUERRO

Busque este icono para obtener más información en otras páginas del libro.

• Proporciona sensación de saciedad. Estimula el tránsito intestinal y mejora el estreñimiento.
• Reduce el riesgo de desarrollar enfermedades cardiovasculares, diabetes, osteoporosis o cáncer.
• Disminuye el riesgo de desarrollo de aterosclerosis y patologías cerebrovasculares.
• Actúa como antioxidante. Reduce el riesgo de desarrollar enfermedades crónicas y degenerativas.
• Recomendado para las embarazadas, especialmente durante los primeros meses.
• Actúa como diurético. Positivo en casos de hipertensión, hiperuricemia, gota, cálculos renales, retención de líquido y oliguria.
• Estimula el apetito y facilita la digestión.
• Su aceite esencial es expectorante.

RÁBANO

Busque este icono para obtener más información en otras páginas del libro.

• Recomendado en dietas adelgazantes.
• Facilita la digestión y abre el apetito.
• Estimula las funciones hepáticas.
• Previene el desarrollo del cáncer de mama, próstata y endometrio.
• Fortalece el sistema inmunológico.
• Tiene acción antioxidante. Previene el envejecimiento y protege del desarrollo de enfermedades crónicas y degenerativas.
• Estimula la eliminación de líquidos y beneficia en casos de hipertensión, hiperuricemia y gota, cálculos renales y oliguria.
• Recomendado para embarazadas porque previene malformaciones, durante las primeras semanas de gestación.
• Ayuda al buen funcionamiento de la glándula tiroides.
• Tiene acción antibacteriana y expectorante, recomendadas en caso de tos, bronquitis y afecciones de las vías respiratorias en general.

REMOLACHA

Busque este icono para obtener más información en otras páginas del libro.

• Colabora en la formación de anticuerpos.
• Es buena para las embarazadas, porque previene malformaciones en el tubo neural.
• Ayuda a producir glóbulos rojos y a mantener el tejido de las mucosas.
• Estimula la actividad intestinal y previene el estreñimiento. Positiva en caso de hemorroides. Regula el colesterol y la glucosa.
• De acción diurética, beneficia en caso de hipertensión, hiperuricemia, gota, cálculos renales, retención de líquidos y oliguria.
• Ayuda en el funcionamiento de la glándula tiroides.
• Beneficia la generación y transmisión del impulso nervioso y la actividad muscular.
• Recomendada en anemia y convalecencia.
• Estimula la función hepática y reduce las infecciones del aparato urinario.
• Tiene acción antioxidante.

SALVIA

Busque este icono para obtener más información en otras páginas del libro.

• Aumenta la secreción de bilis.
• Relaja y previene los espasmos en los músculos del aparato digestivo.
• Es antiséptica y ayuda a tratar afecciones de la boca y la garganta.
• En forma externa, actúa como cicatrizante.
• Recomendado para personas diabéticas.
• Ayuda a tratar trastornos en la menstruación y alivia los sofocos de la menopausia.
• Disminuye la formación de sudor.

SANDÍA

Busque este icono para obtener más información en otras páginas del libro.

• Es refrescante y calma la sed.
• Por sus propiedades depurativas, se recomienda para combatir cálculos renales, hiperuricemia e hipertensión.
• Estimula el movimiento intestinal, evita el estreñimiento y regula el nivel de colesterol malo o LDL y glucemia en sangre. Produce sensación de saciedad.
• Tiene propiedades antiestrés y fortalece las defensas.
• Tiene acción antioxidante y ayuda a prevenir ciertos tipos de cáncer.

SETA

Busque este icono para obtener más información en otras páginas del libro.

• Aporta yodo, necesario para las personas que padecen de bocio.
• Recomendada en dietas adelgazantes.
• Contiene fósforo, mineral que interviene en la formación de huesos y dientes.
• El ergosterol facilita la absorción del calcio.

SOJA

Busque este icono para obtener más información en otras páginas del libro.

- Controla los síntomas del climaterio.
- Reduce el riesgo de padecer afecciones cardiovasculares.
- Beneficia la masa ósea, el sistema circulatorio y nervioso.

- Evita el estreñimiento, y regula el nivel de glucemia y colesterol en sangre.
- Recomendada para los que deben seguir una dieta sin gluten.

TOMATE

Busque este icono para obtener más información en otras páginas del libro.
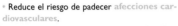

- Recomendado en dietas adelgazantes.
- Ayuda a prevenir enfermedades cardiovasculares y crónicas, y algunos tipos de cáncer.
- Depura la sangre y fortalece al organismo. Disminuye la neurastenia.
- El jugo que rodea a las semillas tiene cualida-

des anticoagulantes, positiva en cuadros de aterosclerosis.
- Podría ayudar a disminuir las cataratas.
- Es un buen digestivo. Con piel posee un efecto laxante.

UVA

Busque este icono para obtener más información en otras páginas del libro.

- Posee efecto antioxidante. Previene el envejecimiento y el desarrollo de enfermedades crónicas o degenerativas, y ciertos tipos de cáncer.
- Protege los músculos y el corazón.
- Ejerce una función astringente, positiva en cuadros de diarrea.

- Tiene efecto laxante.
- Recomendada para las embarazadas durante los primeros meses de gestación.
- Es un gran diurético. Se recomienda en hiperuricemia, gota, litiasis renal, hipertensión arterial y oliguria.
- Depura la sangre y desintoxica.

UVA PASA

Busque este icono para obtener más información en otras páginas del libro.

- Recomendada para deportistas o personas que realizan gran esfuerzo físico.
- Disminuye la absorción de grasa y colesterol.

- Importante en caso de anemia ferropénica.
- Beneficiosa para quienes toman diuréticos.

YUCA

Busque este icono para obtener más información en otras páginas del libro.

- Recomendada para deportistas y personas que realizan un gran desgaste físico.
- Recomendada para celíacos y alérgicos al gluten.
- En forma externa, las hojas se utilizan para

curar quemaduras y eccemas en la piel.
- Recomendada en caso de dificultades digestivas.

ZANAHORIA

Busque este icono para obtener más información en otras páginas del libro.

- Beneficiosa para la visión, la piel, los tejidos y las defensas.
- Es antioxidante. Protege del envejecimiento y previene el desarrollo de enfermedades crónicas y degenerativas, entre ellas, las cardiovasculares y ciertos tipos de cáncer.
- Es astringente, de ayuda en casos de dia-

rrea. Ayuda a eliminar parásitos.
- Estimula la función intestinal y mejora el estreñimiento.
- Recomendada para personas que siguen dietas bajas en grasas o que presentan tendencia a desarrollar afecciones respiratorias.

ZAPALLITO ITALIANO

Busque este icono para obtener más información en otras páginas del libro.

- Recomendado en dietas adelgazantes.
- Produce sensación de saciedad y estimula el movimiento intestinal. Mejora el estreñimiento, regula los niveles de colesterol y glucosa en sangre.
- Es diurético y ayuda a eliminar toxinas del

organismo. Está recomendado en cuadros de hipertensión, cálculos renales, hiperuricemia, gota y oliguria.
- Suaviza y desinflama las mucosas del aparato digestivo.

FORMAS DE CONSUMO

El laurel es un condimento que se debe usar con moderación.

● En general, combina muy bien con guisos, salsas con tomate y como base de cocción de carnes y pescados.

CONSEJOS PARA LA COMPRA

Busque aquellas hojas que estén bien secas para evitar que se forme moho cuando las guarde.

CONSERVACIÓN

Guárdelas en un lugar fresco, seco y oscuro, en un recipiente con cierre hermético.

SABÍA QUE... ?

Ya desde la antigüedad, las hojas del laurel estuvieron asociadas al éxito. Emperadores, deportistas, guerreros e incluso el mismo Jesucristo fueron coronados con laureles. Hasta el día de hoy, simbolizan el emblema de la fortaleza de la victoria y la gloria.

LECHUGA

EL DICCIONARIO DICE

HORTALIZA HERBÁCEA COMPUESTA DE TALLO RAMOSO, FLORES AMARILLENTAS, FRUTO SECO, CON UNA SOLA SEMILLA Y HOJAS GRANDES, RADICALES, BLANDAS, DE DISTINTAS FORMAS. SE CULTIVA EN LAS HUERTAS Y HAY MUCHAS VARIEDADES.

PRECAUCIONES

Algunas variedades silvestres contienen alcaloides tóxicos. Es mejor no correr riesgos y elegir aquellas que son aptas para el consumo.

DESCRIPCIÓN GENERAL

Su nombre científico es *Lactuca sativa L* y pertenece a la familia de las *Compuestas*. Existen distintas variedades, que básicamente se diferencian entre sí por el tamaño y el color de la hojas, que puede ir desde el verde blanquecino hasta el roji violáceo. Las hojas poseen un tallo corto y una gran nervadura, pueden ser más bien ovaladas o redondeadas, abiertas compactas. Entre las más conocidas, podemos mencionar l latina o criolla, que forma cabezas flojas; la de cabeza o capu china, de cuerpo compacto, con hojas quebradizas y aprieta das; la de hoja o francesa, una roseta de hojas; la morada; y l mantecosa, con hojas de textura suave, de aspecto aceitos que forman una cabeza floja.

BENEFICIOS PARA LA SALUD *

- Su aporte de selenio la convierte en un gran antio xidante. Fortalece el sistema inmunológico, previe ne enfermedades cardiovasculares e incluso algu nos tipos de cáncer.
- Es buena para la circulación y, en consecuencia, dis minuye el riesgo de padecer arteriosclerosis.
- Rica en fibra, produce sensación de saciedad, por l que se recomienda para las dietas adelgazante Además, tiene un suave efecto laxante. Facilita l digestión y tonifica el estómago.
- Ayuda a eliminar el exceso de líquido del organis mo. Recomendada en cuadros de hiperuricemia gota, cálculos renales, hipertensión, retención d líquidos y oliguria.
- Por su efecto tranquilizante, calma los nervios y ev ta el insomnio. Esto se debe a su contenido de la tucina.
- Cocida, se utiliza para tratar los ataques de asm y los espasmos bronquiales.
- Contiene ácido fólico, necesario en casos de ane mia y especialmente recomendado para las muje

res embarazadas, ya que colabora en la prevención de malformaciones en el feto.

Véase en el Capítulo 1 información de interés sobre las dolencias relacionadas.

FORMAS DE CONSUMO

● Generalmente se consume cruda, en ensaladas, lo que es beneficioso porque se conservan todos sus nutrientes. Por eso es importante realizar un cuidadoso lavado antes de comerla.

● Conviene condimentarla a último momento, porque las hojas tienden a oxidarse.

 También se utiliza para realizar cremas o purés, que combinan muy bien con carne asada.

● Hay quienes preparan tortillas, croquetas o torrijas con lechuga.

CONSEJOS PARA LA COMPRA

Cuide que las hojas mantengan su color intenso. Evite las que presentan manchas o bien, las que tienen las puntas quemadas; y las de forma irregular o con protuberancias.

CONSERVACIÓN

Retire las hojas en mal estado y guárdelas en el refrigerador sin lavar. Se mantienen hasta una semana en buen estado. No se pueden congelar.

SABÍA QUE...

Para los egipcios, la lechuga simbolizaba a Min, dios de la fecundidad y protector de las cosechas. Se lo conmemoraba en una procesión anual.

LENTEJA

EL DICCIONARIO DICE

PLANTA PAPILONÁCEA HER-
BÁCEA ANUAL DE TALLOS
RAMOSOS, HOJAS LANCEO-
LADAS, FLORES BLANCAS CON VE-
NAS MORADAS Y FRUTO EN VAINA
PEQUEÑA, CON DOS SEMILLAS PE-
QUEÑAS Y CHATAS EN FORMA DE
DISCO.

PRECAUCIONES

Hay especialistas que no recomiendan su consumo excesivo a las personas que presentan ácido úrico.

DESCRIPCIÓN GENERAL

Su nombre científico es *Lens culinaris med* y pertenece a la familia de las *Papilonáceas*. Se dice que fue uno de los primeros cultivos controlados por el hombre. Pequeñas, redondas y achatadas, pueden ser pardas o rojizas, dependiendo de la región en la que hayan sido cultivadas.

BENEFICIOS PARA LA SALUD *

■ Por su aporte de fibra y fitatos, regula el nivel de LDL o colesterol malo en sangre y por ende, es una aliada a la hora de prevenir las enfermedades cardiovasculares.

■ Estimula el movimiento intestinal y, por ende, evita el estreñimiento. Produce sensación de saciedad por lo que es buena para las dietas de adelgazamiento.

■ Rica en hierro, se recomienda en casos de anemia.

■ Debido a la lenta absorción de sus hidratos de carbono, resulta un alimento recomendable para la dieta de los diabéticos.

*Véase en el Capítulo I información de interés sobre las dolencias relacionadas.

FORMAS DE CONSUMO

● No es necesario dejarla en remojo tantas horas como al resto de las legumbres. Aunque es bueno hidratarla para que sea más fácil de digerir.

● Cocida, se puede consumir tanto fría como caliente.

● En ensaladas, guisos, guarniciones y purés.

CONSEJOS PARA LA COMPRA

Debe mantener su apariencia fresca, estar libre de cualquier tipo de insecto y no presentar olor rancio.

CONSERVACIÓN

En un recipiente herméticamente cerrado, en un lugar fresco y oscuro se conserva durante meses.

SABÍA QUE...

Lentejas, si quieres las comes y si no las dejas... El refrán es un clásico de la cultura popular hispanoparlante. Si bien no se sabe exactamente cuándo empezaron a cultivarse, algunos hallazgos arqueológicos sostienen que ya en el año 6000 a.C. se consumían regularmente.

LIMA

EL DICCIONARIO DICE

FRUTO DEL LIMERO, DE FORMA ESFEROIDAL APLANADA, CORTEZA LISA Y AMARILLA Y PULPA DE SABOR ALGO DULCE, DIVIDIDA EN GAJOS.

PRECAUCIONES

No se recomienda ingerir esta fruta ante cuadros de trastornos intestinales o nerviosos.

DESCRIPCIÓN GENERAL

Su nombre científico es *Citrus aurantifolia* y pertenece a la familia de las *Rutáceas*. Sus frutos, llamados hespérides, se caracterizan porque su pulpa está formada por varias vesículas llenas de jugo, carnosas y de color verde, más bien traslúcido. Pequeña y de forma redondeada o levemente ovalada, su cáscara es amarilla o verde clara y lisa. En general no suele presentar pepitas.

BENEFICIOS PARA LA SALUD *

- Es muy refrescante.
- Contiene sustancias de acción astringente, efectivas en cuadros de diarrea.
- Gracias a su aporte de vitamina C y ácido cítrico previene enfermedades infecciosas y fortalece el sistema inmunológico.
- También ejerce un efecto antioxidante, que previene las enfermedades cardiovasculares, degenerativas y algunos tipos de cáncer.
- Facilita la absorción de hierro, por lo que es recomendada en casos de anemia ferropénica.
- El ácido cítrico alcaliniza la orina, por lo que ayuda a eliminar el ácido úrico y es beneficioso para las personas que presentan cálculos renales, hiperuricemia o gota.

*Véase en el Capítulo 1 información de interés sobre las dolencias relacionadas.

FORMAS DE CONSUMO

- En general se utiliza como jugo o como aderezo para otros platos, ensaladas, postres y bebidas.
- Realza el sabor de frutas tropicales como el mango o la papaya.
- Combina muy bien con el jengibre. Y también se utiliza para preparar salsas saladas, condimentar pescados y otras carnes.
- La cáscara se puede consumir desecada o confitada.

CONSEJOS PARA LA COMPRA

Elija los ejemplares de más peso en relación con su tamaño. La cáscara debe estar lisa y brillante.
En este caso, no importa que tenga pequeñas manchas en su superficie.

CONSERVACIÓN

Son más delicadas que los limones: se secan con velocidad y se ponen amarillentas por efecto de la luz.
A temperatura natural, duran hasta una semana.

LIMÓN

EL DICCIONARIO DICE

FRUTO DEL LIMONERO, UN ÁRBOL ESPINOSO. DE FORMA OVOIDE, POSEE UNA CÁSCARA AROMÁTICA QUE FRECUENTEMENTE SE CRISTALIZA Y PULPA EN GAJOS DE SABOR ÁCIDO. SEGÚN LA VARIEDAD ES AMARILLO O VERDE.

PRECAUCIONES

Aquellas personas que padezcan trastornos estomacales o intestinales deberán ser cuidadosas a la hora de ingerir esta fruta. Tampoco deberían consumirlo en exceso las embarazadas, las mujeres durante el período de lactancia y los niños menores de 6 años.

TAMBIÉN SE LO CONOCE COMO...

Citrón.

DESCRIPCIÓN GENERAL

El limón es el fruto del limonero, árbol espinoso que pertenece a la familia de las *Rutaceae* o *rutáceas*, y cuya especie se denomina *Citrus Limon*. Se trata de una familia que, se cree, sería originaria de la India, y posee alrededor de 1600 especies. El limón es una baya de color amarillo claro o verdosa, según la variedad de la que estemos hablando, que posee una forma elíptica con un pezón saliente en la base. La pulpa es más pálida, y está dividida en unos diez gajos, que poseen semillas de color blanco amarillento. El jugo que se obtiene al exprimirlo es muy ácido.

BENEFICIOS PARA LA SALUD *

- Su elevado contenido de vitamina C lo convierte en un aliado para combatir dolor de garganta, catarros, resfríos y bronquitis. Fortalece las defensas del organismo. Esta vitamina participa en la producción del colágeno, que actúa en el desarrollo de células, tejidos, vasos sanguíneos y huesos.
- Es antioxidante, por lo que tiene la capacidad de neutralizar elementos cancerígenos. Aquí también intervienen los fitonutrientes (limonoides) y una sustancia denominada cumarina, que se encuentran en la corteza.
- Tiene el poder de eliminar el ácido úrico, por lo que aquellas personas que padecen reuma, artritis o gota deberían consumir su jugo regularmente.
- Es fuente de pectina, sustancia que ayuda a eliminar el colesterol y la glucosa de la sangre y por lo tanto, ayuda a prevenir afecciones cardiovasculares.
- Los flavonoides le confieren propiedades antiinflamatorias.

■ Se lo recomienda para tratar las infecciones urinarias, ya que tiene la capacidad de alcalinizar la orina.

■ Estimula el apetito.

■ Es cicatrizante y astringente. Externamente hay quienes lo utilizan para curar el acné.

■ Ayuda a eliminar las grasas y puede neutralizar la acidez estomacal.

*Véase en el Capítulo 1 información de interés sobre las dolencias relacionadas.

FORMAS DE CONSUMO

● Si bien se trata de una fruta, lo habitual es consumirlo como jugo o refresco.

● Unas gotas de limón realzan el sabor de jugos e infusiones, tanto frías como calientes.

● Se lo utiliza para aderezar ensaladas ya que facilita la absorción del hierro en las verduras de hoja verde. Además, es buen complemento de platos a base de pescado o pollo.

● Ideal para aromatizar y desodorizar ambientes.

● La ralladura de la cáscara se utiliza para dar sabor a tortas y postres.

● Se pueden elaborar pasteles, dulces, jaleas y mermeladas.

CONSEJOS PARA LA COMPRA

El limón está disponible durante todo el año, pero durante el otoño y el invierno es cuando alcanza su mayor calidad.

Busque aquellos que parezcan más pesados. La cáscara debe estar firme, brillante, con el color bien intenso. Evite las frutas que se encuentren golpeadas y abolladas. Y aquellas que estén blandas o muy secas o arrugadas.

CONSERVACIÓN

A temperatura ambiente: entre tres y siete días.
Refrigerados: entre quince y treinta días.

SABÍA QUE...

Exprimir un limón no siempre es sencillo. Existen exprimidores eléctricos pero, para aprovechar al máximo el jugo de cada fruta, lo mejor es presionarlos o rotarlos firmemente con la palma de la mano sobre una superficie dura (una mesa o una mesada de mármol). Otra opción es sumergirlos en agua hirviendo durante unos segundos (y luego páselos por agua fría para poder manipularlos).

MAÍZ

EL DICCIONARIO DICE

PLANTA DE TALLO GRUESO, DE UNO A TRES METROS DE ALTURA, SEGÚN LAS ESPECIES. POSEE HOJAS LARGAS, PLANAS Y PUNTIAGUDAS, FLORES MASCULINAS EN RACIMOS TERMINALES Y LAS FEMENINAS EN ESPIGAS AXILARES RESGUARDADAS POR UNA VAINA. PRODUCE MAZORCAS CON GRANOS GRUESOS Y AMARILLOS MUY NUTRITIVOS.

PRECAUCIONES

Por su elevado aporte de hidratos de carbono, las personas con diabetes deben moderar su consumo.

TAMBIÉN SE LO CONOCE COMO...

Abatí, altoverde, borona, canguil, capiá, caucha, choclo, e malajo, mijo o zara.

DESCRIPCIÓN GENERAL

Su nombre científico es *Zea mays* y pertenece a la famili las *Gramíneas*. Es originario del continente americano, y fu troducido en Europa después del descubrimiento de Am ca. Lo que se consume es la mazorca o inflorescencia fem na, un tallo corto y macizo cubierto por pequeños granos mestibles. Está recubierto por una vaina conformada por jas finas y verdes, con textura similar a la de una hoja seca, terminan en un pequeño penacho amarillo compuesto por denominados estilos o cabellos. Hay seis tipos de maíz: tado, duro, blando, harinoso, dulce, reventón y envainad dulce es uno de los más consumidos. El blando y el harin también se conocen como "maíz de las momias", porque las variedades que se encuentran en las sepulturas de los tecas e incas. El reventón presenta granos pequeños y du y se llama así porque cuando se transforma en vapor el que contiene, los granos explotan (es el que se utiliza para parar *pop corn* o palomitas de maíz). El envainado tiene particularidad: cada grano está encerrado en una pequeña carilla, además de las que cubren la mazorca. Al igual que e ventón, es una de las clases más antiguas de maíz cultivad

BENEFICIOS PARA LA SALUD *

- No contiene gluten, por lo que es muy recom dado en la dieta de los celíacos y de las perso con problemas de absorción intestinal.
- Por su gran riqueza en fibra soluble, estimula el n vimiento intestinal y previene el estreñimier Además, otorga sensación de saciedad. Y regula niveles de colesterol en sangre.
- Tiene la capacidad de ralentizar la actividad de glándula tiroides, por lo que se recomienda su gesta en casos de hipertiroidismo.

- Debido a su aporte de vitamina B1 interviene en la absorción de glucosa por parte del cerebro. Su carencia produce depresión, cansancio y estrés.
- La vitamina B7 colabora con la absorción de proteínas y mejora el cabello y la piel.
- Contiene ácido fólico, necesario para las mujeres embarazadas durante los primeros meses de gestación, ya que previene malformaciones en el tubo neural del feto.
- La infusión de estilos o cabellos de maíz actúa como diurético y es recomendado para eliminar toxinas del riñón, de la vejiga y de la sangre, en general.

*Véase en el Capítulo 1 información de interés sobre las dolencias relacionadas.

FORMAS DE CONSUMO

● Los granos se comen cocidos, tanto calientes como fríos. Se pueden hervir, asar, cocinar al horno y al vapor. Se incorporan en ensaladas, en guisos, en rellenos de pasteles o empanadas. Se utilizan para elaborar bebidas, jarabes y aceites. Y las clásicas palomitas de maíz.

CONSEJOS PARA LA COMPRA

Elija aquellos que no estén muy verdes. Cuanto más maduro está el grano, más sabroso resultará luego de cocinarlo. Se vende enlatado, en granos sueltos y congelado.

CONSERVACIÓN

En el refrigerador se conserva durante tres días. Para congelarlo, hay que blanquearlo o precocerlo previamente.

SABÍA QUE...

El maíz es rico en almidón, del que se obtiene un jarabe de almidón del maíz. El almidón calentado y pulverizado se convierte en dextrina, sustancia que se emplea para preparar pastas adherentes y mucílagos, como el de los sellos de correo y de las solapas de los sobres. De los granos germinados se extrae aceite de maíz, que se utiliza como alimento y también en la fabricación de barnices, pinturas, cauchos artificiales y jabones. El residuo se aprovecha como forraje.

MAMÓN

EL DICCIONARIO DICE

FRUTO PROVENIENTE DEL ÁRBOL HOMÓNIMO, QUE CRECE EN LA AMÉRICA IN-TERTROPICAL, DE COPA TUPIDA, CON HOJAS ALTERNAS, COMPUES-TAS, HOJUELAS PEQUEÑAS, LISAS Y CASI REDONDAS, FLORES EN RA-CIMO Y FRUTO EN DRUPA, CUYA PULPA ES ACÍDULA Y COMESTIBLE, ASÍ COMO TAMBIÉN LA ALMENDRA DE SU HUESO.

TAMBIÉN SE LO CONOCE COMO...

Mamoncillo o quenepa.

DESCRIPCIÓN GENERAL

Su nombre científico es *Melicocca bijuga* y pertenece a la familia de las *Sapindáceas*. Se trata de una drupa redonda y pequeña, que crece en racimos compuestos. Su cáscara, lisa y de color verde, rodea una pulpa amarilla y traslúcida, muy jugosa. En su interior alberga un carozo con forma de almendra, que es comestible.

BENEFICIOS PARA LA SALUD *

- El té elaborado a partir de su cáscara disminuye el dolor de cabeza.
- Es muy refrescante.
- Por su carga de potasio y agua, estimula la eliminación de líquidos y con ella, la eliminación de toxinas del organismo. Positivo en caso de hipertensión arterial, hiperuricemia, gota, litiasis renal y oliguria.
- Es fuente de vitamina C, que interviene en la formación de colágeno, huesos y dientes. También favorece la absorción de hierro de los alimentos, función necesaria en casos de anemia ferropénica. Y refuerza el sistema inmunológico.
- Combinada con los betacarotenos, actúa como antioxidante. Inhiben la acción nociva de los radicales libres y previene el desarrollo de enfermedades crónicas y degenerativas, y de algunos tipos de cáncer.

■ La fibra estimula el movimiento intestinal, mejora el estreñimiento y regula los niveles de colesterol y glucosa en sangre.

*Véase en el Capítulo 1 información de interés sobre las dolencias relacionadas.

FORMAS DE CONSUMO

● Fresco, solo o combinado con otras frutas.
● También se utiliza para elaborar jugos, mermeladas, confituras y otros postres.

CONSEJOS PARA LA COMPRA

Debe ceder levemente ante la presión de los dedos. Descarte aquellas que presentan golpes o magulladuras en la superficie.

CONSERVACIÓN

En el refrigerador se mantiene durante una semana.

MANDARINA

INFORMACIÓN NUTRICIONAL

VITAMINAS:
A • B1 • B2 • B6 • C
FOLATOS
MINERALES:
CALCIO • FÓSFORO • HIERRO
MAGNESIO • POTASIO • SELENIO
SODIO • ZINC

Véase en página 111 información de interés sobre las vitaminas y minerales recién mencionados.

EL DICCIONARIO DICE

FRUTA QUE SE DISTINGUE DE LA NARANJA POR SER PEQUEÑA, APLASTADA, DE CÁSCARA MUY FÁCIL DE SEPARAR Y POR TENER LA PULPA DIVIDIDA EN GAJOS.

PRECAUCIONES

Contiene ácido oxálico, por lo que las personas con tendencia a formar cálculos renales deben moderar su consumo.

TAMBIÉN SE LA CONOCE COMO...

China mandarina, naranja mandarina, mandarina clementina o tangerina.

DESCRIPCIÓN GENERAL

Su nombre científico es *Citrus reticulata* y es el fruto del mandarino, árbol que pertenece a la familia de las *Rutáceas*. Los frutos, llamados hespérides, tienen una pulpa muy particular: está conformada por miles de pequeñas vesículas llenas de jugo, que a su vez se agrupan en gajos con una pequeña pepita blanca y con forma de gota en su interior. Tanto la cáscara como la pulpa son de color anaranjado. Hay cuatro grandes variedades: Clementina, Clemenvillas, Híbridos y Satsumas.

BENEFICIOS PARA LA SALUD *

- Aunque en menor medida que otros cítricos, aporta una importante cantidad de vitamina C, de acción antiinfecciosa. Interviene en la formación de anticuerpos y refuerza las defensas del organismo.
- La vitamina C facilita la absorción del hierro y es muy recomendada en casos de anemia ferropénica.
- Es muy refrescante y aporta buena dosis de minerales y líquidos, ideal para los deportistas que han realizado un esfuerzo importante.
- Tiene ácido cítrico y potasio, además de abundante agua, por lo que resulta un buen diurético. Alcaliniza la orina y ayuda a eliminar toxinas, tanto de la sangre como de los riñones y la vesícula. Recomendado en cuadros de hipertensión arterial, go-

ta, hiperuricemia o afecciones de los vasos sanguí-neos.

- Por su contenido de fibra, estimula el movimiento intestinal y mejora el estreñimiento. Además, regu-la los niveles de colesterol en sangre. Previene en-fermedades cardiovasculares y algunos tipos de cáncer.

- El ácido fólico es necesario para aquellas mujeres que están transitando los primeros meses de em-barazo, ya que previene el desarrollo de malforma-ciones en el tubo neural del feto.

Véase en el Capítulo I información de interés sobre las dolencias relacionadas.

> **SABÍA QUE...**
>
> Una de las variedades más vendidas en el mundo es la Clementina. Su nombre es un homenaje a Pierre Clément, un sacerdote que tenía un hospicio en Argelia y en cuyo jardín se descubrió la fruta.

FORMAS DE CONSUMO

- En general se consume fresca o en jugo.
- También se usa para elaborar helados, mermeladas, licores y una infinidad de productos dulces.
- Y se utiliza en salsas que se sirven para acompañar carnes, aves y pescados.

CONSEJOS PARA LA COMPRA

Cuanto más pesada es con respecto a su tamaño, en mejor estado se encontrará la fruta. Las de mayor calidad son las que tienen la piel blanda pero no arrugada y bien adherida a los gajos.

CONSERVACIÓN

En la parte menos fría del refrigerador puede durar hasta dos semanas.

MANGO

EL DICCIONARIO DICE

ES EL FRUTO DEL ÁRBOL HO-MÓNIMO, QUE CRECE HASTA QUINCE METROS DE ALTURA, CON TRONCO RECTO DE CORTE-ZA NEGRA Y RUGOSA, COPA GRANDE Y ESPESA, HOJAS PERSIS-TENTES, DURAS Y LANCEOLADAS, FLORES PEQUEÑAS, AMARILLENTAS Y EN PANOJA, Y FRUTO OVAL, ARRIÑONADO, AMARILLO, DE CORTEZA DELGADA Y CO-RREOSA, AROMÁTICO Y DE SABOR AGRADABLE.

PRECAUCIONES

Aporta una gran cantidad de potasio, por lo que quienes tengan restringida la ingesta de dicho mineral deberían li-mitar el consumo.

TAMBIÉN SE LO CONOCE COMO...

Melocotón de los trópicos.

DESCRIPCIÓN GENERAL

Su nombre científico es *Mangifera indica* y pertenece a la fa-milia de las *Anacardiáceas*. Es una drupa muy carnosa, que con-tiene uno o varios embriones, aunque los que consumimos habitualmente poseen uno solo. De forma ovoide y aplanada, los ejemplares más grandes pueden llegar a pesar hasta 2 ki-logramos. La cáscara es gruesa, y su color va del verde o ama-rillo a la gama de los violáceos. La carne es amarilla o anaran-jada y alberga un hueso o carozo chato de aspecto leñoso. Existen unas 50 especies distintas de mango, y es un fruto de los denominados finos. Entre las variedades más conocidas se encuentran la Indias, Indochinas y Filipinas.

BENEFICIOS PARA LA SALUD *

- Es muy refrescante.
- Contiene una importante cantidad de antioxidan-tes, que inhiben el efecto nocivo de los radicales li-bres y ayudan a prevenir diferentes enfermedades, entre ellas las cardiovasculares, las degenerativas y algunos tipos de cáncer.
- La vitamina C facilita la absorción de hierro de los alimentos, por lo que su ingesta es necesaria para aquellas personas que padecen anemia ferropénica.
- La fibra lo convierte en un laxante natural. Mejora el estreñimiento y regula los niveles de colesterol y glucemia en sangre.
- Beneficioso para aquellas personas que pierden potasio.

*Véase en el Capítulo 1 información de interés sobre las dolencias relacionadas.

FORMAS DE CONSUMO

● Fresco o en jugo. El jugo de lima realza su sabor.
● Se puede utilizar en ensaladas de frutas o diferentes postres. También para elaborar helados, mermeladas y diversas bebidas.
● El mango verde se prepara como verdura en platos que contienen jamón, pescado o ave, además de incluirse en la preparación de chutneys y carnes picantes.

CONSEJOS PARA LA COMPRA

El mejor mango es aquel que es flexible al tacto pero que no tanto como para que su piel se resquebraje bajo la presión del dedo.
Es importante elegir los más aromáticos.
Si se compran excesivamente verdes, la fruta no madurará como se debe.

CONSERVACIÓN

Si está maduro, a temperatura ambiente se mantiene durante cinco días.
Si todavía está verde puede refrigerarlo, y se mantendrá durante unas tres semanas.

SABÍA QUE...

Hay varios métodos para verificar el punto de maduración del mango. Pero tal vez el más curioso sea el que se utiliza en varios países de Oriente: arrojan el mango al agua. Si se hunde, está listo para su consumo; si flota, en cambio, quiere decir que aún está verde.

MANZANA

INFORMACIÓN NUTRICIONAL

VITAMINAS:
PROVITAMINA A • B1 • B2 • B6
C • E

MINERALES:
AZUFRE • CALCIO • FÓSFORO
HIERRO • COBRE • MAGNESIO
MANGANESO • SODIO • POTASIO

Véase en página 111 información de interés sobre las vitaminas y minerales recién mencionados.

EL DICCIONARIO DICE

FRUTO DEL MANZANO, DE FORMA GLOBOSA Y ALGO HUNDIDA POR LOS EXTREMOS DEL EJE. DE PIEL FINA, CARNE BLANCA Y PULPOSA Y SEMILLAS PEQUEÑAS DE COLOR CAOBA, SU SABOR ES ÁCIDO O LIGERAMENTE AZUCARADO.

PRECAUCIONES

No consuma las semillas de la manzana. En exceso, pueden resultar tóxicas.

DESCRIPCIÓN GENERAL

La manzana es el fruto del manzano (*Pyrus malus L.*), árbol que pertenece a la familia de las *Rosáceas*. Existe una gran variedad de manzanas: verdes, rojas, amarillas, más jugosas, más azucaradas, con diferentes grados de acidez. Entre las más conocidas en la región, podemos mencionar la *Red Deliciosa* (de piel roja y brillante; firme y blanca por dentro, con cinco puntos reconocibles en la base), la *Granny Smith* (de piel verde muy intensa, pulpa blanca y un poco ácida, con cuatro puntas en la base), Roma (cáscara fina, redonda y con sabor ácido), *King David* (de piel roja oscura, forma redondeada y pulpa blanca y brillante), y *Golden Delicious* (de piel amarillenta y opaca, muy dulce).

BENEFICIOS PARA LA SALUD *

- Como el 85% de su composición es agua, se trata de una fruta muy refrescante.
- Sus azúcares son de rápida asimilación.
- Ayuda en el tratamiento de la diarrea y del estreñimiento. En este último caso, lo mejor es ingerirla cruda y con piel, pues estimula la actividad intestinal. Pero, al mismo tiempo, la pulpa posee una gran cantidad de pectina, un hidrato de carbono que no se absorbe en el intestino y que tiene la particularidad de retener el agua. La presencia de pectina la convierte en una aliada contra las bacterias causantes de diarrea y gastroenteritis.
- Astringente y antinflamatoria, especialmente cuando se oscurece la pulpa rallada.
- Facilita la digestión de alimentos ricos en grasas.
- Elimina del organismo elementos perjudiciales como el plomo y el mercurio.
- Su aroma es relajante y desestresante.
- Se recomienda para personas con artritis, gota y reumatismo.
- Aporta mucho potasio a la dieta, por lo que bene-

ficia la actividad muscular. También interviene en la generación y transmisión del impulso nervioso.

■ Es antioxidante y expectorante.

■ Contiene flavonoides y quercitina, por lo que es muy recomendada para las dietas adelgazantes.

■ Aporta mucho boro, un mineral poco conocido que facilita la digestión del calcio y el magnesio, por lo cual ayuda a prevenir las osteopatías.

■ El consumo regular ayuda a bajar los niveles de colesterol ya que la pectina absorbe las sales biliares en el intestino, una de las materias primas a partir de las cuales el organismo fabrica el colesterol.

*Véase en el Capítulo I información de interés sobre las dolencias relacionadas.

FORMAS DE CONSUMO

● Fresca: entera, cortada o rallada.
● En guarniciones frías o calientes.
● En ensaladas, combinada con frutas y verduras.
● En tortas, masas, postres, compota.
● Jugos, sidra de manzana, vinagre de manzana.
● Una vez cortada, hay que frotarla con limón para evitar que se oscurezca.

CONSEJOS PARA LA COMPRA

Elija aquellas que no tengan golpes, manchas, magulladuras, indicios de pudrición, o zonas más blandas. Para comprobar el punto de madurez de la fruta, presiónela. Si está firme, está a punto. La pulpa debe ser fresca y crocante, y no estar arenosa.

CONSERVACIÓN

En un lugar fresco, aireado y no demasiado seco.
Dependiendo de la variedad, puede llegar a durar entre una y dos semanas, aunque existen especies que se conservan durante meses en buen estado.

SABÍA QUE...

Históricamente se le ha atribuido un valor simbólico, incluso desde su aparición bíblica, cuando en el Antiguo Testamento se la menciona como el fruto prohibido debido al cual la humanidad fue expulsada del paraíso. En la mitología griega es considerada "la fruta de la discordia", por haber causado la enemistad entre Atenea y Hera (y, como consecuencia indirecta, la guerra de Troya). Isaac Newton descubrió la fuerza de la gravedad gracias a una manzana. Y no podemos dejar de mencionar aquella manzana que llevó al sueño a Blancanieves o la que se convirtió en el blanco elegido por Guillermo Tell para probar su puntería. De cualquier manera, parece ser una de las frutas más consumidas en todos los pueblos y en todos los tiempos, debido a sus evidentes bondades nutritivas.

MARACUYÁ

EL DICCIONARIO DICE

FRUTO EXÓTICO TÍPICO DEL BRASIL, DEL ÁRBOL DE LA PASIONARIA. CON TALLOS RAMOSOS Y TREPADORES, HOJAS PARTIDAS EN TRES, FLORES OLOROSAS VERDES POR FUERA Y AZULADAS POR DENTRO Y COROLA DE FILAMENTOS DE COLOR PÚRPURA Y BLANCO.

PRECAUCIONES

Aquellas personas que deben reducir la cantidad de potasio que ingieren deben limitar el consumo de esta fruta.

TAMBIÉN SE LO CONOCE COMO...

Granadilla, chinola, fruta de la pasión, parcha o pasionaria.

DESCRIPCIÓN GENERAL

Su nombre científico es *Passiflora edulis* y pertenece a la familia de las *Pasifloráceas*. Existen distintas variedades de la fruta de la pasión. A grandes rasgos podemos decir que se trata de una baya entre redondeada y ovoide. El grosor y el color de la cáscara son variables: está la amarilla, de sabor agridulce; la morada, más pequeña; y la granadilla, grande como la amarilla y de color naranja con pintas blancas. El interior está repleto de pepitas pardas recubiertas de una viscosidad amarilla o verdosa.

BENEFICIOS PARA LA SALUD *

- Es muy refrescante.
- Aporta una importante cantidad de sustancias antioxidantes, que contribuyen a reducir el riesgo de diferentes enfermedades, como las cardiovasculares, las degenerativas y algunos tipos de cáncer.
- Posee una importante cantidad de vitamina C, que facilita la absorción del hierro, por lo que está recomendada en casos de anemia ferropénica.
- Contiene una importante cantidad de fibra, que mejora el estreñimiento. Además, regula los niveles de colesterol y glucosa en sangre, necesario en casos de diabetes.

*Véase en el Capítulo 1 información de interés sobre las dolencias relacionadas.

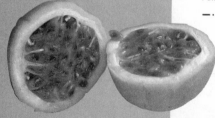

FORMAS DE CONSUMO

- Lo más común es en jugo, aunque se está empezando a incorporar en postres y otras preparaciones.
- Queda muy bien en las ensaladas de hojas verdes.
- Para eliminar las semillas, conviene filtrar previamente la pulpa.

CONSEJOS PARA LA COMPRA

A medida que la fruta se pone madura, comienza a arrugarse su piel.
Más allá de las arrugas, no debe presentar ningún tipo de corte ni alteración.

CONSERVACIÓN

A temperatura ambiente se mantiene en buenas condiciones durante dos o tres días.
Tanto el jugo como la pulpa se pueden congelar sin inconvenientes.

SABÍA QUE...

Sus flores tienen un efecto sedante, especialmente si se las infusiona. Se utiliza para combatir el insomnio, los dolores musculares e incluso las cefaleas.

MELOCOTÓN

EL DICCIONARIO DICE

FRUTO DEL MELOCOTONE-RO. ES UNA DRUPA ESFÉRICA, CON UN SURCO PROFUNDO QUE OCUPA MEDIA CIRCUNFE-RENCIA. EL EPICARPIO ES DELGA-DO, VELLOSO, Y SU TONO VA DEL AMARILLO AL ROJIZO. LA PULPA ES AMARILLENTA, MUY SUAVE Y AGRADABLE, Y EN EL INTERIOR PRESENTA UN HUESO PARDO, DU-RO Y RUGOSO, QUE ENCIERRA UNA ALMENDRA MUY AMARGA.

TAMBIÉN SE LO CONOCE COMO...

Durazno o pérsico.

DESCRIPCIÓN GENERAL

Su nombre científico es *Prunus persica L Stokes* y es el fruto del melocotonero, árbol que pertenece a la familia de las *Rosáceas*. Se trata de una drupa redondeada y carnosa, con un surco en la superficie que lo divide en dos. La piel es suave, aterciopelada, en tonos que van desde el amarillo a los anaranjados o rojizos. La pulpa es bien jugosa, compacta y de color anaranjado. Rodea a un gran hueso o carozo de superficie rugosa, que se desprende con facilidad.

BENEFICIOS PARA LA SALUD *

■ Aporta fibra soluble e insoluble. Estimula el movimiento intestinal y evita el estreñimiento. Regula los niveles de colesterol y glucosa en sangre y previene la enfermedad cardiovascular, además de algunos tipos de cáncer.

■ La cumarina aumenta la resistencia de venas y arterias.

■ Protege el estómago.

■ Los carotenos benefician la vista, la piel, las encías y los dientes.

■ Sus vitaminas producen un efecto antioxidante, que inhibe la acción de los radicales libres y protege el organismo del envejecimiento, previene ciertos tipos de cáncer y disminuye el riesgo de desarrollo de enfermedades crónicas y degenerativas.

■ Sus hojas poseen ácido mandélico, de acción antimicrobiana.

■ Su efecto diurético estimula la actividad renal.

*Véase en el Capítulo 1 información de interés sobre las dolencias relacionadas.

FORMAS DE CONSUMO

La mayor cantidad de nutrientes se encuentra en su cáscara, por lo que conviene lavarlo bien y consumirlo entero.

● Fresco se puede incluir en ensaladas de frutas y diferentes postres.

● Es muy difundido su consumo en almíbar y desecado.

● Con él se elaboran mermeladas, jaleas, dulces, conservas y licores.

● Se incorpora también en platos agridulces, ensaladas, entradas y como acompañamiento o salsa de carnes.

CONSEJOS PARA LA COMPRA

La pulpa es muy sensible, por lo que no debe presentar manchas ni golpes en su superficie.

Debe ceder levemente ante la presión de los dedos.

CONSERVACIÓN

Son muy perecederos. En el refrigerador no deben estar encimados y se mantienen entre tres y cinco días.

SABÍA QUE...

Hay culturas que consideran al melocotonero como un árbol protector y era signo de buena fortuna tenerlos en casa. Una alternativa para mantener a los malos espíritus alejados del hogar, es enterrar los carozos o huesos debajo de la tierra.

MELÓN

EL DICCIONARIO DICE

FRUTO GRANDE, REDONDO O ELIPSOIDAL, DE CORTEZA AMARILLA O VERDE, CON LA PULPA SUAVE, JUGOSA Y MUY ARO-MÁTICA, Y EL INTERIOR HUECO Y REPLETO DE PEQUEÑAS SEMILLAS CHATAS Y AMARILLAS.

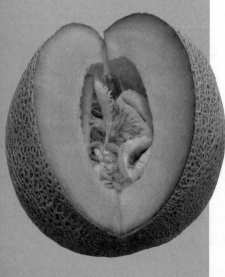

DESCRIPCIÓN GENERAL

Su nombre científico es *Cucumis melo L.* y pertenece a la familia de las *Cucurbitáceas*. Fruto de la melonera, una planta de tallo rastrero, presenta una figura redonda o similar a la de una elipse, su corteza es gruesa y lisa, de color amarillo o verde. La pulpa, bien jugosa, puede ser blanquecina, amarillenta, asalmonada o verdosa.

BENEFICIOS PARA LA SALUD *

- Aporta una importante cantidad de vitaminas de efecto antioxidante, que inhiben la acción de los radicales libres y previenen el desarrollo de ciertos tipos de cáncer y de enfermedades crónicas y degenerativas.
- La adenosina evita la formación de coágulos en la sangre y ayuda a aquellas personas con riesgo de sufrir trastornos cardíacos.
- El ácido fólico es recomendado para las personas que sufren de anemia y también para las mujeres que están atravesando los primeros meses de embarazo, ya que disminuye el riesgo de que se produzcan malformaciones en el tubo neural del feto.
- Sus semillas se utilizan para las curas de parásitos o lombrices intestinales.
- Los betacarotenos protegen los ojos, la piel y los dientes.
- Por su bajo valor calórico es recomendado en dietas adelgazantes.
- Su importante cantidad de agua estimula los riñones y por ende la eliminación de toxinas, por lo que beneficia la función renal.
- Es muy refrescante.

*Véase en el Capítulo 1 información de interés sobre las dolencias relacionadas.

FORMAS DE CONSUMO

● Fresco, solo o combinado con diferentes frutas de estación.

Se utiliza también para preparar mermeladas, dulces, licores y diferentes postres.

● En platos livianos o entradas, suele combinarse con jamón.

CONSEJOS PARA LA COMPRA

Busque aquellos ejemplares duros y sin marcas.

Cuando están maduros desprenden un olor dulzón muy característico en sus extremos

Si no tiene fragancia, no se encuentra a punto.

CONSERVACIÓN

Se deteriora con rapidez. Una vez abierto, guárdelo en el refrigerador recubierto por un film.

SABÍA QUE...

Otra manera de averiguar si se encuentra a punto es presionar suavemente la base con ambas manos. Si cede un poco, quiere decir que nuestro melón está listo. Evite aquellos ejemplares que producen ruido de líquido al agitarlos.

MEMBRILLO

EL DICCIONARIO DICE

ÁRBOL ROSÁCEO MUY RA-MOSO DE FLORES BLANCAS O ROSADAS, HOJAS PECICO-LADAS, ENTERAS, AOVADAS O CASI REDONDAS, CUYO FRUTO EN PO-MO ES AMARILLO, DE CARNE ÁSPE-RA Y CON VARIAS PEPITAS EN SU INTERIOR. ES COMESTIBLE, SE EM-PLEA PARA HACER JALEA Y DULCES.

PRECAUCIONES

Si bien es una fruta de bajo contenido calórico, siempre se consume en forma de dulce o jalea, por lo que lleva una cuota de azúcar que lo convierte en un ali-mento calórico.

DESCRIPCIÓN GENERAL

Su nombre científico es *Cydonia oblonga* y pertenece a la fami-lia de las *Rosáceas*. Su forma de pomo es similar a la de la pe-ra o redondeada. La piel es amarillo dorado y está recubierta por una pilosidad rugosa de tono brillante. Su pulpa tiene la misma textura, aunque de color más claro. Las variedades más tradicionales son la común, la esferoidal y la *De Fontenay*.

BENEFICIOS PARA LA SALUD *

- Posee pocas propiedades benéficas y suelen verse inhibidas porque, en la mayoría de los casos, el membrillo se consume cocido en jalea o dulce.
- Aporta abundante fibra y tanino, que lo convierten en astringente.
- El ácido málico ayuda a eliminar ácido úrico y es desinfectante.
- El potasio interviene en la generación y la transmi-sión del impulso nervioso y en la actividad muscular.

* Véase en el Capítulo 1 información de interés sobre las dolencias relacionadas.

FORMAS DE CONSUMO

- En dulces, jaleas, mermeladas, compotas y en almíbar.
- Al horno, cortado en trozos, como guarnición de aves o carne vacuna.

CONSEJOS PARA LA COMPRA

Elija aquellos ejemplares de piel amarilla y sin ningún tipo de golpe o magulladura.

CONSERVACIÓN

En el refrigerador se conservan en buen estado durante un par de semanas, siempre que estén envueltos en hojas de papel de periódico.

SABÍA QUE...

En la Antigua Grecia, los membrilleros eran consagrados a Afrodita, la diosa del amor. La tradición indicaba que aquellas parejas que contraían matrimonio, debían compartir un fruto antes de la boda.

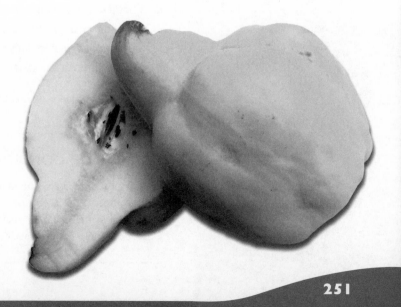

MORA

EL DICCIONARIO DICE

FRUTO DEL MORAL, DE FIGURA OVALADA, FORMADA POR GLOBULILLOS CARNOSOS, BLANDOS, AGRIDULCES Y DE COLOR MORADO.

TAMBIÉN SE LA CONOCE COMO...

Zarzamora o frambuesa negra.

DESCRIPCIÓN GENERAL

Su nombre científico es *Rubus Glaucus Beth* y pertenece a la familia de las *Rosáceas*. Este arbusto crece en forma silvestre en muchas regiones, especialmente las soleadas. Pequeño y levemente alargado, el fruto está compuesto por pequeñísimas drupas agrupadas que primero son de color verde, luego rojas y por último negras. Las tres variedades más conocidas son la Logan, la Young y la Boysen.

BENEFICIOS PARA LA SALUD *

■ Tanto los antocianos como los carotenoides poseen un efecto antioxidante. Neutralizan la acción nociva de los radicales libres y protegen al organismo del desarrollo de ciertas enfermedades degenerativas, cardiovasculares e incluso algunos tipos de cáncer.
■ La vitamina C favorece la absorción de hierro de los alimentos.
■ Fortalece el sistema inmunológico.
■ Por ser rica en fibra, previene el estreñimiento. También regula los niveles de colesterol malo o LDL y glucosa en sangre.

* Véase en el Capítulo 1 información de interés sobre las dolencias relacionadas.

FORMAS DE CONSUMO

● Al natural, combinada con otros frutos del bosque, con cremas, helados, yogur o zumos.
● También se utiliza para preparar helados, postres, confituras y diferentes dulces. Y mermeladas, jaleas, licores y confituras.

CONSEJOS PARA LA COMPRA

Elija aquellas de color brillante e intenso.
Las moras deben estar secas y firmes al tacto.
Descarte las que no están maduras, porque no van a madurar luego en su hogar.

CONSERVACIÓN

En el refrigerador se mantienen en buen estado hasta tres días.

SABÍA QUE...

En la Antigua Grecia las frutas negras o violáceas eran conocidas como "sangre de titanes".

NABO

EL DICCIONARIO DICE

PLANTA HERBÁCEA ANUAL DE LA FAMILIA DE LAS CRU-CÍFERAS, DE HOJAS GRANDES, RUGOSAS Y PARTIDAS EN TRES LÓ-BULOS; FLORES EN ESPIGA PEQUE-ÑAS Y AMARILLAS; FRUTO SECO EN VAINILLAS CILÍNDRICAS CON UNAS 15 SEMILLAS CADA UNO; Y RAÍZ CARNOSA, BLANCA O AMA-RILLENTA, COMESTIBLE.

PRECAUCIONES

Como todas las coles, aporta sustancias que pueden afectar el funcio-namiento de la glándula tiroi-des e impedir la absorción del yodo.

DESCRIPCIÓN GENERAL

Su nombre científico es *Brassica rapa L.* y pertenece a la fami-lia de las *Crucíferas*. Se trata de una raíz de tipo tuberoso y no de un tubérculo. Pueden ser esféricos, cilíndricos o cónicos. La cáscara, seca y rugosa, puede presentarse blanca o rojiza, la pulpa es blanca o amarillenta. Entre sus variedades más po-pulares, podemos mencionar al nabito de Teltow, el nabo de mayo, de otoño, Stanis, Bola de nieve y japonés o kabu.

BENEFICIOS PARA LA SALUD *

- Su aporte de fibra insoluble estimula y mejora el tránsito intestinal. Evita los cuadros de estreñi-miento y ayuda a regular el colesterol y la gluce-mia en sangre. Previene las enfermedades cardio-vasculares y el cáncer de colon.

- Fitonutrientes como los glucosinolatos, los isotio-cinatos e indoles, protegen al organismo de cier-tos tipos de cáncer, entre ellos, el de pulmón, de próstata, de mama, de útero, del tracto intestinal y del endometrio.

- La vitamina C actúa como antioxidante, inhibien-do la acción de los radicales libres. Fortalece las defensas, favorece la absorción del hierro e inter-viene en el desarrollo de los huesos y los dientes.

- Los folatos ayudan a formas glóbulos blancos y ro-jos.

*Véase en el Capítulo 1 información de interés sobre las dolencias relacionadas.

FORMAS DE CONSUMO

- En general se come cocido, incorporado en diversos guisos, arroces o con legumbres.
- Sus hojas, conocidas como grelas, se hierven y se consumen como espinaca o acelga.

CONSEJOS PARA LA COMPRA

Elija los más pequeños, compactos y pesados en relación con su tamaño.

Si los va a comprar en manojo, busque que mantengan una apariencia fresca y que sean de similar tamaño, para asegurar una cocción pareja.

CONSERVACIÓN

No conviene lavarlo hasta el momento de consumirlo.

En una bolsa de plástico perforada, puede guardarse en el refrigerador durante unas dos a tres semanas.

Para congelarlo, es necesario blanquearlo o precocerlo previamente.

NARANJA

EL DICCIONARIO DICE

Fruto comestible del naranjo, de gorma globosa y pulpa jugosa divida en gajos que contienen algunas pepitas en su interior. Su corteza es rugosa, de color naranja, similar al de la pulpa.

PRECAUCIONES

No es lo mismo comer una naranja que beber su jugo, ya que este último no aporta fibra y tiene menos vitaminas y minerales.

TAMBIÉN SE LA CONOCE COMO...

China.

DESCRIPCIÓN GENERAL

Su nombre científico es *Citrus sinensis L. Osbeck* y es el fruto del naranjo, que pertenece al género *Citrus* de la familia de las *Rutáceas*. Esta baya de forma globosa tiene un centro u ombligo en su parte superior, y está recubierta por una corteza, denominada epicarpio, gruesa y rugosa de color anaranjado. Debajo aparece una segunda piel blanca y más suave, que protege la pulpa. Existe una gran variedad de naranjas: dulces (la de mesa y la que se utiliza para hacer jugo, entre otras) y las amargas, a partir de las cuales se elabora la mermelada y de la que se extraen aceites esenciales.

BENEFICIOS PARA LA SALUD *

- Aporta una importante cantidad de fibra soluble o pectinas, que regula los niveles de LDL o colesterol malo y glucosa en sangre, por lo que previene el desarrollo de enfermedades cardiovasculares.
- La vitamina C estimula la producción de colágeno que interviene en el crecimiento de las células, los tejidos, las encías, los vasos sanguíneos y los huesos. Mejora la cicatrización y fortalece las defensas del organismo.
- De gran acción antioxidante, neutraliza el efecto de ciertas sustancias cancerígenas y evita el desarrollo de enfermedades crónicas como cataratas o trastornos neurodegenerativos.
- Con este fin también actúan los carotenoides.
- La luteína y la zeaxantina protegen los ojos.
- El ácido málico favorece la absorción del calcio y facilita la eliminación del ácido úrico.

Es una de las frutas más ricas en hesperidina, un flavonoide que resulta antiinflamatorio, analgésico, antihipertensivo y diurético.

*Véase en el Capítulo 1 información de interés sobre las dolencias relacionadas.

FORMAS DE CONSUMO

- Fresca o en jugo, sola o combinada con otras frutas.
- Se utiliza para elaborar mousses, tortas, gelatinas, helados y diferentes postres. También en mermeladas, jaleas, conservas.
- En ensaladas, combinadas, con vegetales y para preparar salsas y carnes agridulces.
- Combina muy bien con carne de cerdo, pato y pollo.

CONSEJOS PARA LA COMPRA

Elija aquellas de más peso en relación con su tamaño. Deben estar firmes, sin manchas oscuras en la piel.

CONSERVACIÓN

Son muy sensibles, por lo que no conviene apilarlas. En el refrigerador pueden mantenerse durante una semana.

SABÍA QUE...

La naranja se clasifica por calibre según su tamaño, en una escala que va del 0 (las más grandes, de unos 100 mm de diámetro) al 14 para las más pequeñas. Con más de 60 millones de toneladas anuales, es la tercera fruta de mayor producción en el mundo, detrás del plátano y la sandía.

NÍSPERO

EL DICCIONARIO DICE

FRUTO DEL NISPERERO, AO-VADO Y AMARILLENTO, DE UNOS TRES CENTÍMETROS DE DIÁMETRO, CORONADO POR LAS LACINIAS DEL CÁLIZ, DURO CUANDO SE DESPRENDE DEL ÁR-BOL Y BLANDO, PULPOSO Y DUL-CE CUANDO ESTÁ PASADO.

PRECAUCIONES

Hay especialistas que no recomiendan su consu-mo excesivo a las perso-nas que deben limitar la canti-dad de potasio que ingieren.

TAMBIÉN SE LO CONOCE COMO...

Zapote.

DESCRIPCIÓN GENERAL

Su nombre científico es *Eriobotrya japonica L.* y pertenece a la familia de las *Rosáceas*. Su forma es ovalada y su color amari-llo o anaranjado. Su pulpa también es anaranjada y presenta un promedio de 5 semillas bastante grandes, de color pardo. Aunque es oriundo de la China, se lo conoce como níspero japonés.

BENEFICIOS PARA LA SALUD *

■ Contiene pectinas, fibra soluble que regula los ni-veles de colesterol y glucemia en sangre, efecto benéfico para las personas que padecen diabetes e hipertensión.

■ Junto a los taninos, produce una acción astringen-te y protege las mucosas del estómago.

■ El ácido málico y el tartárico tonifican el estómago.

■ Por su aporte de betacarotenos produce un efec-to antioxidante que protege al organismo del en-vejecimiento y disminuye el riesgo de padecer en-fermedades degenerativas, cardiovasculares y cier-tos tipos de cáncer.

■ Contiene potasio y ácidos orgánicos, que lo con-vierten en un buen diurético. Facilita la eliminación de ácido úrico y se recomienda en casos de gota, hiperuricemia, cálculos e hipertensión.

*Véase en el Capítulo 1 información de interés sobre las dolencias relacionadas.

FORMAS DE CONSUMO

● En general se consume fresco. Se abre la piel y se pela como si fuera un plátano.
● También se elaboran dulces, jaleas, compotas, mermeladas y confituras.

CONSEJOS PARA LA COMPRA

Deben estar enteros, sin marcas en la piel ni olores extraños.
Deben estar maduros para no resultar indigestos.

CONSERVACIÓN

En la parte baja del refrigerador, de dos a tres días.

SABÍA QUE...

La cura de nísperos es excelente para descongestionar el hígado. Se realiza en primavera durante dos días y no puede repetirse antes de las tres semanas. Se consumen entre 2 y 3 kilos de nísperos que pueden acompañarse con pequeñas cantidades de pan tostado.

NUEZ

EL DICCIONARIO DICE

FRUTO DEL NOGAL DE CÁSCARA DURA, RUGOSA, DE COLOR MARRÓN CLARO, QUE EN SU INTERIOR TIENE DOS PARTES CARNOSAS Y SIMÉTRICAS SEPARADAS POR UNA MEMBRANA.

PRECAUCIONES

Tiene una importante carga calórica, por lo que es importante consumir poca cantidad, especialmente en casos de sobrepeso.

TAMBIÉN SE LA CONOCE COMO...

Nuez persa o inglesa.

DESCRIPCIÓN GENERAL

Su nombre científico es *Juglans regia L.* y pertenece a la familia de las *Juglandáceas*. El fruto está recubierto por una cáscara gruesa y rugosa, y el interior se divide en dos o cuatro celdas. La semilla, que es la parte comestible, tiene dos o cuatro lóbulos.

BENEFICIOS PARA LA SALUD *

- Debido a su gran aporte calórico, se recomienda su ingesta a aquellas personas que deben reponer energías porque están sometiendo a su organismo a un esfuerzo superior.
- Sus grasas son de las llamadas buenas o saludables, por lo que son apropiadas para los que padecen afecciones cardiovasculares.
- Su aporte de fibra insoluble estimula el movimiento intestinal, por lo que previene el cáncer de colon. Además, regula los niveles de colesterol y glucosa en sangre.
- Contiene vitamina B6, necesaria para el buen funcionamiento del cerebro y la producción de glóbulos rojos.
- Aporta fitoesteroles de efecto antioxidante, que protegen al organismo de diversas enfermedades crónicas, entre ellas las cardiovasculares y algunos tipos de cáncer.
- Previenen la formación de coágulos y mejora la circulación y los vasos sanguíneos.

El ácido linoleico, el zinc y la vitamina E son beneficiosos para las pieles secas.

Véase en el Capítulo 1 información de interés sobre las dolencias
relacionadas.

FORMAS DE CONSUMO

En general se comen crudas o tostadas.
● Se pueden incluir en diferentes preparaciones, ensaladas
con hojas verdes y diferentes verduras. También en postres.

CONSEJOS PARA LA COMPRA

Como todo fruto seco, debe corroborar que no desprendan
olor rancio.
Conviene comprarlas con cáscara y pelarlas en el momento
de consumirlas para que conserven todas sus propiedades.

CONSERVACIÓN

En un frasco herméticamente cerrado, en un lugar fresco y
oscuro.

OLIVA

EL DICCIONARIO DICE

FRUTO COMESTIBLE DEL OLIVO, DE FORMA OVALADA Y COLOR VERDE O NEGRO, DEL QUE SE EXTRAE ACEITE.

PRECAUCIONES

Los niños pequeños no deberían consumir olivas, ya que su organismo no está preparado para digerirlas. Durante la vejez, el gasto calórico es menor y la capacidad metabólica disminuye, por lo que también conviene evitarlas.

TAMBIÉN SE LA CONOCE COMO...

Aceituna.

DESCRIPCIÓN GENERAL

Su nombre científico es *Olea europaea L.* y pertenece a la familia de las *Oleáceas*. Se trata de una drupa ovoide de unos 4 cm de largo, que envuelve una semilla que no es comestible. La carne puede ser verde o negra. Aceituna de mesa es el nombre que recibe una vez que está procesada y lista para comer.

BENEFICIOS PARA LA SALUD *

■ Contiene todos los aminoácidos esenciales, minerales, carotenos, vitamina C y fibra.

■ Su piel posee antocianinas, como todo flavonoide de acción antioxidante. Puntualmente, protegen la vista y el corazón.

■ La pulpa es rica en fibra, por lo que mejora el estreñimiento. Además, regula los niveles de colesterol en sangre. Y previene enfermedades como el cáncer de colon.

■ El ácido oleico protege al organismo del desarrollo de ciertos tipos de cáncer.

■ La provitamina A y las vitaminas B y E actúan como antioxidantes. Inhiben la acción nociva de los radicales libres y protegen al organismo de diversas enfermedades crónicas y degenerativas.

■ Estimula el proceso digestivo y abre el apetito.

■ Posee efecto colagogo, es decir que estimula el vaciamiento de la vesícula biliar.

*Véase en el Capítulo 1 información de interés sobre las dolencias relacionadas.

FORMAS DE CONSUMO

- Solas o rellenas, como aperitivo.
- También se incorporan en salsas, ensaladas, rellenos, como pasta, en sándwiches, en panes.

CONSEJOS PARA LA COMPRA

Se comercializan tratadas y encurtidas.

CONSERVACIÓN

Si el frasco se encuentra herméticamente cerrado, pueden mantenerse durante un año a temperatura ambiente.
Una vez que está abierto, guárdelo en el refrigerador.

SABÍA QUE...

Cuando la oliva se cultiva, se reblandece en agua con cal y se guarda en salmuera. Es uno de los elementos básicos de la cocina mediterránea. Los pueblos primitivos veían a este árbol como un símbolo de paz.

PAPAYA

EL DICCIONARIO DICE

FRUTO DEL PAPAYO SEMEJANTE AL MELÓN, CUYA CARNE ES AMARILLA Y DULCE; CUANDO ESTÁ VERDE, SE UTILIZA PARA REALIZAR CONFITURA.

PRECAUCIONES

Contiene una importante cantidad de potasio, que deberán considerar aquellas personas que deban seguir dietas restringidas en dicho mineral.

TAMBIÉN SE LA CONOCE COMO...

Papayo, lechosa o fruta bomba.

DESCRIPCIÓN GENERAL

Su nombre científico es *Carica papaya L.* y pertenece a la familia de las *Caricáceas*. Se trata de una baya ovoide de gran tamaño, con una ranura longitudinal en la parte superior, carnosa y muy jugosa. Su cáscara puede ir del verde amarillento a anaranjado amarillento cuando alcanza el punto de madurez. La pulpa blanda de consistencia mantecosa también es anaranjada, y en una cavidad alberga una gran cantidad de semillas negras.

BENEFICIOS PARA LA SALUD *

- Es muy refrescante y fácil de masticar, tragar y digerir.
- Contiene papaína, una enzima que ayuda a digerir las proteínas.
- Rica en potasio, posee un efecto diurético, es decir que estimula la eliminación de líquidos y con ella, la eliminación de toxinas del organismo.
- Es fuerte en vitamina C, que interviene en la formación de colágeno, huesos y dientes. También favorece la absorción de hierro de los alimentos, función necesaria en casos de anemia ferropénica. Y refuerza el sistema inmunológico.
- Aporta betacaroteno, que el organismo transforma en vitamina A y mejora la vista, la piel, el cabello, las mucosas y los huesos.
- Combinadas, ambas vitaminas (la A y la C) actúan como antioxidantes. Inhiben la acción nociva de los radicales libres y previenen el desarrollo de enfermedades crónicas y degenerativas, y de algunos tipos de cáncer.

■ La fibra estimula el movimiento intestinal, mejora el estreñimiento y regula los niveles de colesterol y glucosa en sangre.

■ Aplicada en forma externa, la pulpa ayuda a aliviar las quemaduras.

*Véase en el Capítulo 1 información de interés sobre las dolencias relacionadas.

FORMAS DE CONSUMO

● Fresca, sola o combinadas con otras frutas.
● También se utiliza para elaborar zumos, licuados, helados, mermeladas y otros postres.

CONSEJOS PARA LA COMPRA

Cuando se torna amarillenta, significa que está a punto. Puede presentar pequeñas manchas marrones sobre la piel, pero no alteran la calidad de la fruta.

CONSERVACIÓN

Es una fruta muy delicada. Hay que manipularla con suavidad y guardarla individualmente. En el refrigerador se mantiene durante una semana.

PATATA

EL DICCIONARIO DICE

TUBÉRCULO COMESTIBLE QUE PROVIENE DE LA PATATA, PLANTA HERBÁCEA ANUAL ORIUNDA DE AMÉRICA CON FLORES BLANCAS, FRUTO ESFÉRICO DE COLOR VERDE Y RAÍCES QUE TIENEN EN SUS EXTREMOS GRUESOS TUBÉRCULOS REDONDEADOS Y CARNOSOS.

PRECAUCIONES

Elimine las partes verdes ya que contienen solanina, un alcaloide que puede ocasionar, entre otros trastornos, dolores de cabeza. La patata no posee una gran carga calórica, pero si se consume frita o guisada, estas proporciones aumentan. Aporta mucho potasio, por lo que las personas con problemas en el riñón deberán dejarlas en remojo antes de consumirlas.

TAMBIÉN SE LA CONOCE COMO...

Papa.

DESCRIPCIÓN GENERAL

Su nombre científico es *Solanum tuberosu L* y pertenece a la familia de las *Solanáceas*. Son tubérculos, es decir, engrosamientos subterráneos de los tallos. De forma redondeada y levemente alargada y de diversos tamaños, están recubiertas por una fina cáscara amarillenta o amarronada. Su carne es dura y amarillenta, pero se ablanda con la cocción. Oriunda de América, pronto se expandió en el Viejo Continente y hoy en día es uno de los vegetales más consumidos en el mundo. Existe una gran cantidad de variedades.

BENEFICIOS PARA LA SALUD *

- Contiene almidón, un emoliente natural para la piel.
- El jugo de patatas tiene propiedades antiácidas. También reduce los problemas hepáticos.
- Aplicado en forma externa, el jugo de patatas actúa como cicatrizante y calmante de los dolores causados por golpes, heridas, moretones y quemaduras.
- Ayuda a reducir la inflamación de los ojos en caso de cansancio.
- Rica en potasio, posee propiedades diuréticas y vasodilatadoras que ayudan a controlar la presión arterial alta.
- También colabora en cuadros de problemas reumáticos, cistitis, prostasis y litiasis renal.

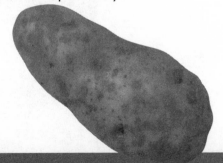

■ Actúa como sedante del organismo, disminuye los calambres, espasmos y mejora el sueño.

■ Es una gran fuente de hidratos de carbono y por ende, de energías.

*Véase en el Capítulo 1 información de interés sobre las dolencias relacionadas.

FORMAS DE CONSUMO

● La patata se come cocida: hervida, al vapor, al horno, asada, a las brasas, frita, en guisos, cocidos, pucheros, tortillas, croquetas, entre otras opciones.

CONSEJOS PARA LA COMPRA

Busque aquellas que no presenten manchas ni alteraciones en la superficie, o que muestren germinaciones.

CONSERVACIÓN

A temperatura ambiente se mantiene durante varias semanas pero, a medida que pasa el tiempo, pierde sus propiedades nutritivas.

PEPINO

EL DICCIONARIO DICE

FRUTO DE PLANTA HERBÁ-
CEA DE TALLOS RASTREROS,
HOJAS PECICOLADAS, FLORES
AMARILLAS Y FRUTO CARNOSO,
QUE SE CULTIVA EN LAS HUERTAS.

PRECAUCIONES

En conservas, ya sea en vinagre como en salmuera, pierde muchas de sus propiedades. Además, se vuelve más difícil de digerir.

TAMBIÉN SE LO CONOCE COMO...

Alpicoz, cohombro.

DESCRIPCIÓN GENERAL

Su nombre científico es *Cucumis sativus L.* y pertenece a la familia de las *Cucurbitáceas.* Alargado y redondeado en las puntas, la cáscara de este fruto en baya puede ser amarilla o verde oscura, y presenta una superficie lisa, con algunas verrugas. La pulpa es blanca verdosa y tiene una gran cantidad de semillas transparentes e inmaduras, que también son comestibles. Existen diferentes variedades, entre ellas, el pepinillo o pepino corto (tipo español), el medio largo (tipo francés), y el pepino largo (tipo holandés).

BENEFICIOS PARA LA SALUD *

■ En forma externa, se utiliza para bajar la hinchazón de los ojos. También para tratar quemaduras y dermatitis. Elimina manchas, suaviza arrugas y mejora el aspecto de la piel en general.

■ Su emulsión alivia los cuadros de hemorroides.

■ Es muy refrescante y de fácil digestión, apropiado para cuadros de acidez.

■ Por su aporte de agua y sus propiedades alcalinizantes, estimula la circulación sanguínea y purifica los intestinos.

■ Si son frescos, su acción diurética es efectiva en casos de gota, hiperuricemia, cálculos renales, retención de líquidos y oliguria.

■ Su jugo es bueno para mejorar las inflamaciones del aparato digestivo y de la vejiga. También ayuda a curar las enfermedades de la garganta.

■ Aporta vitamina C, que protege el organismo de ciertos tipos de cáncer y refuerza el sistema inmunológico.

■ El beta-sitosterol lo convierte en un antiinflamatorio e hipoglucemiante, beneficioso en casos de artritis reumatoide, diabetes e hiperplasia benigna de próstata.

*Véase en el Capítulo 1 información de interés sobre las dolencias relacionadas.

FORMAS DE CONSUMO

● Al natural, con o sin cáscara (con cáscara conserva mejor sus nutrientes, pero puede resultar más difícil de digerir).
● Sólo o en ensaladas.
● Combina muy bien con el yogur natural.

CONSEJOS PARA LA COMPRA

Debe estar verde, con la tonalidad uniforme.

CONSERVACIÓN

En el refrigerador se mantienen entre siete y diez días.

SABÍA QUE...

Para evitar que resulte indigesto, córtelo en rebanadas finas y disponga en un recipiente de vidrio una capa de pepinos, una de sal fina, otra de pepinos y así sucesivamente. Deje reposar una hora los pepinos hasta que hayan soltado un líquido ácido. Enjuague bien con agua hasta que la sal se desprenda por completo. Condimente a gusto.

PERA

EL DICCIONARIO DICE

FRUTO DEL PERAL CON FORMA OVALADA, COLOR VERDOSO, PIEL FINA Y CARNE DULCE Y JUGOSA.

PRECAUCIONES

Contiene una importante cantidad de potasio, aspecto que deberán considerar las personas que tengan que restringir la ingesta de dicho mineral.

DESCRIPCIÓN GENERAL

Su nombre científico es *Pyrus communis L.* y pertenece a la familia de las *Rosáceas*. Esta fruta se distingue porque es globosa en la base y luego se afina en la parte superior, similar a la forma de una lágrima. Su piel es delgada y comestible, en tonos que van del amarillo verdoso al rojo. La pulpa es blanca amarillenta, muy suave y jugosa, y en el centro alberga cinco celdillas con una o dos semillas pardas. Existen más de 30 variedades, entre las que se destacan la William's, la Barlett, la Anjou, la Blanca de Aranjuez y la De Roma.

BENEFICIOS PARA LA SALUD *

- Por su aporte de fibra, posee un suave efecto laxante.
- Los lignanos son beneficiosos para las personas que presentan enfermedades vasculares degenerativas. También impiden el desarrollo de ciertos tumores.
- Posee ácido málico y cítrico, que intervienen en el procesamiento de alimentos y previenen enfermedades como la fibromialgia.
- Los flavonoides actúan como antioxidantes, y reducen el riesgo de desarrollar enfermedades coronarias y diferentes tipos de cáncer.
- Contiene taninos, de efecto levemente astringente y beneficioso en cuadros de diarrea.

*Véase en el Capítulo 1 información de interés sobre las dolencias relacionadas.

FORMAS DE CONSUMO

● Lo mejor es comerla fresca, tanto sola como combinada con otras frutas.
● Se utiliza para elaborar diferentes postres, compotas, mermeladas, jaleas, jugos y bebidas alcohólicas.

CONSEJOS PARA LA COMPRA

Debe ceder levemente ante la presión de los dedos.
Descarte aquellas que presentan manchas o golpes en su superficie.

CONSERVACIÓN

Son muy sensibles. Guárdelas sin plásticos ni bolsas que le impidan respirar.
En un lugar seco, fresco y oscuro, se mantienen hasta tres días en buen estado.

SABÍA QUE...

En 1979 se encontró la pera más grande del mundo. Se produjo en Australia y pesó 1,41 kg.

PEREJIL

EL DICCIONARIO DICE

PLANTA HERBÁCEA CON HOJAS LUSTROSAS DE COLOR VERDE OSCURO, PARTIDAS EN TRES GAJOS DENTADOS Y MUY AROMÁTICAS, QUE SE UTILIZAN COMO CONDIMENTO.

PRECAUCIONES

En algunos casos produce la contracción del útero, por lo que las mujeres embarazadas deben limitar su consumo.

DESCRIPCIÓN GENERAL

Su nombre científico es *Petroselinum sativum* y pertenece a la familia de las *Umbelíferas*. Sus hojas son de color verde oscuro brillante, con bordes irregulares y de forma levemente triangular. Sus flores están reunidas en umbelas y son de color blanco o amarillo verdoso. En general crece en lugares frescos y oscuros.

BENEFICIOS PARA LA SALUD *

- La apiína y los flavonoides poseen un efecto diurético. Estimula la producción de orina y de esta manera se eliminan toxinas y sustancias como el ácido úrico. Beneficioso en casos de hipertensión, gota, hiperuricemia y oliguria.
- Su aceite esencial aporta apiol y miristicina, con propiedades emenagogas (estimula la menstruación).
- En forma externa, sus hojas frescas alivian la inflamación que produce la picadura de diferentes insectos.
- Rico en vitaminas A, C y E, es un buen antioxidante y previene el desarrollo de enfermedades crónicas y degenerativas.
- Es vasodilatador y tonificante.

* Véase en el Capítulo 1 información de interés sobre las dolencias relacionadas.

FORMAS DE CONSUMO

● Las hojas se utilizan frescas y deshidratadas.
● En general, como condimento en diferentes preparaciones: ensaladas, pastas, salsas, carnes y pescados.
● También se pueden preparar infusiones a partir de sus hojas.

CONSEJOS PARA LA COMPRA

Elija aquellos manojos que mantengan el color vivo y que no presenten hojas marchitas.

CONSERVACIÓN

Es bastante perecedero. Envuelto en papel de periódico, y en el refrigerador, puede mantenerse entre tres y cinco días.

SABÍA QUE...

Siempre fue una hierba muy apreciada por sus virtudes nutritivas. Tanto, que los romanos daban de comer perejil a los gladiadores antes de cada combate.

PIMIENTO

INFORMACIÓN NUTRICIONAL

VITAMINAS:
PROVITAMINA A • B • C • E
FOLATOS
MINERALES:
CALCIO • FÓSFORO • MAGNESIO
POTASIO

Véase en página 111 información de interés sobre las vitaminas y minerales recién mencionados.

EL DICCIONARIO DICE

FRUTO DE PLANTA HERBÁCEA SOLANÁCEA CON FLORES BLANCAS, CUYO FRUTO ES UNA BAYA HUECA DE FORMA Y TAMAÑO MUY VARIABLES, PERO GENERALMENTE CÓNICO Y DE SUPERFICIE TERSA.

PRECAUCIONES

Los pimientos pueden resultar difíciles de digerir.

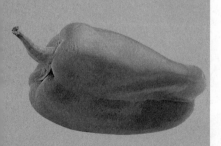

TAMBIÉN SE LO CONOCE COMO...

Morrón, ají.

DESCRIPCIÓN GENERAL

Su nombre científico es *Capsicum annuum L.* y pertenece a la familia de las *Solanáceas*. Se trata de una baya hueca, de aproximadamente medio centímetro de espesor. El interior está lleno de pequeñas semillitas de color amarillo, que no son comestibles. De forma cónica, presenta ranuras o pliegues longitudinales y posee un pequeño tallo en la parte superior. Puede ser verde, amarillo o rojo. Se clasifican por su forma, en cuadrados o alargados.

BENEFICIOS PARA LA SALUD *

■ Los pimientos verdes son los que presentan mayor cantidad de vitamina C. Sumado al selenio y a los carotenos, se convierte en un gran antioxidante. Inhibe el efecto perjudicial de los radicales libres y previene el envejecimiento del organismo, además del desarrollo de enfermedades crónicas y degenerativas, entre ellas, ciertos tipos de cáncer.

■ La capsaicina cumple diversos roles. Actúa como quimioprotector. Mejora la dispepsia funcional. Y reduce la inflamación y el dolor.

■ De bajo aporte calórico, se incluye en las dietas para adelgazar.

■ Debido a su aporte de fibra estimula el movimiento intestinal, mejora el estreñimiento, ayuda a controlar los niveles de colesterol y glucemia en sangre y reduce el riesgo de padecer enfermedades en el tracto gastrointestinal.

■ Rico en potasio y con baja carga de sodio, actúa como diurético. Necesario en cuadros de hipertensión, hiperuricemia, gota, cálculos renales y oliguria.

Contiene folatos, necesarios para la mujer embarazada durante los primeros meses de embarazo
porque ayudan a prevenir malformaciones en el
tubo neural del feto.

Véase en el Capítulo I información de interés sobre las dolencias
relacionadas.

FORMAS DE CONSUMO

Se pueden ingerir tanto crudos como cocidos.
● Al horno, rellenos, asados, fritos, en salteados de vegetales,
en salsas, guisos, con carnes, pescados y en diversas recetas.

CONSEJOS PARA LA COMPRA

Elija los ejemplares carnosos y pesados en proporción a su tamaño. Es importante que tengan piel lisa, brillante y lustrosa.

CONSERVACIÓN

Dentro de una bolsa de plástico perforada, en el refrigerador,
se mantienen hasta dos semanas.
Blanqueados o precocidos se pueden congelar.

INFORMACIÓN NUTRICIONAL

VITAMINAS:
C
MINERALES:
FÓSFORO • MAGNESIO • POTASIO

Véase en página 111 información de interés sobre las vitaminas y minerales recién mencionados.

EL DICCIONARIO DICE

AJÍ, PIMIENTO MUY PICANTE.

PRECAUCIONES

Debido a su sabor picante, no todos lo toleran. Hay que ingerirlo en cantidades pequeñas.

TAMBIÉN SE LO CONOCE COMO...

Chile, guindilla.

DESCRIPCIÓN GENERAL

Su nombre científico es *Capsicum frutescens* y pertenece a la familia de las *Solanáceas*. La planta puede llegar a medir hasta 80 cm y posee un tallo erguido, ramoso y liso, y sus hojas son alternas, aovadas y lustrosas. El fruto es una baya indehiscente erguida, de forma y tamaño variable. Es verde y se vuelve rojo cuando está maduro. Ahuecado, el interior está separado por pequeños tabiques, y lleno de semillas chatas y amarillentas, muy picantes.

BENEFICIOS PARA LA SALUD *

- Aporta capsaicina, sustancia que ayuda a tolerar el dolor. Externamente se puede utilizar para disminuir dolores residuales del herpes, dolor de espalda y cefalea, fibromialgia, también en tratamientos de psoriasis y otras patologías cutáneas.
- En forma interna, mejora la digestión y podría ser un protector ante las úlceras.
- En gárgaras con agua templada, mejora el dolor de garganta.

*Véase en el Capítulo 1 información de interés sobre las dolencias relacionadas.

FORMAS DE CONSUMO

- Se utiliza como condimento para sumar una cuota de sabor picante en diferentes platos y preparaciones, entre ellas, carnes, pescados, verduras, enchiladas, mole, tacos.
- Es uno de los más utilizados en la cocina mexicana.

CONSEJOS PARA LA COMPRA

Busque aquellos que mantengan un color intenso y brillante, y la piel tersa y firme.

CONSERVACIÓN

A temperatura ambiente se pueden mantener en buen estado durante semanas.
Déjelos secar en bandejas de mimbre o bien, con un papel secante en el horno de microondas a potencia muy baja, tras haberlos pinchado con una aguja.

SABÍA QUE...

Es un buen elemento para sumar a la huerta hogareña, ya que agrega una pizca de color y sabor a todas las comidas.

PIÑA

INFORMACIÓN NUTRICIONAL

VITAMINAS:
A • B1 • B2 • C

MINERALES:
CALCIO • CLORO • COBRE FÓSFORO • HIERRO • MANGANE-SO • POTASIO • SAL • SODIO YODO

Véase en página 111 información de interés sobre las vitaminas y minerales recién mencionados.

EL DICCIONARIO DICE

PLANTA EXÓTICA Y VIVAZ, DE LA FAMILIA DE LAS BRO-MELIÁCEAS. SU TALLO ES CORTO Y SUS HOJAS GLAUCAS, ENSIFORMES, RÍGIDAS, DE BORDES ESPINOSOS Y REMATADOS EN PUNTA MUY AGUDA. SUS FLORES SON MORADAS Y EL FRUTO ES GRANDE Y CON FORMA DE PIÑA, QUE TERMINA EN UN PENACHO O CORONA DE HOJAS ALARGADAS. SU PULPA ES CARNOSA Y AMARI-LLENTA.

PRECAUCIONES

Combinado con la naranja fermenta y suele ocasionar flatulencias y dolores de cabeza. Algunas personas pueden presentar reacciones alérgicas.

TAMBIÉN SE LA CONOCE COMO...

Ananá o piña tropical, ananá o abacaxi.

DESCRIPCIÓN GENERAL

Científicamente, esta fruta se denomina *Ananas comosus o sativus*, pertenece a la familia de las *Bromeliaceae*, del grupo de las *Bromeliales*. Originaria de Sudamérica, posee un aroma y un sabor agridulce y suave. Su forma es globosa y alargada, y está recubierta por una cáscara gruesa y amarronada, con escamas puntiagudas. Puede llegar a medir unos 30 centímetros y pesar hasta 2 kilogramos.

BENEFICIOS PARA LA SALUD *

■ Es el único fruto que posee un albuminoide capaz de disolver las moléculas de las proteínas. Esto lo convierte en un alimento ideal para aquellos que padecen dispepsia o importantes dificultades en el momento de la digestión. Disminuye las flatulencias y tiene un efecto laxante leve.

■ Favorece las secreciones del estómago y estimula la actividad del intestino.

■ Antifebril, su jugo tiene cualidades antisépticas, por lo que también se utiliza para combatir las inflamaciones de garganta, como faringitis, laringitis y amigdalitis.

■ Por su acción diurética y su capacidad de eliminar toxinas del organismo, es recomendado en los tratamientos de celulitis.

■ Entre sus enzimas se encuentra la bromelina, de gran poder antiinflamatorio. Reduce los dolores de procesos inflamatorios, como la artritis o el síndrome premenstrual.

■ Tiene poder desestresante.

■ Sus agentes fotoquímicos actúan como antioxidantes y previenen ciertos tipos de cáncer.

*Véase en el Capítulo 1 información de interés sobre las dolencias relacionadas.

FORMAS DE CONSUMO

● A diferencia de otras frutas, únicamente se consume la pulpa. Se puede comer sola o en postres. También se elaboran jugos, licuados, helados.

● Es un ingrediente esencial de ciertos platos calientes agridulces, especialmente en el caso de la comida china, en la que se sirve acompañando carnes como el cerdo o el pato.

● Suele utilizarse en entradas y platos fríos, generalmente combinada con jamón cocido.

CONSEJOS PARA LA COMPRA

La piña madura únicamente en la planta. De lo contrario, no llega a desarrollar la mayoría de sus nutrientes ni azúcares, por lo que resulta más ácida. Cuando está a punto, cede levemente ante la presión de los dedos y desprende una fragancia rica y tentadora.

CONSERVACIÓN

Es muy sensible a los cambios bruscos de temperatura, por lo que resulta de gran importancia guardarla fuera del refrigerador.

Quite la cáscara únicamente antes de consumir la fruta, para que conserve todos sus nutrientes. Una vez abierta, no demora mucho tiempo en ablandarse y oscurecerse. Guárdela recubierta con papel film.

SABÍA QUE...

Si desea comprobar el punto de madurez de la piña, intente arrancar una hoja del penacho. Si sale suavemente, la fruta está a punto. Para que quede bien dulce, déjela toda la noche boca abajo. De esta manera, los azúcares que se encuentran depositados en la base recorrerán toda la fruta. Por otro lado, la cáscara suele ser difícil de quitar. Lo mejor es recurrir a un cuchillo dentado y con punta. Siempre con precaución para no lastimarse. Un consejo: nunca mezcle piña con gelatina ya que jamás logrará que esta última coagule por los ácidos de la fruta.

PIÑÓN

INFORMACIÓN NUTRICIONAL

VITAMINAS:
B1 • E

MINERALES:
CALCIO • HIERRO • FÓSFORO
MAGNESIO • POTASIO

Véase en página 111 información de interés sobre las vitaminas y minerales recién mencionados.

EL DICCIONARIO DICE

ALMENDRA BLANCA Y CO-
MESTIBLE DEL PINO PIÑONE-
RO.

PRECAUCIONES

Hay que masticarlos bien para facilitar su digestión.

DESCRIPCIÓN GENERAL

Proviene del *Pinus pinea*, árbol que pertenece a la familia de las *Pináceas*. Se encuentra dentro de las piñas, de corteza gruesa y leñosa, que lo mantiene preservado de las sustancias con las que habitualmente se fumiga.

Aunque se lo suele catalogar como un fruto seco, se trata de una semilla, blanquecina y de forma triangular.

Es muy utilizado en la gastronomía árabe e india.

BENEFICIOS PARA LA SALUD *

- Por su aporte nutritivo, es especialmente recomendado en cuadros de anemia o cansancio físico.
- La arginina, presente en sus proteínas, previene la arteriosclerosis.
- Aporta una buena cantidad de calcio y magnesio, positiva para las personas con osteoporosis o descalcificación.
- Contiene ácidos grasos mono y poliinsaturados, indicados en caso de enfermedades cardiovasculares.
- La presencia de ácido fólico lo convierte en un alimento recomendado para las mujeres durante los primeros meses del embarazo, ya que previene malformaciones en el tubo neural del feto.

*Véase en el Capítulo 1 información de interés sobre las dolencias relacionadas.

FORMAS DE CONSUMO

- Crudos, asados o tostados, se pueden comer como snack o bien, agregar a ensaladas.
- Se utilizan para elaborar rellenos, pesto y otras salsas.
- Y también en repostería, para hacer turrones y postres.

CONSEJOS PARA LA COMPRA

Elija aquellos ejemplares que no estén blandos ni presenten olor rancio.

CONSERVACIÓN

En un frasco de cristal herméticamente cerrado, en un lugar oscuro, seco y fresco.

PISTACHO

EL DICCIONARIO DICE

FRUTO SECO CON CÁSCARA DURA Y ALMENDRA PEQUE-
ÑA DE COLOR VERDOSO, OLEAGINOSA, DULCE Y COMESTI-
BLE.

PRECAUCIONES

En exceso, pueden resultar indigestos.

DESCRIPCIÓN GENERAL

Su nombre científico es *Pistacia Vera L.* y es la semilla del pistachero, árbol de la familia de las *Anacardiáceas*. El fruto es una drupa monosperma, ovalado y seco, cuya cáscara es dura y lisa, con un gran surco.

La parte comestible de este fruto es la semilla, conformada por dos cotiledones de color verde o amarillento.

BENEFICIOS PARA LA SALUD *

■ Rico en grasas insaturadas, se recomienda como fuente de proteínas vegetales, especialmente a las personas que presentan afecciones cardiovasculares.

■ Ayuda a incrementar el HDL o colesterol bueno.

■ Por su aporte de fibra, estimula el tránsito intestinal y protege del cáncer de colon.

■ Regula los niveles de colesterol y glucemia y previene el desarrollo de enfermedades cardiovasculares.

■ Produce sensación de saciedad.

■ Contiene ácido fólico, necesario para las mujeres durante los primeros meses de embarazo, ya que ayuda a prevenir malformaciones en el tubo neural del feto.

*Véase en el Capítulo 1 información de interés sobre las dolencias relacionadas.

FORMAS DE CONSUMO

● Levemente tostados, como aperitivos o snacks.
● Es muy utilizado en la repostería de Medio Oriente.
● Y se incluye en diversos platos, ensaladas y preparaciones

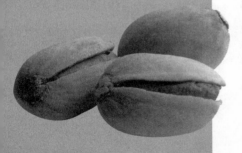

CONSEJOS PARA LA COMPRA

Compre aquellos que vienen con cáscara. Es la única manera de asegurarse de que no han estado en contacto con conservantes tóxicos.

CONSERVACIÓN

En frasco de cristal herméticamente cerrado, en un lugar fresco, oscuro y seco.

SABÍA QUE...

En Irán, uno de los principales productores de pistacho, es conocido con el nombre de "pistacho sonriente", por la forma de su cáscara.

PLÁTANO

EL DICCIONARIO DICE

FRUTO DE LA PLANTA HO-MÓNIMA QUE CRECE EN RACIMOS, ES ALARGADO, AL-GO ENCORVADO Y DE COLOR AMARILLO.

PRECAUCIONES

Si bien no se trata de una reacción frecuente, puede llegar a generar migrañas en los adultos.

TAMBIÉN SE LO CONOCE COMO...

Banana.

DESCRIPCIÓN GENERAL

Su nombre científico es *Musa sapientum*, es el fruto del plátano o banano, árbol que pertenece a la familia de las *Musáceas*. Alargado y levemente encorvado, está recubierto por una cáscara gruesa y fácil de pelar, que en general es amarilla o verdosa, aunque también hay variedades más bien rojizas. La pulpa es blanca, suave y muy carnosa.

BENEFICIOS PARA LA SALUD *

■ Rico en fibra soluble e insoluble, estimula el movimiento intestinal, previene el estreñimiento, regula los niveles de colesterol y glucosa en sangre y ayuda a prevenir diversas enfermedades, entre ellas las cardiovasculares y el cáncer de colon.

■ Contiene inulina, una enzima que es beneficiosa para reducir el riesgo de padecer enfermedades cardiovasculares, diabetes, osteoporosis y cáncer.

■ Aporta buena cantidad de potasio y poco sodio, una combinación apropiada para personas con hipertensión o afecciones en los vasos sanguíneos.

■ El potasio disminuye los calambres, por lo que el plátano es una fruta muy recomendada para los deportistas.

■ Mejora las úlceras.

■ Estimula el crecimiento de bacterias beneficiosas como los lactobacilos.

*Véase en el Capítulo 1 información de interés sobre las dolencias relacionadas.

FORMAS DE CONSUMO

● Se suele comer como fruta fresca o seca. También se incorpora en postres, batidos, licuados.
● Se puede preparar frito, caramelizado, asado.
● En algunas regiones se utiliza como guarnición de diferentes carnes.

CONSEJOS PARA LA COMPRA

No debe presentar golpes ni magulladuras en la superficie.

CONSERVACIÓN

A temperatura ambiente, en un lugar fresco, seco y sin luz directa se mantiene durante tres a cinco días.
Si no lo envuelve con una hoja de periódico, en el refrigerador la cáscara se pondrá negra.
Se puede congelar.

SABÍA QUE...

El plátano suele tener "mala fama" porque se lo considera un enemigo de las dietas de adelgazamiento. Lo cierto es que no tiene más calorías que una manzana, y sus azúcares son de asimilación lenta por lo que están permitidos para los diabéticos.

POMELO

EL DICCIONARIO DICE

ÁRBOL RUTÁCEO QUE AL-CANZA LOS 10 METROS DE ALTURA, CON FLORES BLAN-CAS Y FRUTO EN HESPERIDIO APRECIADO COMO ALIMENTO. EL FRUTO DE ESTE ÁRBOL ES CÍTRI-CO, REDONDEADO, DE COLOR AMARILLENTO Y SABOR AGRIO.

PRECAUCIONES

Hay estudios que indican que el pomelo contiene algunos flavonoides que in-hiben (o multiplican) la trans-formación metabólica de al-gunos medicamentos. Esto puede ocasionar mareos, son-rojos, taquicardia, dolor de cabeza y somnolencia. Con-sulte con su médico.

TAMBIÉN SE LO CONOCE COMO...

Toronja, toronjo o pamplemusa.

DESCRIPCIÓN GENERAL

Su nombre científico es *Citrus maximus* y pertenece al género *Citrus* de la familia de las *rutáceas*. Es un derivado del híbrido entre el *Citrus grandis* y el *Citrus sinensis* (la naranja). Sus frutos se llaman hespérides y como característica principal, presentan la pulpa formada por unas 10 vesículas llenas de jugo. Su forma es redondeada y la cáscara, de color amarillo o anaranjado, lisa y gruesa. Lo que hoy conocemos como pomelo rosado, es consecuencia de una mutación de la variedad blanca, que tuvo lugar a principios del siglo pasado. Entre las variedades blancas más comunes, de pulpa amarilla clara, podemos mencionar la Duncan y la Mash. Entre las pigmentadas de pulpa rosada o rojiza, el Thompson y el Ruby. Su mejor época es el otoño y el invierno.

BENEFICIOS PARA LA SALUD *

- Es muy refrescante.
- Debido a su gran aporte de vitamina A, es un buen antioxidante. Esta vitamina también se precisa durante el desarrollo, y es positiva para la piel y la visión. Además, previene la enfermedad cardiovascular y el cáncer.
- Por sus propiedades diuréticas y depurativas, es muy utilizado en las dietas de adelgazamiento. Favorece la eliminación de toxinas y estimula las funciones renales, digestivas y hepáticas.
- Reduce la inflamación de la próstata y se utiliza para eliminar parásitos intestinales.
- De acción antihemorrágica, se recomienda para personas con problemas circulatorios y várices, entre otros.

Sus vitaminas son beneficiosas para las afecciones pulmonares y respiratorias.

■ Sus ácidos ayudan a disminuir los dolores reumáticos y artríticos.

Véase en el Capítulo 1 información de interés sobre las dolencias relacionadas.

Véase en el Capítulo 1 información de interés sobre las dolencias relacionadas.

FORMAS DE CONSUMO

● Fresco o en jugo. Los que no tienen problema de peso, pueden comer los gajos con azúcar.

● También se utiliza para condimentar diferentes platos.

CONSEJOS PARA LA COMPRA

El peso le dará la pauta de la cantidad de jugo que poseen. Elija las frutas más pesadas con respecto a su tamaño. Descarte aquellos que presenten la cáscara endurecida o demasiado blanda.

CONSERVACIÓN

A temperatura ambiente, se mantienen entre una y dos semanas.

También se puede congelar.

SABÍA QUE...

A los frutos del cidro (Citrus médica L.), también se los conoce como toronja. Es por eso que, en algunas regiones, el nombre presta a confusión.

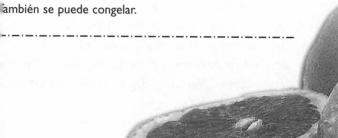

PUERRO

EL DICCIONARIO DICE

BULBO DE LA PLANTA HER-BÁCEA HOMÓNIMA, QUE LLEGA A MEDIR 1,20 M DE ALTURA Y POSEE FLORES ROSADAS.

PRECAUCIONES

Por sus compuestos de azufre, puede generar fla-tulencias o dificultad en su digestión.

TAMBIÉN SE LO CONOCE COMO...

Ajete, ajoporro o poro.

DESCRIPCIÓN GENERAL

Su nombre científico es *Allium porrum L.* y pertenece a la fa milia de las *Liliáceas*. Es alargado, con un bulbo en un extremo y hojas verdes en el otro. Las hojas de su parte inferior se presentan superpuestas, con vainas apretadas, y forman un bulbo blanco, cilíndrico y brillante, que constituye la parte co mestible de esta planta. Se distinguen dos grupos: los puerro de otoño o invierno, y los de verano.

BENEFICIOS PARA LA SALUD *

- La fibra proporciona sensación de saciedad. Ade más, estimula el tránsito intestinal y mejora el es treñimiento.
- La inulina ayuda a reducir el riesgo de desarrolla enfermedades cardiovasculares, diabetes, osteopo rosis o cáncer.
- Los flavonoides inhiben la agregación de plaqueta y disminuyen el riesgo de desarrollo de ateroscle rosis y patologías cerebrovasculares.
- Sus compuestos de azufre actúan como antioxi dantes. Inhiben el efecto nocivo de los radicales li bres y logran reducir el riesgo de desarrollar en fermedades crónicas y degenerativas, como cier tos tipos de cáncer.
- Aporta folatos, necesarios en la dieta de la muje embarazada, especialmente durante los primero meses ya que ayudan a disminuir el riesgo de qu existan malformaciones en el tubo neural del feto
- Bueno en potasio y bajo en sodio, actúa como diu rético. Positivo en casos de hipertensión, hiperuri

cemia, gota, cálculos renales, retención de líquido y oliguria.

Estimula el apetito y facilita la digestión.

Su aceite esencial es expectorante.

Véase en el Capítulo I información de interés sobre las dolencias lacionadas.

ORMAS DE CONSUMO

Si están tiernos, pueden consumirse crudos.

Picados muy finos, suelen sumarse a ensaladas u otros ve-tales. Si no, se hierven para darle luego la terminación que no desee.

Van en guisos, salteados de vegetales, purés, hojaldres, tar-s y pasteles.

ONSEJOS PARA LA COMPRA

ija los de tallo blanco, recto y consistente. Y aquellos cuyas ojas estén frescas y brillantes, sin manchas ni magulladuras.

ONSERVACIÓN

pare las hojas para poder limpiarlas bien. Se mantiene en el frigerador hasta dos semanas. Cocidos, hay que consumir-s en un máximo de dos días.

SABÍA QUE...

Junto con el ajo y la cebolla, eran alimentos consumidos por los faraones. En las pirámides se han encontrado jeroglíficos que muestran a los esclavos comiendo puerros.

RÁBANO

EL DICCIONARIO DICE

PLANTA HERBÁCEA CRUCÍFERA DE HOJAS ÁSPERAS, GRANDES Y PARTIDAS EN LÓBULOS DENTADOS; TALLO RAMOSO Y VELLUDO; FLORES BLANCAS; Y UNA RAÍZ CARNOSA CASI REDONDA O FUSIFORME, BLANCA, ROJA, AMARILLENTA O NEGRA, DE SABOR PICANTE.

PRECAUCIONES

Pueden ser difíciles de digerir y, en ocasiones, provocan flatulencias.

TAMBIÉN SE LO CONOCE COMO...

Rabanito.

DESCRIPCIÓN GENERAL

Su nombre científico es *Raphanus sativus L* y pertenece a la familia de las *Crucíferas*, típicas de las regiones frías. Lo que sconsume es la raíz de la planta. Pueden ser redondeadasalargadas, y en general son de pequeñas a medianas. El colode la cáscara cambia según la variedad. El chino o japonés ealargado y blanco, el de invierno es cilíndrico y con piel negry los rabanitos son esféricos o cilíndricos y de color rojizoblanco. También se clasifican en función de la fecha de cultiven rábanos de primavera, verano u otoño.

BENEFICIOS PARA LA SALUD *

- Por su bajo aporte calórico, se incluye en los planes de alimentación de las personas que deseebajar de peso.
- Facilita la digestión y abre el apetito.
- La inulina y la intibina estimulan las funciones hepáticas.
- Fitonutrientes como los isotiocianatos y los indoles poseen un efecto anticancerígeno. Previenen edesarrollo de cáncer de mama, próstata y endometrio.
- Fortalece el sistema inmunológico.
- Posee antocianinas, vitamina C y selenio, tres sustancias de acción antioxidante, que inhiben la acción de los radicales libres. Previenen el envejecmiento del organismo y lo protegen del desarrollo de enfermedades crónicas y degenerativas.
- De alto contenido en agua y potasio, estimula leliminación de líquidos y beneficia en casos de hpertensión, hiperuricemia y gota, cálculos renaley oliguria.

Contiene folatos, muy recomendados para las embarazadas porque previenen malformaciones en el feto, especialmente durante las primeras semanas de gestación.

Aporta yodo, necesario para el buen funcionamiento de la glándula tiroides.

El azufre le confiere propiedades antibacterianas y expectorantes, recomendadas en casos de tos, bronquitis y afecciones de las vías respiratorias en general.

Véase en el Capítulo I información de interés sobre las dolencias relacionadas.

SABÍA QUE...

En la antigüedad era considerado un sedante natural y se decía que facilitaba el sueño. También se usaba como antídoto para prevenir el envenenamiento, por lo que había quienes lo consumían antes de cada comida.

FORMAS DE CONSUMO

Crudo y con piel mantiene su sabor picante. Una manera de suavizarlo es quitarles la cáscara.

Se suele comer fresco, como aperitivo o bien, en ensaladas.

También rehogado o en diversas guarniciones y salsas para la carne.

Sus hojas se hierven y se consumen como las de la acelga o la espinaca. O bien, en infusiones.

CONSEJOS PARA LA COMPRA

Elija aquellos que se presenten más carnosos y firmes. La piel debe estar entera y sin alteraciones. Si va a consumir las hojas, fíjese que mantengan la intensidad del color.

CONSERVACIÓN

Quítele las partes verdes y guárdelo en una bolsa de plástico perforada en el refrigerador. Duran hasta una semana.

REMOLACHA

INFORMACIÓN NUTRICIONAL

VITAMINAS:
PROVITAMINA A • B • B2 • C
FOLATOS
MINERALES:
HIERRO • SODIO • POTASIO
YODO

Véase en página 111 información de interés sobre las vitaminas y minerales recién mencionados.

EL DICCIONARIO DICE

PLANTA HERBÁCEA DE LA FAMILIA DE LAS QUENOPO-DIÁCEAS, DE TALLO GRUESO, HOJAS GRANDES, FLORES VERDO-SAS EN ESPIGA Y RAÍZ CARNOSA, COMESTIBLE Y DE LA CUAL SE EX-TRAE AZÚCAR.

PRECAUCIONES

Aquellas personas que tienen tendencia a for-mar cálculos en el riñón no deben consumirlas excesi-vamente.

TAMBIÉN SE LA CONOCE COMO...

Betarraga, betabel o nabo de sangre.

DESCRIPCIÓN GENERAL

Su nombre científico es *Beta vulgaris var. Conditiva* y perte ce a la familia de las *Quenopodiáceas*, típicas de las zonas c teras o de terrenos salinos templados. De raíz profunda, gi de y carnosa en algunas variedades, o plana y alargada otras. Su tallo es fino y blando y está coronado por un gr de hojas grandes y verdes, con gran nervadura y forma e ralada. La cáscara va desde los tonos violáceos a los amai nados. La pulpa es rojo oscuro e intenso y puede tener cír los concéntricos blancos. La variedad forrajera se utiliza e alimentación de animales.

BENEFICIOS PARA LA SALUD *

- Aporta una buena dosis de folatos, que intervier en la producción de glóbulos rojos y blancos y la formación de anticuerpos.
- Por la misma razón es bueno para las embara das, porque previene malformaciones en el tu neural del feto.
- La vitamina B2 ayuda a producir anticuerpos, g bulos rojos y a mantener el tejido de las mucos
- Buena fuente de fibra, estimula la actividad del a rato intestinal y previene el estreñimiento. Po va en casos de hemorroides. Regula el colester la glucosa en sangre.
- Contiene yodo, clave en el funcionamiento d glándula tiroides, que regula el metabolismo.
- El potasio beneficia la generación y transmis del impulso nervioso y la actividad muscular.
- Recomendada en casos de anemia y convalec cia por su aporte de hierro.

Estimula la función hepática y reduce las infecciones del aparato urinario.

Contiene antocianinas, que le dan la coloración y tienen acción antioxidante, por lo que bloquea el efecto de los radicales libres.

De acción diurética, beneficia en casos de hipertensión, hiperuricemia, gota, cálculos renales, retención de líquidos y oliguria.

Véase en el Capítulo 1 información de interés sobre las dolencias relacionadas.

FORMAS DE CONSUMO

Cruda, cocida o en conserva. En el primer caso es cuando mejor mantiene las propiedades. A la hora de cocinarla (hervida, asada o al horno), conviene hacerlo con piel y pelarla antes de comerla.

Las hojas se cocinan y se consumen como cualquier verdura.

En ensaladas, budines, tortillas.

CONSEJOS PARA LA COMPRA

Conviene elegirlas del mismo tamaño, para que la cocción sea pareja. Busque aquellas que sean lisas y firmes, sin manchas ni magulladuras. Y que el color sea intenso y parejo. Cuanto más frescas y brillantes estén las hojas, más fresca es la remolacha.

CONSERVACIÓN

En una bolsa de plástico perforada, se mantienen en el refrigerador durante dos o tres semanas.

Guarde las hojas del mismo modo y sin lavarlas. Duran entre tres y cinco días.

SABÍA QUE...

Con el pigmento natural que da color a la remolacha se elabora un colorante muy utilizado en sopas, licores y helados, entre otros productos. Puede suceder que después de comer una importante cantidad de remolacha, orina y heces se vuelvan rosadas, pero no hay razón para preocuparse. Otro dato interesante es que desde los tiempos de Napoleón, la remolacha es una fuente importante de azúcar y de esta fuente procede un importante porcentaje del azúcar que se consume a nivel mundial.

SALVIA

EL DICCIONARIO DICE

PLANTA HERBÁCEA PERENNE DE LA FAMILIA DE LAS LABIADAS, MEDICINAL Y PELUDA, CON TALLOS DE COLOR VERDE BLANQUECINO, HOJAS ESTRECHAS Y ONDULADAS Y FLORES AZULES, VIOLÁCEAS O AMARILLAS.

PRECAUCIONES

Embarazadas, niños y ancianos deben ingerirla con precaución. Del mismo modo las personas con epilepsia, ya que el consumo de salvia puede incrementar las convulsiones.

TAMBIÉN SE LA CONOCE COMO...

Savia o salima fina.

DESCRIPCIÓN GENERAL

Su nombre científico es *Salves officinalis L.* y pertenece a la familia de las *Labiadas*. Proviene de un arbusto que siempre se encuentra verde y es muy aromático.

En su parte superior, el trono se encuentra recubierto por pelos de color blanco ceniza. Las hojas son ovales, sin tallo en la parte inferior del arbusto, de color verde ceniza y superficie rugosa. El fruto contiene una sola semilla.

Existen once variedades de salvia: officinalis, officinalis alba, officinalis crepa, jardín, Moncayo, de los Prados, fina, menor, romana, real y Aragón.

BENEFICIOS PARA LA SALUD *

- Aumenta la secreción de bilis.
- Relaja y previene los espasmos en los músculos del aparato digestivo.
- Es antiséptica y ayuda a tratar afecciones de la boca y la garganta.
- En forma externa, actúa como cicatrizante.
- Ayuda a reducir los niveles de azúcar en sangre en las personas diabéticas.
- Contiene sustancias de acción estrogénica que ayudan a tratar trastornos en la menstruación y alivian los sofocos de la menopausia.
- Su aceite esencial disminuye la formación de sudor en las glándulas sudoríparas.

*Véase en el Capítulo 1 información de interés sobre las dolencias relacionadas.

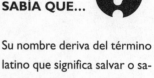

FORMAS DE CONSUMO

Tanto fresca como deshidratada, se utiliza para saborizar diversos platos, carnes (especialmente las grasas), pastas, verduras, salteados y rellenos, entre otros.

Se pueden realizar infusiones.

CONSEJOS PARA LA COMPRA

Si la va a consumir fresca, fíjese que las hojas mantengan el color intenso.

CONSERVACIÓN

Una vez que estén secas, mantenga las hojas en cajas de cartón o bolsas de papel.

Mantiene sus propiedades por unos diez meses.

SABÍA QUE...

Su nombre deriva del término latino que significa salvar o sanar, y esto se debe a que, desde siempre, fue considerada como una planta que curaba todo.

SANDÍA

EL DICCIONARIO DICE

PLANTA CUCURBITÁCEA DE TALLO RASTRERO, VELLOSO Y FLEXIBLE. LAS HOJAS SON LOBULADAS Y VERDE OSCURO Y TIENE UN GRAN FRUTO CASI ESFÉRICO DE CORTEZA VERDE Y PULPA ROJA Y JUGOSA, LLENA DE PEPITAS NEGRAS CHATAS.

PRECAUCIONES

Puede llegar a dificultar la digestión ya que su exceso de agua diluye los jugos gástricos y retrasa su acción, lo que provoca hinchazón.

TAMBIÉN SE LA CONOCE COMO...

Badea, melancia, melón de agua, patilla o pepón.

DESCRIPCIÓN GENERAL

Su nombre científico es *Citrullus lanatus* y pertenece a la familia de las *Cucurbitáceas*. Es una de las frutas más grandes: cada unidad puede llegar a pesar hasta 20 kg. Suelen ser esférica o redondeadas. Se dividen en dos grandes grupos: las *diploide* o con semillas (melona o redonda), y las *triploides* o sin semillas. Su corteza es dura, lisa, con diversas tonalidades de verde, veteadas. La pulpa es muy jugosa, rosada y repleta de pepitas negras, con forma de lágrima y bien chatas.

BENEFICIOS PARA LA SALUD *

- Es muy refrescante y calma la sed, ideal para los días de calor.
- Por sus propiedades depurativas, es recomendable para combatir inconvenientes renales o de las vías urinarias. Especialmente en casos de cálculos renales, hiperuricemia, hipertensión, entre otros.
- Su contenido en fibra estimula el movimiento intestinal, con lo que evita el estreñimiento y equilibra las cantidades de colesterol malo o LDL y glucemia en sangre. También produce sensación de saciedad.
- La combinación de vitamina B, vitamina C y beta carotenos le confiere propiedades antiestrés. Además, fortalece las defensas del organismo.
- Constituye una fuente moderada de licopeno, que actúa como antioxidante y ayuda a prevenir ciertos tipos de cáncer, porque inhibe la acción de lo

radicales libres. Particularmente el cáncer de páncreas, próstata, colon y pulmón.

Véase en el Capítulo 1 información de interés sobre las dolencias relacionadas.

FORMAS DE CONSUMO

● Fresca o en zumos, sorbetes y helados.
● Con algunas de sus variedades también se puede elaborar mermelada.
● En Rusia se prepara un vino a base del jugo de sandía. La cáscara se utiliza para elaborar fruta abrillantada.

CONSEJOS PARA LA COMPRA

La superficie no tiene que tener quemaduras de sol, magulladuras o ningún tipo de defecto.
La base (la parte de la cáscara que ha estado en contacto con el suelo) debe ser amarilla y no blanca o verdosa.
Para asegurarse un ejemplar jugoso, elija la más pesada

CONSERVACIÓN

Refrigerada, puede llegar a mantenerse en buen estado entre dos y tres semanas.

SABÍA QUE...

Aunque no es habitual comer las semillas, se dice que son buenas para la próstata. Y un detalle ortográfico: sin acento (sandia), quiere decir necia.

SETA

EL DICCIONARIO DICE

CUALQUIER ESPECIE DE HONGO CON FORMA DE SOMBRERO SOSTENIDO POR UN PEDICELO.

PRECAUCIONES

Contiene purinas, que el organismo transforma en ácido úrico. Las personas que presentan cuadros de gota, litiasis renal o hiperuricemia deben limitar su consumo.

TAMBIÉN SE LA CONOCE COMO...

Gírgola, hongo ostra, orejón, pleurotas, seta común, seta de chopo, seta de ostra.

DESCRIPCIÓN GENERAL

Su nombre científico es *Pleurotas ostreatus*. Es la parte comestible de los hongos que, si bien en la actualidad se cultivan, en la antigüedad se recolectaban de los bosques. Su forma varía según la especie. Todas poseen una cutícula o membrana exterior que las recubre; un sombrero, que es la parte ancha y superior de la seta; un himenio, la parte inferior de este sombrero, que puede ser liso o laminado; y un pie que sostiene al sombrero. Existe una gran cantidad de variedades comestibles.

BENEFICIOS PARA LA SALUD *

- Las setas se destacan por su bajo aporte calórico, que las convierte en un alimento ideal para las dietas de control de peso.
- Aporta yodo, un mineral necesario para las personas que padecen de bocio, una alteración en la glándula tiroides.
- Contiene fósforo, un mineral que interviene en la formación de huesos y dientes.
- El ergosterol facilita la absorción del calcio.

*Véase en el Capítulo I información de interés sobre las dolencias relacionadas.

FORMAS DE CONSUMO

● La oronja se puede servir cruda. El resto se cocina, ya sea salteadas, asadas, al vapor, grilladas o en el horno.

Se puede incorporar en ensaladas o diversas guarniciones.

En salteados, revueltos, rellenos, guisos, salsas, con pastas o arroz.

CONSEJOS PARA LA COMPRA

Existen hongos tóxicos, por lo que es importante estar seguro de que se trata de variedades comestibles.

Fíjese que no presenten zonas húmedas o con moho.

CONSERVACIÓN

Frescas, se mantienen en el refrigerador en buen estado entre tres y cinco días.

Se pueden desecar, conservar en aceite, en vinagre, en sal, en salmuera o en polvo.

Para congelarlas, hay que blanquearlas o precocerlas.

SABÍA QUE...

Por su composición, las setas son difíciles de clasificar. Siempre fueron consideradas vegetales, aunque carecen de clorofila (por lo que son incapaces de procesar las sustancias que necesitan para vivir) y contienen quitina, una proteína del reino animal. Por eso, la micología moderna creó un nuevo reino y ahora las considera "fungi".

SOJA

EL DICCIONARIO DICE

PLANTA HERBÁCEA LEGUMINOSA DE APROXIMADAMENTE UN METRO DE ALTURA, TALLO RECTO, FLORES EN RACIMO VIOLETAS O BLANCAS Y FRUTO EN LEGUMBRE, DE CUYA SEMILLA SE EXTRAE ACEITE VEGETAL.

PRECAUCIONES

Es importante incluirla dentro de un plan de alimentación equilibrado. En exceso puede ocasionar trastornos digestivos, y en algunos casos, potenciar ciertos trastornos hormonales.

TAMBIÉN SE LA CONOCE COMO...

Soya.

DESCRIPCIÓN GENERAL

Su nombre científico es *Glycine max* y pertenece a la familia de las *Leguminosas*. Su tallo rígido suele presentar ramificaciones y las hojas son alternas y compuestas, de color verde primero, y luego amarillas. Cada una de las vainas posee entre tres y cuatro semillas que son levemente esféricas, pequeñas y de color amarillo. Este cultivo es originario del sureste asiático, y los misioneros budistas lo llevaron al Japón. Llegó a Occidente de la mano del movimiento hippie, que incorporó la dieta macrobiótica japonesa.

BENEFICIOS PARA LA SALUD *

- Es rica en isoflavonoides o fitoestrógenos, de gran ayuda para controlar los síntomas del climaterio, como los sofocos, los dolores articulares y musculares, la irritabilidad y el aumento de peso.
- Reduce el riesgo de padecer afecciones cardiovasculares.
- Beneficia la masa ósea y disminuye las probabilidades de padecer fracturas osteoporóticas.
- Mejora el sistema circulatorio y nervioso.
- Aporta fibra, que además de mejorar el estreñimiento, regula los niveles de glucemia y colesterol en la sangre.
- Recomendada para aquellos que deben seguir una dieta sin gluten.
- Germinada o fermentada, se potencia el contenido de vitaminas del grupo B, incluyendo la B12.

*Véase en el Capítulo 1 información de interés sobre las dolencias relacionadas.

FORMAS DE CONSUMO

● Los brotes de soja se pueden comer tanto frescos como levemente salteados.

● Los porotos se cocinan como cualquier legumbre. Conviene dejarlos en remojo durante toda la noche y luego cocerlos con la misma agua lentamente hasta que queden tiernos.

● Los porotos se pueden comer en ensaladas, guisos, rellenos de verduras y otras preparaciones.

● También sirven como base para obtener aceite, harina, tofu o cuajado, leche, hambuguesas y milanesas, entre otros productos, a partir de los cuales se puede elaborar prácticamente cualquier plato.

CONSEJOS PARA LA COMPRA

Busque aquellos granos que sean redondeados, suaves y que no desprendan olor rancio.

En el caso de los brotes, elija los que se vean firmes y lozanos.

CONSERVACIÓN

Los porotos sin cocer se guardan en un recipiente hermético, preferiblemente dentro del refrigerador, y pueden durar hasta seis meses.

SABÍA QUE...

La lecitina de soja es un compuesto natural que actúa sobre el metabolismo de la grasa, que se fabrica en el hígado, pasa al intestino y se absorbe por la sangre. Impide que el colesterol se deposite en las arterias y en las venas, es antioxidante por su aporte de vitamina E y fósforo, facilita la digestión de las grasas, hidrata la piel, interviene en la transmisión de los impulsos nerviosos, en el mantenimiento de los neurotransmisores, protege el hígado, y reduce el riesgo de sufrir accidentes vasculares.

TOMATE

EL DICCIONARIO DICE

FRUTO DE LA TOMATERA, SE TRATA DE UNA BAYA ROJA, BLANDA Y BRILLANTE, COMPUESTA EN SU INTERIOR DE VARIAS CELDILLAS LLENAS DE SEMILLAS APLASTADAS Y AMARILLAS.

PRECAUCIONES

Su acidez y sus semillas pueden irritar estómagos delicados. También contiene ácido oxálico, por lo que las personas con tendencia a formar cálculos renales deberían moderar su consumo.

TAMBIÉN SE LO CONOCE COMO...

Jitomate.

DESCRIPCIÓN GENERAL

Su nombre científico es *Lycopersicum esculentum Mill.* y pertenece a la familia de las *Solanáceas*. Su tallo largo está recubierto de una gran cantidad de folículos y sus hojas tienen bordes dentados. Es una baya roja de tamaño mediano, que dependiendo de la variedad puede ser esférica, redondeada o más bien achatada. Su piel es fina y comestible. En la parte superior permanece la raíz del tallo, y el interior está repleto de pequeñas semillas amarillas y chatas. Entre las variedades más conocidas, podemos mencionar al tomate en rama, el de pera o perita, canario, cherry (miniatura), verde, monserrat y raf.

BENEFICIOS PARA LA SALUD *

■ Aporta muy pocas calorías, por lo que se recomienda en las dietas de adelgazamiento.

■ Contiene abundante licopeno (la sustancia que le da color) un gran aliado a la hora de prevenir enfermedades cardiovasculares y crónicas, especialmente algunos tipos de cáncer: próstata, pulmón, mama, endometrio y los del aparato digestivo.

■ Depura la sangre y fortalece al organismo en general. También disminuye la neurastenia (neurosis que se caracteriza por sentir un gran cansancio tras realizar un gran esfuerzo intelectual).

■ El jugo que rodea a las semillas tiene cualidades anticoagulantes, positivas en cuadros de aterosclerosis.

■ Podría ayudar a disminuir las cataratas.

Los citratos y los malatos, dos ácidos, lo convierten en un buen digestivo. Con piel posee un efecto laxante.

Véase en el Capítulo I información de interés sobre las dolencias relacionadas.

FORMAS DE CONSUMO

Fresco, en ensalada o acompañando diferentes platos.
En zumos, sopas, diferentes bebidas.
En salsas, asado, frito, al horno.
Lávelo bien antes de comerlo crudo.

CONSEJOS PARA LA COMPRA

Deben estar firmes, sin manchas ni rugosidades en la piel.

CONSERVACIÓN

Enteros, en lugares frescos y oscuros pueden llegar a durar hasta una semana.
Los zumos se conservan por dos días.
No conviene congelarlos.

SABÍA QUE...

Para quitar la cáscara fácilmente, realice cuatro tajos suaves sobre la superficie del tomate y sumérjalo durante un minuto en agua hirviendo. Páselo por agua fría para no quemarse y luego podrá quitar la piel con las manos.

UVA

EL DICCIONARIO DICE

BAYA JUGOSA, DE FORMA ES-
FÉRICA Y PULPA JUGOSA,
QUE CRECE EN RACIMOS,
FRUTO DE LA VID.

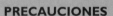

PRECAUCIONES

Las personas con diabe-
tes deberán consumirlas
con precaución debido a
su aporte de azúcar. Las uvas
negras contienen ácido oxálico, perjudicial en cuadros de
cálculos renales. En esta variedad, también, los polifenoles y
los taninos pueden provocar
migrañas en las personas pro-
pensas.

DESCRIPCIÓN GENERAL

Su nombre científico es *Vitis vinifera L.* y pertenece a la famili
de las *Vitáceas*. Esta baya pequeña y esférica crece en racimo
Su piel, comestible, puede ser de verde a morada intensa, y s
pulpa es bien jugosa y transparente, de color más bien verdo
so. En su interior alberga dos pequeñas pepitas medianamer
te duras y de color pardo con forma de lágrima. Existe un
gran variedad de especies, que se utilizan con diferentes fines
Son nada más y nada menos que el alma del vino. Y sus hoja
verde opaco, grandes y de bordes irregulares, también se uti
lizan en gastronomía.

BENEFICIOS PARA LA SALUD *

- La combinación de antocianos, taninos y flavonoi
des posee un efecto antioxidante. Inhiben el efec
to nocivo de los radicales libres y, de esta manera
previenen el envejecimiento del organismo y e
desarrollo de enfermedades crónicas o degenera
tivas, y ciertos tipos de cáncer.
- A lo recién dicho se suma la acción del magnesio y
el potasio, que protegen los músculos y el corazón
- En las uvas verdes, los taninos cumplen una funció
astringente, positiva en cuadros de diarrea.
- Rica en fibra, de efecto laxante. Conviene consu
mirla con agua y con pepitas.
- Aporta ácido fólico, necesario para las mujeres du
rante los primeros meses de embarazo porque
ayuda a prevenir malformaciones en el tubo neu
ral del feto.

- El potasio y su contenido en agua la convierten en un gran diurético. Se recomienda su consumo en casos de hiperuricemia, gota, litiasis renal, hipertensión arterial y oliguria.
- Depura la sangre y desintoxica al organismo en general.

*Véase en el Capítulo I información de interés sobre las dolencias relacionadas.

FORMAS DE CONSUMO

● En general se consume como fruta fresca, con o sin piel.
● Combinada con otras frutas, en batidos, jugos o mermeladas.
● Combina muy bien con los quesos y se utiliza para elaborar vinos y otras bebidas alcohólicas.

CONSEJOS PARA LA COMPRA

Si las uvas se desprenden muy fácilmente del racimo, significa que están demasiado maduras.
Las uvas de cada racimo deben ser uniformes, tanto en tamaño como en color.

CONSERVACIÓN

En el refrigerador, se mantienen hasta dos semanas en buen estado.

UVA PASA

EL DICCIONARIO DICE

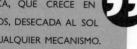

FRUTO DE LA VID, DE FORMA ESFÉRICA, QUE CRECE EN RACIMOS, DESECADA AL SOL POR CUALQUIER MECANISMO.

PRECAUCIONES

Su aporte calórico es hasta seis veces mayor que el de la fruta fresca, por lo que las personas con sobrepeso, diabetes e hipertrigliceridemia deben moderar su consumo. Del mismo modo, deben limitar su ingesta los que padecen de insuficiencia renal y deben seguir planes de alimentación limitados en potasio.

DESCRIPCIÓN GENERAL

Rubia o morada, con la superficie seca y arrugada, la uva pasa es el producto que se obtiene cuando se deseca una uva. En este proceso, se reduce al máximo el contenido de agua de la fruta, con lo que se paraliza la acción de los gérmenes que precisan un microclima húmedo para vivir. Este procedimiento se puede realizar de manera natural, al sol; o bien, por calor artificial.

Para elaborarlas, se parte de las variedades que no poseen semillas y que, además, son ricas en azúcares.

Las más conocidas son las pasas sultanas.

BENEFICIOS PARA LA SALUD *

- Su aporte de calorías y azúcares las convierte en un alimento recomendado para deportistas o personas que han realizado un esfuerzo físico intenso.
- Contiene una importante cantidad de fibras solubles, que disminuyen la absorción de grasa y colesterol por parte del organismo.
- Suman una interesante cantidad de hierro concentrado, importante en casos de anemia ferropénica. Conviene combinarlas con alguna otra fruta rica en vitamina C para mejorar la absorción.
- Su elevada concentración de potasio es beneficiosa para las personas que, por el consumo de diuréticos, pierden o eliminan dicho mineral.

*Véase en el Capítulo 1 información de interés sobre las dolencias relacionadas.

FORMAS DE CONSUMO

● Se consumen solas, como aperitivo o snack, combinadas con otros frutos secos o desecados.

● También se incorporan en diversas recetas de repostería, especialmente las de origen europeo. Y en ensaladas y diversas salsas o rellenos de platos agridulces.

CONSEJOS PARA LA COMPRA

Deben ser uniformes y sin demasiadas arrugas.

CONSERVACIÓN

Guárdelas en frascos de cristal bien cerrados, en lugares frescos, secos y resguardados de la luz directa.

SABÍA QUE...

En alemán se conocen como *Studenten Futre* (fruta de los estudiantes). Por sus nutrientes, son un buen complemento para los estudiantes en época de exámenes.

YUCA

INFORMACIÓN NUTRICIONAL

VITAMINAS:
B • C
MINERALES:
CALCIO • HIERRO • MAGNESIO
POTASIO

Véase en página 111 información de interés sobre las vitaminas y minerales recién mencionados.

EL DICCIONARIO DICE

ARBUSTO AMERICANO DE LA FAMILIA DE LAS EUFORBIÁ-CEAS, DE CUYA RAÍZ SE EX-TRAE LA TAPIOCA, UNA FÉCULA MUY USADA EN ALIMENTACIÓN.

PRECAUCIONES

Por su elevado conteni-do calórico, las personas que sufran de sobrepeso deben moderar su consumo. También posee una gran can-tidad de potasio, aspecto que tendrán que considerar aque-llos que deban seguir dietas li-mitadas en ese mineral.

TAMBIÉN SE LA CONOCE COMO...

Cariba, cazabe o casabe, mandioca o tapioca.

DESCRIPCIÓN GENERAL

Su nombre científico es *Manihot esculenta, sin. M. utilissima*, y pertenece a la familia de las *Euforbiáceas*. Adaptada a los cli-mas subtropicales, no resiste las heladas. Su raíz, la parte co-mestible de la planta, es un tubérculo cilíndrico y puede llegar a alcanzar el metro de largo. Su cáscara dura y leñosa es de color amarronado o rojizo. La pulpa es blanca o amarillenta, firme y dura y está surcada por fibras.

BENEFICIOS PARA LA SALUD *

- Muy rica en hidratos de carbono complejo y por lo tanto, muy nutritiva. Especialmente recomenda-da para deportistas y personas que realizan un desgaste físico importante.
- Fácil de asimilar, ayuda a aquellas personas que pa-decen dificultades digestivas.
- No contiene gluten, cualidad necesaria para los ce-líacos y los alérgicos a dicha sustancia.
- Cocidas, las hojas se pueden consumir como cual-quier verdura y aportan vitamina C, hierro y cal-cio.
- Aplicadas en forma externa, las hojas se utilizan pa-ra curar quemaduras y eccemas en la piel.

*Véase en el Capítulo 1 información de interés sobre las dolencias relacionadas.

FORMAS DE CONSUMO

● Es imprescindible cocinarla ya que, de lo contrario, puede re-sultar tóxica.
● Conviene hervirla o cocinarla al vapor para ablandarla, y lue-go se puede asar o freír como si fuera una patata.

- Se incluye en guisos, pucheros, sopas, purés.
- Su harina es la base del famoso chipá, un pan típico de Paraguay.
- Para obtener la harina, se ralla, se prensa para extraerle las sustancias tóxicas, se seca al fuego o al sol y luego se muele.
- Se utiliza para realizar chicha y otras bebidas alcohólicas.

CONSEJOS PARA LA COMPRA

Elija aquellas que no tengan apariencia demasiado leñosa o añeja.

CONSERVACIÓN

Fresca se mantiene durante tres a cinco días.
Se puede trocear y congelar.

SABÍA QUE...

Existen dos grandes grupos de yuca: la dulce y la amarga. Esta última es tóxica, por lo que es importante tostarla y pulverizarla para anular sus efectos nocivos. De allí se obtiene la harina o fariña, que en algunas regiones se conoce como harina de palo. Es la séptima mayor fuente de alimentos básicos del mundo.

ZANAHORIA

EL DICCIONARIO DICE

PLANTA HERBÁCEA CON FLORES BLANCAS Y PÚRPURAS EN EL CENTRO, DE FRUTO SECO Y COMPRIMIDO, Y RAÍZ GRUESA DE COLOR ANARANJADO QUE SE UTILIZA COMO ALIMENTO.

PRECAUCIONES

En algunos casos puede llegar a ocasionar reacciones similares a la dermatitis.

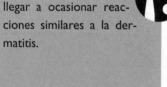

TAMBIÉN SE LA CONOCE COMO...

Azanoria.

DESCRIPCIÓN GENERAL

Su nombre científico es *Daucus carota L* y pertenece a la familia de las *Umbelíferas* o *Apiáceas*. La zanahoria, o la raíz de esta planta, es la hortaliza que más se consume en esta familia. De forma cónica, gruesa y alargada, posee una cáscara fina que se funde con la pulpa y que también es comestible. En la mayoría de los casos es de color anaranjado, aunque existen variedades blancas, amarillas y moradas. Se clasifican en función de su forma y su tamaño, y las variedades más comunes son: Ardenta parade, Iva, Morada, Preda, Flakkee y Chantenay.

BENEFICIOS PARA LA SALUD *

- Por ser el alimento más rico en betacarotenos, es muy beneficioso para la visión, la piel, los tejidos y las defensas del organismo.
- Los betacarotenos y la vitamina E poseen un efecto antioxidante. Inhiben la acción negativa de los radicales libres, de modo que protegen al organismo del envejecimiento y previenen el desarrollo de enfermedades crónicas y degenerativas, entre ellas, las cardiovasculares y ciertos tipos de cáncer.
- Debido a sus aceites esenciales y a la presencia de pectina, tiene un gran poder astringente, de gran ayuda en casos de diarrea, siempre y cuando se consuma cocida. Es una buena aliada a la hora de eliminar los parásitos.
- Cruda, estimula la función intestinal y mejora el estreñimiento.

■ Especialmente recomendada para aquellas personas que siguen dietas bajas en grasas y las que presentan tendencia a desarrollar afecciones respiratorias, por su aporte de vitamina A.

*Véase en el Capítulo 1 información de interés sobre las dolencias relacionadas.

FORMAS DE CONSUMO

● Se puede comer tanto cruda como cocida, ya que el beta-caroteno resiste el calor.
● Es importante limpiar bien la cáscara con la ayuda de un cepillo de cerdas duras, porque conviene consumirlas sin pelar.
● Solas, en ensaladas, guisos, purés, budines, cremas, rellenos, como guarniciones. Se utilizan para elaborar jugos y licuados. Y también en postres dulces o almibaradas.

CONSEJOS PARA LA COMPRA

Elija aquellas de piel suave, sin raíces laterales y color vivo. Cuanto más pareja sea la forma, mejor. Deben estar firmes. También se consiguen en conserva y congeladas.

CONSERVACIÓN

En un lugar fresco y aireado pueden llegar a mantenerse hasta durante dos semanas. Conviene lavarlas justo antes de consumirlas.
Para congelarlas, hay que blanquearlas o precocerlas.

SABÍA QUE...

Cuando se consume en exceso, puede llegar a darle a la piel de las palmas de las manos y las plantas de los pies un tono amarillento. Sus pigmentos se utilizan como colorante en la industria alimenticia.

EL DICCIONARIO DICE

PEQUEÑA CALABAZA CILÍNDRICA DE CORTEZA VERDE Y CARNE BLANCA.

PRECAUCIONES

Absorbe gran cantidad de aceite durante la cocción, por eso hay que ser cuidadoso a la hora de prepararlo, especialmente si se está siguiendo alguna dieta especial para controlar el peso.

TAMBIÉN SE LO CONOCE COMO...

Zucchini o calabacín.

DESCRIPCIÓN GENERAL

Su nombre científico es *Cucúrbita pepo L. Var. giromontina* y pertenece a la familia de las *Cucurbitáceas*. Es un fruto en baya de forma alargada, de pulpa blanca y cuyo centro está repleto de semillas comestibles. El color de su piel, que también es comestible, cambia en función de la variedad. En la mayoría de los casos es verde o con rayas verdes y amarillas. Pero también puede ser negro o verde oscuro (calabacín tipo oscuro), verde medio (Sofía), negro brillante (Samara), gris o gris verdoso (calabacín tipo claro).

BENEFICIOS PARA LA SALUD *

- Por su gran cantidad de agua posee un bajo aporte calórico, un beneficio para los que buscan bajar de peso.
- Aporta fibra a la dieta, que produce sensación de saciedad y estimula el movimiento intestinal. Además de mejorar el estreñimiento, regula los niveles de colesterol y glucosa en sangre.
- Sus propiedades emolientes suavizan y desinflaman las mucosas del aparato digestivo.
- Rico en potasio y con bajo contenido en sodio, actúan como diurético y ayudan a eliminar toxinas del organismo. Recomendado en cuadros de hipertensión, cálculos renales, hiperuricemia, gota y oliguria.

*Véase en el Capítulo 1 información de interés sobre las dolencias relacionadas.

FORMAS DE CONSUMO

- En general se come cocido, aunque se puede incluir crudo en diversas ensaladas.
- Hervido, al vapor, asado, frito o grillado.
- Rebozado, en tortilla, en salteados de vegetales, gratinado al horno, en guiso, como guarnición.
- Conviene lavarlo bien y comerlo con cáscara, para aprovechar al máximo sus nutrientes

CONSEJOS PARA LA COMPRA

Busque los ejemplares más firmes y compactos, que no presenten ningún tipo de alteración en la superficie.

CONSERVACIÓN

En el refrigerador se mantiene hasta una semana.
Para congelarlos, hay que blanquearlos o precocerlos.

SABÍA QUE...

En la antigüedad, se creía que su cultivo auguraba prosperidad en las cosechas. Las flores de este árbol también son comestibles, ya sea como acompañamiento o como protagonistas del plato.

RECETAS CURATIVAS

CAPÍTULO 3

En este capítulo encontrará una amplia selección de recetas curativas en las que el poder curativo de las frutas y verduras es protagonista.

Tenga en cuenta que si desea obtener información detallada sobre los nutrientes y los beneficios particulares de cada fruta o verdura puede recurrir al capítulo anterior a éste. Del mismo modo, encontrará información específica sobre las dolencias a tratar con estas recetas en el primer capítulo.

JUGOS Y LICUADOS

CLAVES PARA TENER EN CUENTA

- Utilizar una juguera, procesadora o licuadora para procesar todos los ingredientes.
- Salvo las pocas excepciones en las que está indicado, tanto frutas como verduras se incorporan crudas a las preparaciones.
- Es fundamental realizar una limpieza concienzuda antes de comenzar a preparar las bebidas. Frotar las piezas suavemente con un cepillo es una buena opción. Cuando se trata de verduras de hoja es conveniente dejarlas unos minutos en remojo para que suelten toda la tierra.
- En aquellos casos en los que la cáscara es comestible, conviene conservarla para aprovechar al máximo las cualidades nutritivas. No es recomendable consumir las frutas con cáscaras en el caso de tener problemas digestivos.
- Quitar pepitas y semillas antes de preparar las bebidas.
- Si alguna de las preparaciones llegara a quedar muy espesa, agregar agua mineral o filtrada.
- ¿Cúanto y cómo tomarlos? Previa consulta con el médico, la sugerencia es consumirlos no más de tres veces al día, durante una semana en caso de que la dolencia persista.
- Conviene prepararlos en el momento de consumirlos y no guardar el excedente, ya que la mayoría de las frutas y verduras pierden sus propiedades poco tiempo después de ser peladas o cortadas.
- Lo ideal es consumir los jugos y licuados por la mañana y en ayunas ya que este es un momento de desintoxicación del organismo y la fibra de frutas y verduras ayudará al proceso natural.

ACNÉ

5 zanahorias peladas
26/32/36/37/42/44/46/50/54/57/61/67/81
85/92/93/94/95/98/99/100/106/**310**
318 a 330/338/371/377/378

40 hojas de espinaca
15/24/36/37/53/106/**196**/320/321/324
325/326/327/328/330/338/340/389/392

10 hojas de lechuga
17/21/22/62/63/67/73/74/**226**/322
325/326/335/338/342/380/387

ALERGIA

3 zanahorias peladas
26/32/36/37/42/44/46/50/54/57/61/67/81
85/92/93/94/95/98/99/100/106/**310**
316/319 a 330/338/371/377/378

3 raíces de remolacha
31/36/60/67/69/97/**292**/320/321/322
324/325/326/327/330/337/370/371/389

2 tallos de apio
9/15/20/36/52/64/67/74/85/91/106/**132**
319/320/321/325/326/327/328/329/335

AMÍGDALAS

3 zanahorias peladas
26/32/36/37/42/44/46/50/54/57/61/67/81
85/92/93/94/95/98/99/100/106/**310**/316
319 a 330/338/371/377/378

1 tallo de apio
9/15/20/36/52/64/67/74/85/91/106/**132**
319/320/321/325/326/327/328/329/335

1 manzana
30/37/42/44/57/73/80/87/88/91/**242**/319/320
323/324/325/326/349/355/356/357/358/377/387

ANEMIA

20 fresas
18/24/58/59/61/77/81/102/**200**/321
322/323/324/352

5 moras
252/321/340

1 rodaja de piña
43/50/53/60/83/91/97/101/**278**/319/320
322/326/328/330/367/368/369/379/380/384

1/2 manzana
30/37/42/44/57/73/80/87/88/91/**242**
319/320/323/324/325/326/349/355/356
357/358/377/387

Jugo de 1/2 lima
31/42/**230**/319/340/344

ANEMIA (otro)

1 puñado de berro
28/46/48/60/69/92/97/**142**/321/322
323/327/328//330/335

40 hojas de espinaca
15/24/36/37/53/106/**196**/320/321/324
325/326//327/328/330/338/340/389/392

2 zanahorias peladas
26/32/36/37/42/44/46/50/54/57/61/67
81/85/92/93/94/95/98/99/100/106/**310**
316/319 a 330/338/371/377/378

2 zanahorias peladas
26/32/36/37/42/44/46/50/54/57/61/67/81
85/92/93/94/95/98/99/100/106/**310**/316
319 a 330/338/371/377/378

1 tallo de apio
9/15/20/36/52/64/67/74/85/91/106/**132**
318/320/321/325/326/327/328/329/335

10 hojas de nabo
63/102/**254**/327/330

ANGINA DE PECHO

1 papaya
10/28/51/60/85/96/97/107/**264**/320
323/354/366

3 rodajas de piña
43/50/53/60/83/91/97/101/**278**/319/320/322
326/328/330/367/368/369/379/380/384

Jugo de 1 lima
31/42/**230**/318/340/344

2 dientes de ajo pelados
16/19/20/28/36/50/52/55/60/67/70/81
87/90/97/102/107/108/**122**/320/328
329/335/336/338/381

1 cebolla pelada
19/20/21/31/35/36/50/55/59/60/67/80/81/97
104/107/**160**/322/335/336/337/338/344/345

2 rábanos
31/36/60/67/69/71/97/104/**290**/322/345

1 taza de hojas de perejil
16/62/79/92/**272**/321/344

1 zanahoria
26/32/36/37/42/44/46/50/54/57/61/67/81
85/92/93/94/95/98/99/100/106/**310**/316
318 a 330/338/371/377/378

ARTERIAS *

1 zanahoria
26/32/36/37/42/44/46/50/54/57/61/67/81
85/92/93/94/95/98/99/100/106/**310**/316
318 a 330/338/371/377/378

2 rodajas de piña
43/50/53/60/83/91/97/101/**278**/318/320
322/326/328/330/367/368/369/379/380/384

1 manzana
30/37/42/44/57/73/80/87/88/91/**242**
318/320/323/324/325/326/349/355/356
357/358/377/387

* Las mantiene en buen estado.
Favorece la circulación.

2 zanahorias peladas
26/32/36/37/42/44/46/50/54/57/61/67
81/85/92/93/94/95/98/99/100/106/**310**
316/318 a 330/338/371/377/378

1 papaya grande
10/28/51/60/85/96/97/107/**264**/319
323/354/366

3 rodajas de piña
43/50/53/60/83/91/97/101/**278**/318/319
322/326/328/330/367/368/369/379/380/384

3 zanahorias peladas
26/32/36/37/42/44/46/50/54/57/61/67/81
85/92/93/94/95/98/99/100/106/**310**/316
318 a 330/338/371/377/378

1 remolacha pelada
31/36/60/67/69/97/**292**/318/321/322/324
325/326/327/330/337/370/371/389

2 tallos de apio
9/15/20/36/52/64/67/74/85/91/106/**132**
318/319/321/325/326/327/328/329/335

20 hojas de espinaca
15/24/36/37/53/106/**196**/318/321/324
325/326/327/328/330/338/340/389/392

3 zanahorias peladas
26/32/36/37/42/44/46/50/54/57/61/67
81/85/92/93/94/95/98/99/100/106
310/316/318 a 330/338/371/377/378

1 diente de ajo pelado
16/19/20/28/36/50/52/55/60/67/70/81
87/90/97/102/107/108/**122**/319/328
329/335/336/338/381

Ralladura de jengibre pelada
66/76/80/82/101/104/**216**/323/326
328/336/340/341/344

2 zanahorias peladas
26/32/36/37/42/44/46/50/54/57/61/67
81/85/92/93/94/95/98/99/100/106/**310**
316/318 a 330/338/371/377/378

3 tallos de apio
9/15/20/36/52/64/67/74/85/91/106/**132**
318/319/321/325/326/327/328/329/335

10 hojas de espinaca
15/24/36/37/53/106/**196**/318/321/324/325
326/327/328/330/338/340/389/392

Jugo de 2 pomelos
23/35/90/106/**286**/328/349
367/376/380

2 tallos de apio
9/15/20/36/52/64/67/74/85/91/106/**132**
318/319/321/325/326/327/328/329/335

1/2 manzana
30/37/42/44/57/73/80/87/88/91/**242**
318/319/323/324/325/326/349/355/356
357/358/377/387

2 tallos de apio
9/15/20/36/52/64/67/74/85/91/106/**132**
318/319/320/325/326/327/328/329/335

20 hojas de espinaca
15/24/36/37/53/106/**196**/318/320/324/325
326/327/328/330/338/340/389/392

1 pepino
9/20/31/35/41/55/59/63/67/85/93/96
98/**268**/322/325/327/329/330/368

ASMA

15 moras
252/318/340

15 fresas
18/24/58/59/61/77/81/102/**200**/318
322/323/324/352

Jugo de 1 naranja
14/18/19/50/58/67/84/98/107/**256**/328
344/349/362/367

1/2 mango
85/**240**/328/329/354

1/2 kiwi
18/50/51/52/55/60/85/97/**222**

2 zanahorias peladas
26/32/36/37/42/44/46/50/54/57/61/67/81
85/92/93/94/95/98/99/100/106/**310**
316/318 a 330/338/371/377/378

**1 1/2 taza de hojas
de berro**
28/46/48/60/69/92/97/**142**/318/322
323/327/328/330/335

Jugo de 1 limón
9/10/14/18/50/52/55/59/64/71/75/**232**
324/325/328/337/338/344/345/353
354/367/382

BILIS *

2 pepinos
9/20/31/35/41/55/59/63/67/85/93/96
98/**268**/322/325/327/329/330/368

2 zanahorias peladas
26/32/36/37/42/44/46/50/54/57/61/67/81
85/92/93/94/95/98/99/100/106/**310**/316
318 a 330/338/371/377/378

1 remolacha pelada
31/36/60/67/69/97/**292**/318/320/322
324/325/326/327/330/337/370/371/389

**1 puñado de berro
o perejil**
16/62/79/92/**272**/319/344

* Estimula la producción
y previene ataques biliares.

1 zanahoria
26/32/36/37/42/44/46/50/54/57/61/67/81
85/92/93/94/95/98/99/100/106/**310**/316
318 a 330/338/371/377/378

1 remolacha pelada
31/36/60/67/69/97/**292**/318/320/321
324/325/326/327/330/337/370/371/389

1 pepino
9/20/31/35/41/55/59/63/67/85/93/96
98/**268**/321/325/327/329/330/368

1/2 rábano
31/36/60/67/69/71/97/104/**290**/319/345

1 puñado de berro
28/46/48/60/69/92/97/**142**/318/321/323
327/328/330/335

5 rábanos
31/36/60/67/69/71/97/104/**290**/319/345

Jugo de 2 limones
9/10/14/18/50/52/55/59/64/71/75/**232**
321/325/328/337/338/344/345/353
354/367/382

1 cebolla
19/20/21/31/35/36/50/55/59/60/67/80
81/97/104/107/**160**/319/335/336/337
338/344/345

30 fresas
18/24/58/59/61/77/81/102/**200**/318
321/323/324/352

1 guayaba
210

1 plátano pequeño
29/41/44/57/63/81/105/**284**
366/369/387

3 zanahorias peladas
26/32/36/37/42/44/46/50/54/57/61/67/81
85/92/93/94/95/98/99/100/106/**310**/316
318 a 330/338/371/377/378

1 puñado de brotes de alfalfa
9/15/19/20/77/87/88/**128**

2 hojas de lechuga
17/21/22/36/63/67/73/74/**226**/318
325/326/335/338/342/380/387

5 almendras
21/45/48/85/90/130/322/338/387/388

Jugo de 1 pomelo
23/35/90/106/**286**/328/349/367
376/380

1 papaya
10/28/51/60/85/96/97/107/**264**/319
320/354/366

2 rodajas de piña
43/50/53/60/83/91/97/101/**278**/318/319
320/326/328/330/367/368/369/379/380/384

3 rodajas de piña
43/50/53/60/83/91/97/101/**278**/318/319
320/326/328/330/367/368/369/379/380/384

1 manzana
30/37/42/44/57/73/80/87/88/91/**242**
318/319/320/324/325/326/349/355/356
357/358/377/387

5 fresas
18/24/58/59/61/77/81/102/**200**/318
321/322/324/352

2 manzanas
30/37/42/44/57/73/80/87/88/91/**242**
318/319/320/324/325/326/349/355
356/357/358/377/387

2 peras
42/56/73/81/91/**270**/324/380

1 rodaja de sandía
31/49/59/67/**296**/372/373

1 litro de agua hervida

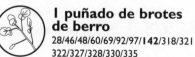

6 zanahorias peladas
26/32/36/37/42/44/46/50/54/57/61/67/81/85
92/93/94/95/98/99/100/106/**310**/316
318 a 330/338/371/377/378

1 manzana
30/37/42/44/57/73/80/87/88/91/**242**
318/319/320/324/325/326/349/355
356/357/358/377/387

**1/2 bulbo de raíz
de jengibre pelada**
66/76/80/82/101/104/**216**/320
326/328/336/340/341/344

**1 puñado de brotes
de berro**
28/46/48/60/69/92/97/**142**/318/321
322/327/328/330/335

Jugo de 1 limón
9/10/14/18/50/52/55/59/64/71/75/**232**
321/325/328/337/338/344/345/353
354/367/382

2 zanahorias peladas
26/32/36/37/42/44/46/50/54/57/61/67/81
85/92/93/94/95/98/99/100/106/**310**/316
318 a 330/338/371/377/378

2 manzanas
30/37/42/44/57/73/80/87/88/91/**242**
318/319320/323/325/326/349/355/356
357/358/377/387

1 pera
42/56/73/81/91/**270**/323/380

3 pepinos
9/20/31/35/41/55/59/63/67/85/93/96
98/**268**/321/322/327/329/330/368

1 zanahoria
26/32/36/37/42/44/46/50/54/57/61/67/81
85/92/93/94/95/98/99/100/106/**310**/316
318 a 330/338/371/377/378

1 remolacha pelada
31/36/60/67/69/97/**292**/318/320/321/322
325/326/327/330/337/370/371/389

3 zanahorias peladas
26/32/36/37/42/44/46/50/54/57/61/67/81
85/92/93/94/95/98/99/100/106/**310**/316
318 a 330/338/371/377/378

40 hojas de espinaca
15/24/36/37/53/106/**196**/318/320/321
325/326/327/328/330/338/340/389/392

3 zanahorias peladas
26/32/36/37/42/44/46/50/54/57/61/67/81
85/92/93/94/95/98/99/100/106/**310**/316
318 a 330/338/371/377/378

1 manzana
30/37/42/44/57/73/80/87/88/91/**242**
318/319/320/323/325/326/349/355
356/357/358/377/387

1 pera
42/56/73/81/91/**270**/323/380

15 uvas verdes
42/52/59/63/**304**/376/382

30 fresas
18/24/58/59/61/77/81/102/**200**/318
321/322/323/352

2 zanahorias peladas
26/32/36/37/42/44/46/50/54/57/61/67/81
85/92/93/94/95/98/99/100/106/**310**/316
318 a 330/338/371/377/378

40 hojas de espinaca
15/24/36/37/53/106/**196**/318/320/321/325
326/327/328/330/338/340/389/392

1 taza de coles de Bruselas cocidos
37/**182**

1 taza de judías verdes cocidas
36/37/48/50/51/94/**220**/326/333/391

Jugo de 1 limón
9/10/14/18/50/52/55/59/64/71/75/**232**
321/324/325/328/337/338/344/345
353/354/367/382

Zanahorias peladas
26/32/36/37/42/44/46/50/54/57/61/67
81/85/92/93/94/95/98/99/100/106
310/316/318 a 330/338/371/377/378

3 zanahorias peladas
26/32/36/37/42/44/46/50/54/57/61/67
81/85/92/93/94/95/98/99/100/106/**310**
316/318 a 330/338/371/377/378

1 puñado de espinaca
15/24/36/37/53/106/**196**/318/320/321/324
326/327/328/330/338/340/389/392

1 manzana
30/37/42/44/57/73/80/87/88/91
242/318/319/320/323/324/326
349/355/356/357/358/377/387

2 zanahorias peladas
26/32/36/37/42/44/46/50/54/57/61/67/81/85
92/93/94/95/98/99/100/106/**310**/316
318 a 330/338/371/377/378

3 tallos de apio
9/15/20/36/52/64/67/74/85/91/106/**132**
318/319/320/321/326/327/328/329/335

1/2 remolacha pelada
31/36/60/67/69/97/**292**/318/320/321/322
324/326/327/330/337/370/371/389

1 pepino
9/20/31/35/41/55/59/63/67/85/93/96
98/**268**/321/322/327/329/330/368

2 pepinos
9/20/31/35/41/55/59/63/67/85/93/96
98/**268**/321/322/327/329/330/368

1/2 col blanca
25/36/50/51/80/**180**/326/329/335
336/337

1/2 membrillo cocido
57/63/**250**

DOLOR DE CABEZA

2 manzanas
30/37/42/44/57/73/80/87/88/91/**242** 318/319/320/323/324/325/349/355 356/357/358/377/387

2 tomates
22/73/102/**302**/328/336/379/383

1 taza de col blanca
25/36/50/51/80/**180**/325/329 335/336/337

1/2 taza de cilantro fresco
53/71/75/80/**172**

ESTRÉS / ALT. DEL SUEÑO

2 zanahorias peladas
26/32/36/37/42/44/46/50/54/57/61/67/81 85/92/93/94/95/98/99/100/106/**310**/316 318 a 330/338/371/377/378

2 tallos de apio
9/15/20/36/52/64/67/74/85/91/106/**132** 318/319/320/321/325/327/328/329/335

10 hojas de lechuga
17/21/22/36/63/67/73/74/**226**/318/322 325/335/338/342/380/387

FATIGA *

5 zanahorias peladas
26/32/36/37/42/44/46/50/54/57/61/67/81 85/92/93/94/95/98/99/100/106/**310**/316 318 a 330/338/371/377/378

1 hinojo
53/80/**214**

1 taza de judías verdes cocidas
36/37/48/50/51/94/**220**/325/333/391

* Es energizante.

FLATULENCIA

1 pimiento
31/36/43/58/61/81/86/**274**/329

1 zanahoria
26/32/36/37/42/44/46/50/54/57/61/67/81 85/92/93/94/95/98/99/100/106/**310**/316 318 a 330/338/371/377/378

10 hojas de espinaca
15/24/36/37/53/106/**196**/318/320/321 324/325/327/328/330/338/340/389/392

GARGANTA (DOLOR)

2 zanahorias peladas
26/32/36/37/42/44/46/50/54/57/61/67/81 85/92/93/94/95/98/99/100/106/**310**/316 318 a 330/338/371/377/378

2 rodajas de piña
43/50/53/60/83/91/97/101/**278**/318/319 320/322/328/330/367/368/369/379/380/38

Ralladura de jengibre pelado
66/76/80/82/101/104/**216**/320/323 328/336/340/341/344

GASTRITIS

2 zanahorias peladas
26/32/36/37/42/44/46/50/54/57/61/67/81
85/92/93/94/95/98/99/100/106/**310**/316
318 a 330/338/371/377/378

1/2 col verde
31/59/80/**186**

1/2 patata cocida
61/64/66/74/83/85/96/98/107/**266**/328
335/336/338/344/362/363/364/365

GRIPE

Cualquier combinación
de cítrico.

HEMORROIDES

2 zanahorias peladas
26/32/36/37/42/44/46/50/54/57/61/67/81
85/92/93/94/95/98/99/100/106/**310**/316
318 a 330/338/371/377/378

1 pepino
9/20/31/35/41/55/59/63/67/85/93/96
98/**268**/321/322/325/329/330/368

1/2 remolacha pelada
31/36/60/67/69/97/**292**/318/320/321/322
324/325/327/330/337/370/371/389

20 hojas de espinaca
15/24/36/37/53/106/**196**/318/320/321
324/325/326/328/330/338/340/389/392

HEMORROIDES (otro)

1 nabo
63/102/**254**/319/330

2 zanahorias peladas
26/32/36/37/42/44/46/50/54/57/61/67/81
85/92/93/94/95/98/99/100/106/**310**/316
318 a 330/338/371/377/378

1 taza de berro
28/46/48/60/69/92/97/**142**/318/321
322/323/328/330/335

20 hojas de espinaca
15/24/36/37/53/106/**196**/318/320/321/324
325/326/328/330/338/340/389/392

MALESTAR ESTOMACAL

**2 zanahorias peladas
medianas**
26/32/36/37/42/44/46/50/54/57/61/67/81
85/92/93/94/95/98/99/100/106/**310**/316
318 a 330/338/371/377/378

2 tallos de apio
9/15/20/36/52/64/67/74/85/91/106/**132**
318/319/320/321/325/326/328/329/335

1/2 col verde
31/59/80/**186**

5 hojas de albahaca
11/28/42/50/56/71/75/104/**124**
336/341/344

2 tallos de apio
9/15/20/36/52/64/67/74/85/91/106/**132**
318/319/320/321/325/326/327/329/335

3 tomates medianos
22/73/102/**302**/326/336/379/383

PARÁSITOS

1/2 calabaza con sus semillas
20/32/37/44/60/63/85/88/90/95/99
152/336/337/388/389

2 dientes de ajo pelados
16/19/20/28/36/50/52/55/60/67/70/81/87
90/97/102/107/108/**122**/319/320/329/335
336/338/381

2 tallos de apio
9/15/20/36/52/64/67/74/85/91/106/**132**
318/319/320/321/325/326/327/329/335

CONGESTIÓN PULMONAR

6 zanahorias peladas
26/32/36/37/42/44/46/50/54/57/61/67/81
85/92/93/94/95/98/99/100/106/**310**/316
318 a 330/338/371/377/378

1/2 patata cocida
61/64/66/74/83/85/96/98/107/**266**/327
335/336/338/344/362/363/364/365

4 ramitas de berro
28/46/48/60/69/92/97/**142**/318/321
322/323/327/330/335

1/2 piña mediana
43/50/53/60/83/91/97/101/**278**/318/319
320/322/326/330/367/368/369/379/380/384

2 mangos pequeños
85/**240**/321/329/354

Jugo de 1/2 naranja
14/18/19/50/58/67/84/98/107/**256**/321
344/349/362/367

2 rodajas de raíz de jengibre pelada
66/76/80/82/101/104/**216**/320/323/326
336/340/341/344

REUMA (otro)

2 zanahorias peladas
26/32/36/37/42/44/46/50/54/57/61/67/81
85/92/93/94/95/98/99/100/106/**310**/316
318 a 330/338/371/377/378

3 tallos de apio
9/15/20/36/52/64/67/74/85/91/106/**132**
318/319/320/321/325/326/327/329/335

REUMA (otro)

2 zanahorias peladas
26/32/36/37/42/44/46/50/54/57/61/67/81
85/92/93/94/95/98/99/100/106/**310**/316
318 a 330/338/371/377/378

Jugo de 1/2 limón
9/10/14/18/50/52/55/59/64/71/75/**232**
321/324/325/337/338/344/345/353
354/367/382

20 hojas de espinaca
15/24/36/37/53/106/**196**/318/320/321
324/325/326/327/330/338/340/389/392

2 zanahorias peladas
26/32/36/37/42/44/46/50/54/57/61/67
81/85/92/93/94/95/98/99/100/106/**310**
316/318 a 330/338/371/377/378

1 pomelo
23/35/90/106/**286**/320/349/367
376/380

1 mango
85/**240**/321/328/354

3 zanahorias peladas
26/32/36/37/42/44/46/50/54/57/61/67/81
85/92/93/94/95/98/99/100/106/**310**/316
318 a 330/338/371/377/378

2 tallos de apio
9/15/20/36/52/64/67/74/85/91/106/**132**
318/319/320/321/325/326/327/328/335

1/2 diente de ajo pelado
16/19/20/28/36/50/52/55/60/67/70/81
87/90/97/102/107/108/**122**/319/320
328/335/336/338/381

2 zanahorias peladas
26/32/36/37/42/44/46/50/54/57/61/67/81
85/92/93/94/95/98/99/100/106/**310**/316
318 a 330/338/371/377/378

1/2 pepino
9/20/31/35/41/55/59/63/67/85/93/96
98/**268**/321/322/325/327/330/368

2 hojas de col blanca
25/36/50/51/80/**180**/325/326
335/336/337

1/2 pimiento verde
31/36/43/58/61/81/86/**274**/326

3 zanahorias peladas
26/32/36/37/42/44/46/50/54/57/61/67/81
85/92/93/94/95/98/99/100/106/**310**
316/318 a 330/338/371/377/378

2 dientes de ajo pelados
16/19/20/28/36/50/52/55/60/67/70/81
87/90/97/102/107/108/**122**/319/320
328/335/336/338/381

1 taza de achicoria
93/94/**118**/341

2 pepinos
9/20/31/35/41/55/59/63/67/85/93/96
98/**268**/321/322/325/327/329/368

3 rodajas de piña
43/50/53/60/83/91/97/101/**278**/318/319
320/322/326/328/367/368/369/379/380/384

VISTA

3 zanahorias peladas
26/32/36/37/42/44/46/50/54/57/61/67/81
85/92/93/94/95/98/99/100/106/**310**/316
318 a 329/338/371/377/378

1 remolacha pelada
31/36/60/67/69/97/**292**/318/320/321/322
324/325/326/327/337/370/371/389

10 ramas de berro
28/46/48/60/69/92/97/**142**/318/321
322/323/327/328/335

3 zanahorias peladas
26/32/36/37/42/44/46/50/54/57/61/67/81
85/92/93/94/95/98/99/100/106/**310**/316
318 a 329/338/371/377/378

5 hojas de espinaca
15/24/36/37/53/106/**196**/318/320/321/324
325/326/327/328/338/340/389/392

2 hojas de nabo
63/102/**254**/319/327

4 ramas de berro
28/46/48/60/69/92/97/**142**/318/321
322/323/327/328/330/335

LECHES VEGETALES

CLAVES PARA TENER EN CUENTA

■ Se pueden consumir como reemplazo de la leche de origen animal, siempre previa consulta con el médico.

■ Uno o dos vasos por día son suficientes.

■ Guárdelas en el refrigerador y, de todos modos, no las conserve durante más de tres días.

■ Si necesita endulzarlas, es conveniente hacerlo con miel y en el momento de consumir la leche.

Dejar en remojo durante 24 horas una taza de almendras. Agregar 4 tazas de agua y procesar hasta obtener una mezcla homogénea. Dejar reposar durante media hora, y luego colar o filtrar la preparación.

BENEFICIOS

- RECOMENDADA PARA LOS TRASTORNOS HEPÁTICOS.
- ES ASTRINGENTE, POR LO QUE ES ÚTIL EN CUADROS DE DIARREA.
- INDICADA EN CASOS DE DESNUTRICIÓN.

LECHE DE ARROZ

Cocinar una taza de arroz, tradicional o integral. Mezclar con 4 tazas de agua y procesar hasta que quede bien disuelto. Dejar reposar durante una hora y luego colar o filtrar la preparación.

BENEFICIOS

- DIGESTIVA.
- MEJORA LA TENSIÓN ARTERIAL.
- RECOMENDADA PARA HACER QUE DESCIENDA EL NIVEL DE ÁCIDO ÚRICO.

LECHE DE AVENA

Hervir 1 litro de agua y agregar 3 cucharadas de hojuelas de avena. Dejar sobre la hornalla hasta que vuelva a romper el hervor y apagar el fuego. Colar una vez que esté fría.

BENEFICIOS

- EQUILIBRA LOS NIVELES DE COLESTEROL.
- IDEAL PARA DEPORTISTAS Y PERSONAS QUE REALIZAN IMPORTANTES ESFUERZOS FÍSICOS.
- ESTIMULA LA GLÁNDULA TIROIDEA.
- ACTÚA SOBRE EL BUEN FUNCIONAMIENTO DEL SISTEMA NERVIOSO.

LECHE DE COCO

Hidratar durante 10 horas 1 taza de coco bien triturado. Agregar 4 tazas de agua y procesar. Dejar reposar y luego colar o filtrar.

BENEFICIOS

• Es una alternativa para aquellas personas que tengan baja tolerancia a la lactosa.

LECHE DE JUDÍAS VERDES

36/37/48/50/51/94/**220**/325/326/391

Dejar 2 tazas de judías verdes previamente lavadas en remojo durante 24 horas. Luego, triturar las judías hasta obtener una pasta y agregar 6 tazas de agua caliente. Colar la preparación sobre una cacerola y cocinar durante unos 10 minutos. Se puede agregar canela o azúcar integral para saborizar.

BENEFICIOS

• Aporta proteínas y hierro.
• Es digestiva.
• Ayuda a reducir el LDL o colesterol malo.
• Previene los síntomas menopáusicos.

SOPAS

CLAVES PARA TENER EN CUENTA

- En aquellos casos en los que la cáscara de la verdura es comestible, conviene conservarla para aprovechar al máximo las cualidades nutritivas (siempre y cuando no estemos hablando de problemas digestivos).
- Quitar pepitas y semillas antes de preparar las sopas.
- Si alguna de las preparaciones llegara a quedar muy espesa, agregar agua mineral o filtrada.
- Puede ingerir estas sopas una vez por día.

PARA COMBATIR LA ANEMIA

- 1 cebolla
- 1 diente de ajo
- 4 tazas de hojas de berro
- 1 patata
- 1 litro de agua
- Sal y pimienta

En una cacerola, saltear en aceite o mantequilla la cebolla pelada y cortada en brunoise (pequeños cuadraditos), el diente de ajo pelado y triturado y las hojas de berro previamente lavadas y picadas con sal y pimienta. Agregar la patata ya cocida y 1 litro de agua (puede ser caldo vegetal). Una vez que las verduras estén blandas, procesar hasta obtener una mezcla homogénea. Si lo desea, llevar al fuego nuevamente hasta que esté bien caliente.

Cebolla	Ajo	Berro	Patata
19/20/21/31/35/36	16/19/20/28/36/50/52	28/46/48/60/69	61/64/66/74/83
50/55/59/60/67/80	55/60/67/70/81/87/90	92/97/**142**/318	85/96/98/107
81/97/104/107/**160**	97/102/107/108/**122**	321/322/323	**266**/327/328/336
319/322/336/337	319/320/328/329	327/328/330	338/344/362/363
338/344/345	336/338/381		364/365

DESINTOXICANTE

- 1 litro de agua
- 4 tallos de apio
- 1/2 col blanca
- 1/2 planta de lechuga mediana
- 2 cebollas

En una cacerola verter el agua y llevarla al punto de hervor. Cocer durante media hora los tallos de apio, la col, la lechuga y las cebollas cortados en trozos irregulares. Cuando las verduras estén a punto, quitar del fuego y procesar levemente, como para que conserven la textura.

Apio	Col blanca	Lechuga	Cebolla
9/15/20/36/52/64	25/36/50/51/80	17/21/22/36/63	19/20/21/31/35
67/74/85/91/106	**180**/325/326/329	67/73/74/**226**	36/50/55/59/60
132/318/319/320	336/337	318/322/325	67/80/81/97/104
321/325/326/327		326/338/342	107/**160**/319/322
328/329		380/387	336/337/338
			344/345

- 3 cebollas
- 1/2 bulbo de raíz de jengibre
- 2 tomates
- 1 patata
- 1 calabacín
- 1 col blanca pequeña
- 8 dientes de ajo
- 20 hojas de albahaca fresca
- 1 litro de agua
- 3 cucharadas de aceite de oliva
- Pimienta, semillas de amapola, cúrcuma, estragón y orégano

En una olla con aceite, rehogar las cebollas peladas y picadas en brunoise (pequeños cuadraditos) y el jengibre pelado y rallado. Agregar los tomates, la patata pelada, el calabacín pelado y la col, todos cubeteados, y los dientes de ajo pelados y picados. Condimentar con pimienta molida, semillas de amapola y cúrcuma, las hojas de albahaca fresca fileteadas, estragón y orégano. Cuando los ingredientes estén bien integrados, verter un litro de agua filtrada y cocinar durante 45 minutos.

Cebolla
19/20/21/31/35/36/50
55/59/60/67/80/81/97
104/107/**160**/319
322/335/337/338
344/345

Jengibre
66/76/80/82/101
104/**216**/320/323
326/328/340
341/344

Tomate
22/73/102/**302**
326/328/379/383

Patata
61/64/66/74/83/85/
98/107/**266**/327/32
335/338/344/362/3
364/365

Calabaza
20/32/37/44/60
63/85/88/90/95
99/**152**/328/337
388/389

Col blanca
25/36/50/51/80
180/325/326/329
335/337

Ajo
16/19/20/28/36/50/52
55/60/67/70/81/87/90
97/102/107/108/**122**
319/320/328/329
335/338/381

Albahaca
11/28/42/50/56
71/75/104/**124**
327/341/344

- 1 cebolla
- 3 remolachas
- 1/2 calabaza
- 1/4 de col blanca
- 1 cucharada de mantequilla o aceite de oliva
- 5 tazas de agua o caldo
- Sal y finas hierbas
- Unas gotas de jugo de limón

En una cacerola, calentar la mantequilla o el aceite y saltear la cebolla pelada y picada en brunoise (pequeños cuadraditos). Agregar las remolachas y la calabaza, peladas y cortadas en cubos, y la col cortada en juliana. Una vez que tomen color, verter el agua o el caldo y cocinar a fuego bajo hasta que los vegetales estén blandos. Condimentar con sal, unas gotas de limón y finas hierbas a gusto.

Cebolla	Remolacha	Calabaza	Col blanca	Limón
19/20/21/31/35/36	31/36/60/67/69	20/32/37/44/60	25/36/50/51/80	9/10/14/18/50/52
50/55/59/60/67/80	97/**292**/318/320	63/85/88/90/95	**180**/325/326/329	55/59/64/71/75
81/97/104/107/**160**	321/322/324/325	99/**152**/328/336	335/336	**232**/321/324
319/322/335/336	326/327/330/370	388/389		325/328/338/344
338/344/345	371/389			345/353/354
				367/382

- Flores de una planta de brócoli
- 1 litro de agua

Verter el agua en una cacerola y hervir durante aproximadamente 5 minutos las flores de brócoli. Dejar reposar 5 minutos más, colar y beber como un caldo.

Brócoli
16/37/58/60
81/97/146

- **2 tazas de caldo de vegetales**
- **1 cebolla**
- **6 dientes de ajo**
- **2 zanahorias**
- **Jugo de 1 limón**
- **20 hojas de espinaca**

Hervir en el caldo de vegetales la cebolla pelada y pi cada en brunoise (pequeños cuadraditos), 4 dientes de ajo pelados y triturados y las zanahorias peladas y ra lladas. Cuando las verduras estén a punto, agregar el ju go de limón, otros 2 dientes de ajo pelados y picados y las hojas de espinaca cortadas en juliana. Dejar reposa unos minutos. Si lo desea, puede procesarla antes de beber.

Cebolla	Ajo	Zanahoria	Limón	Espinaca
19/20/21/31/35	16/19/20/28/36/50/52	26/32/36/37/42/44	9/10/14/18/50/52	15/24/36/37/53
36/50/55/59/60	55/60/67/70/81/87	46/50/54/57/61/67	55/59/64/71/75	106/**196**/318/32
67/80/81/97/104	90/97/102/107/108	81/85/92/93/94/95	**232**/321/324	321/324/325/32
107/**160**/319/3223	**122**/319/320/328/329	98/99/100/106/**310**	325/328/337/344	327/328/330
35/336/337/344/345	335/336/381	316/318 a 330	345/353/354	340/389/392
		371/377/378	367/382	

- **1 cebolla**
- **1 patata**
- **1 planta de lechuga pequeña**
- **1 litro de caldo de vegetales**
- **1 puñado de almendras y avellanas**
- **1 cucharada de mantequilla o aceite de oliva**

En una cacerola calentar el aceite o la mantequilla y re hogar la cebolla pelada y picada en brunoise (pequeño cuadraditos), la patata pelada y cubeteada y la lechuga cortada en juliana. Agregar el caldo y cocinar hasta que las verduras estén tiernas. Procesar hasta obtener una mezcla homogénea y servir con las almendras y avella nas tostadas y picadas.

Cebolla	Patata	Lechuga	Almendras	Avellanas
19/20/21/31/35/36	61/64/66/74/83	17/21/22/36/63	21/45/48/85/90	19/85/**138**
50/55/59/60/67/80	85/96/98/107	67/73/74/**226**	**130**/322/332	
81/97/104/107/**160**	**266**/327/328/335	318/322/325/326	387/388	
319/322/335/336	336/344/362/363	335/342/380/387		
337/344/345	364/365			

INFUSIONES

CLAVES PARA TENER EN CUENTA

■ Una infusión es la bebida que se obtiene cuando se deja reposar un puñado de frutos, hojas, flores, hojas secas o hierbas aromáticas en agua bien caliente. Si se cocinan, hablamos justamente de una cocción. Lo mejor entonces es calentar el agua y antes de que rompa el hervor, verterla sobre el ingrediente que vayamos a utilizar y dejarla reposar durante unos 5 a 10 minutos, tapada. Antes de consumirla debemos filtrar o colar nuestra preparación y, si lo deseamos, podemos calentarla nuevamente.

■ En aquellos casos en los que la cáscara de la fruta es comestible, conviene conservarla para aprovechar al máximo las cualidades nutritivas (siempre y cuando no estemos hablando de problemas digestivos).

■ Quitar pepitas y semillas antes de preparar las infusiones.

■ Puede consumirlas hasta tres veces por día.

■ Todas las infusiones se pueden endulzar, pero es preferible acostumbrarse a consumirlas naturalmente.

ANEMIA

 30 hojas de espinaca
15/24/36/37/53/106/**196**/318/320/321/324
325/326/327/328/330/338/389/392

1 litro de agua

CATARRO

 1/4 de bulbo de raíz de jengibre pelada y cortada en rodajas
66/76/80/82/101/104/**216**/320/323
326/328/336/341/344

20 hojas de eucalipto

1 cucharada de miel

1 litro de agua

DIABETES

 1 taza de hojas de mora
252/318/321

1 taza de agua

DOLORES MENSTRUALES

1 cucharada de hojas de orégano

1 cucharada de hojas de caléndula

1 taza de agua

ESTREÑIMIENTO

Pulpa de 2 tamarindos

1 litro de agua

Esta infusión debe beberse fría.

ESTRÉS

10 hojas de tilo

1/2 taza de leche tibia

FLATULENCIA

 20 hojas de laurel
9/53/78/80/**224**

1 taza de agua

FLATULENCIA (otra)

 Jugo de 2 limas
31/42/**230**/318/319/344

1 litro de agua

Se puede beber fría.

GRIPE

1/4 de bulbo de raíz de jengibre pelada y cortada en rodajas
66/76/80/82/101/104/216/320/323 326/328/336/340/344

1 puñado de eucalipto

1 cucharada de miel

1/4 litro de agua

HEMORROIDES

1 taza de hojas de achicoria
93/94/118/329

1 litro de agua

LITIASIS RENAL Y VESICULAR

15 cerezas cortadas y descarozadas
31/95/162

1 litro de agua

MENOPAUSIA

1 puñado de hojas de muérdago

1/4 litro de agua

MENOPAUSIA (otra)

2 melocotones pelados y cubeteados
37/44/54/58/93/95/246/359/360

1 litro de agua

ÚLCERA GASTRODUODENAL

1 taza de hojas y flores de caléndula

1 litro de agua

VÍAS RESPIRATORIAS

10 hojas de albahaca cortadas en juliana
11/28/42/50/56/71/75/104 124/327/336/344

1 litro de agua

VÍAS RESPIRATORIAS (otra)

1 raíz de jengibre pelada y cortada en rodajas
66/76/80/82/101/104/216/320/323 326/328/336/340/344

1 litro de agua

VÍAS RESPIRATORIAS (otra)

I puñado de hojas de menta

1/4 litro de agua

VÍAS RESPIRATORIAS (otra)

I taza de llantén

I litro de agua

VÍAS URINARIAS

 I puñado de barbas de maíz
12/17/25/33/39/45/49/85/**234**

 I cardo pelado y cortado en rodajas
41/43/48/63/97/**156**

I par de hojas de boldo o menta

1/4 litro de agua

VÍAS URINARIAS (otra)

 20 hojas de lechuga cortadas en juliana
17/21/22/36/63/67/73/74/**226**/318/322 325/326/335/338/380/387

I litro de agua

VÍAS URINARIAS (otra)

 10 dátiles descarozados y cortados al medio
12/15/19/21/102/104/**190**

I litro de agua

OTRAS RECETAS

CLAVES PARA TENER EN CUENTA

- En aquellos casos en los que la cáscara es comestible, conviene conservarla para aprovechar al máximo las cualidades nutritivas (siempre y cuando no estemos hablando de problemas digestivos).
- Quitar pepitas y semillas antes de preparar las recetas.
- Si alguna de las preparaciones llegara a quedar muy espesa, agregar agua mineral o filtrada.
- Como en los casos anteriores, se pueden consumir hasta tres veces por día.

- 1 patata
- Miel, para endulzar
- 1 litro de agua

Hervir la patata con cáscara y cortada en rodajas en el agua. Quitar del fuego antes de que se ablande. Colar y endulzar el líquido resultante con miel.

Patata
61/64/66/74/83/85/96
98/107/**266**/327/328
335/336/338/362/363
364/365

COLESTEROL ALTO

- **Cáscara de 3 berenjenas**
- **Hojas de albahaca, perejil y menta (o peperina)**
- **1 litro de agua**

Dejar en remojo en el agua, durante una hora, la cáscara de las berenjenas, hojas de albahaca, perejil y menta o peperina. Colar antes de beber.

Berenjena	**Albahaca**	**Perejil**
36/54/59	11/28/42/50/56	16/62/79/92/**272**
65/85/**140**	71/75/104/**124**	319/321
	327/336/341	

FIEBRE

- 1 cebolla
- 1 cucharada de ralladura de jengibre
- Jugo de 1 limón
- Jugo de 1/2 naranja
- Jugo de 1/2 lima
- 1/4 litro de agua

Hervir durante 5 minutos en el agua la cebolla pelada y cortada en rodajas, y la ralladura de jengibre. Colar la preparación y al líquido resultante agregarle el jugo de limón, el de naranja y el de lima.

Cebolla	**Jengibre**	**Limón**	**Naranja**	**Lima**
19/20/21/31/35	66/76/80/82/101	9/10/14/18/50/52	14/18/19/50/58	31/42/**230**/318
36/50/55/59/60	104/**216**/320	55/59/64/71/75	67/84/98/107	319/340
67/80/81/97/104	323/326/328	**232**/321/324	**256**/321/328/349	
107/**160**/319	336/340/341	325/328/337/338	362/367	
322/335/336		345/353/354		
337/338/345		367/382		

FIEBRE (otra)

- **2 limones**
- **Miel, para endulzar**
- **1 litro de agua**

Hervir durante 5 minutos los limones cortados en rodajas en el agua. Dejar reposar durante 5 minutos más. Endulzar con miel y volver a calentar la preparación.

Limón
9/10/14/18/50/52
55/59/64/71/75
232/321/324
325/328/337/338
344/353/354
367/382

GOTA

- **3 cebollas**
- **1 litro de agua**

En el agua, hervir durante 5 minutos las cebollas peladas y cortadas en rodajas. Colar y dejar enfriar.

Cebolla
19/20/21/31/35
36/50/55/59/60
67/80/81/97/104
107/**160**/319
322/335/336
337/338/344

PALPITACIONES

- **10 espárragos**
- **1 litro de agua**

Cocinar los espárragos en el agua y cuando estén blandos, procesar.

Espárrago
15/54/98
194/352/389

PARÁSITOS

- **10 rábanos**
- **1 litro de agua**

En el agua, hervir durante 5 minutos los rábanos cortados al medio. Colar.

Rábano
31/36/60/67/69/71
97/104/**290**/319/322

DIETAS TERAPÉUTICAS

CAPÍTULO 4

A continuación encontrará una amplia selección de dietas terapéuticas para aprovechar al máximo el poder curativo de las frutas y las verduras.

En la mayoría de los casos, están presentadas según el nombre de la fruta o vegetal cuyo consumo se indica como principal en cada dieta.

Para poder elegir la dieta que mejor se adapte a sus condiciones y necesidades, en el Capítulo 2 encontrará las propiedades benéficas de cada una de las frutas y las verduras. Y en la guía de dolencias del Capítulo 1 podrá consultar qué alimentos le conviene ingerir en cada caso.

DIETA DE LA ALCACHOFA

acilita la digestión y la eliminación de oxinas del organismo. Ayuda a eliminar el colesterol malo de la sangre y educir la presión arterial.

FRECUENCIA

REPETIR DURANTE DOS DÍAS. SE PUEDE REALIZAR DOS VECES AL MES.

Alcachofa
41/43/44/48/59
60/63/97/**126**

DÍAS 1 Y 2			
Desayuno	**Almuerzo**	**Merienda**	**Cena**
• 1 vaso de jugo de naranja • 2 rebanadas de pan integral untadas con crema de alcachofas	• 1 porción pequeña de arroz integral con alcachofas • 1 fruta fresca	• 1 yogur descremado	• 3 alcachofas grilladas • 1 porción pequeña de queso descremado • 1 rebanada de pan integral

Crema de alcachofas: Cocine las alcachofas en el horno o en una olla con agua, retíreles a pulpa y mézclela con un poquito de aceite de oliva.

DIETA DEL ARROZ Y LA FRUTA

Adelgaza. Ayuda a desintoxicar el organismo. Elimina elementos perjudiciales como el plomo y el mercurio. Facilita la digestión de alimentos ricos en grasas.

FRECUENCIA

SE PUEDE REPETIR DURANTE DOS O TRES DÍAS, NO MÁS DE DOS VECES AL MES.

Pomelo
23/35/90/106/**286**
320/328/367/376/380

Naranja
14/18/19/50/58
67/84/98/107
256321/328/344
362/367

Manzana
30/37/42/44/57/73/80/87/88/91/242
318/319/320/323/324/325/326/355
356/357/358/377/387

Desayuno	**Media mañana**	**Almuerzo**	**Cena**
• 1 vaso grande de jugo de naranja, pomelo o manzana • 1 porción pequeña de arroz integral con miel y frutas cortadas en rodajas	• 1 fruta a elección (naranja, pomelo o manzana)	• 1 plato de arroz integral con canela y uvas pasas • Ensalada de frutas	• 1 fruta diferente a la de la colación de media mañana

DIETA DE LOS CHAMPIGNONES

Estimula el tránsito intestinal y protege al organismo del cáncer de colon y de la enfermedad cardiovascular. Además, otorga sensación de saciedad, por lo cual es adelgazante.

FRECUENCIA

SE REALIZA DURANTE DOS DÍAS CONSECUTIVOS, UNA VEZ AL MES.

Champignon
166

DÍA 1			
Desayuno	**Almuerzo**	**Merienda**	**Cena**
• 1 taza de infusión cortada con leche descremada • 2 rebanadas finas de pan integral con queso blanco untable descremado o mermelada dietética	• 1 plato de ensalada de lechuga, pepino, tomate y champignones, aderezada con limón y una cucharada de aceite de oliva • 1 fruta de estación	• 1 yogur con cereales	• 1 omelette de champignones hecha con dos huevos • 1 porción de gelatina dietética
Media mañana • 1 manzana			

DÍA 2			
Desayuno	**Almuerzo**	**Merienda**	**Cena**
• 1 infusión cortada con leche descremada • 2 rebanadas finas de pan integral con queso blanco untable descremado o mermelada dietética	• 1 porción pequeña de arroz integral con champignones y espinaca • 1 fruta de estación	• 1 yogur con cereales	• 1 filete de pescado con champignones, 1/2 pimiento y 1/2 berenjena grillados • 1 porción de compota de ciruela
Media mañana • 1 manzana			

DIETA DEL CHABACANO

...s antioxidante. Mejora los problemas ...e piel como el acné y previene las ca-...ratas oculares.

FRECUENCIA

SE REALIZA DURANTE DOS DÍAS CONSECUTIVOS, UNA VEZ AL MES.

Chabacano
37/44/94/95
102/164

DÍA 1			
Desayuno	**Almuerzo**	**Media tarde**	**Cena**
• 1 vaso de jugo de chabacano	• 1 plato de ensalada de lechuga, tomate, apio y pepinos	• 1 vaso de jugo de chabacano	• 1 plato de sopa de champignones y puerro con leche descremada
• 1 pocillo de café sin azúcar ni leche	• 1 filete de pechuga de pavo grillada con 2 pimientos asados		• 1 tostada de pan integral
• 3 galletas integrales	• 1 fruta de estación		• 1 tajada de queso descremado
Media mañana			
• 1 chabacano grande			

DÍA 2			
Desayuno	**Almuerzo**	**Media tarde**	**Cena**
• 1 vaso de jugo de chabacano	• 1 porción pequeña de pasta integral	• 1 chabacano grande	• 1 omelette de espárragos hecha con dos huevos
• 1 vaso de leche descremada con cereales	• 1 filete de pescado grillado con ensalada de tomate, pepino y apio		• 1 tostada de pan integral
Media mañana	• 1 fruta de estación		• 1 tajada de queso descremado
• 1 vaso de jugo de chabacano			

DIETA DEL ESPÁRRAGO Y LA FRESA

Los efectos diuréticos del espárrago combinados con los efectos laxantes de la fresa convierten esta dieta en una poderosísima cura desintoxicante que previene los efectos del envejecimiento y muchas enfermedades degenerativas.

FRECUENCIA

SE REALIZA DURANTE DOS DÍAS CONSECUTIVOS, HASTA DOS VECES POR MES.

Espárrago
15/54/98
194/345/389

Fresa
18/24/58/59/6
77/81/102/20
318/321/322
323/324

DÍA 1			
Desayuno	**Almuerzo**	**Merienda**	**Cena**
• 1/4 litro de leche descremada con fresas licuadas	• 1 plato de ensalada con 10 espárragos, 1 huevo duro y 1/4 de aguacate • 1 porción de compota de fresas	• 1 yogur descremado con cereales	• 1 plato de sopa de espárragos

DÍA 2			
Desayuno	**Almuerzo**	**Merienda**	**Cena**
• 2 vasos de jugo de fresas	• 1 plato de ensalada con 10 espárragos, 2 tomates, lechuga y perejil • 1 fruta de estación	• 1 porción de gelatina dietética con trozos de fresas	• 1 tortilla de espárragos hecha con 2 huevos • 1 plato de ensalada hecha con 1/4 de aguacate y hojas verdes.

DIETA DEL LIMÓN

Esta dieta ayuda a eliminar el exceso de colesterol en sangre. Además, la vitamina C presente en el limón combate enfermedades respiratorias y ayuda a prevenir enfermedades degenerativas.

FRECUENCIA

SE REALIZA DURANTE DOS DÍAS CONSECUTIVOS, UNA VEZ AL MES.

Limón
9/10/14/18/50/52
55/59/64/71/75
232/321/324
325/328/337/338
344/345/354
367/382

DÍA 1

En ayunas, dos cucharadas de aceite de oliva con el jugo de un limón grande y un poco de agua tibia. Media hora después, dos tazas de agua tibia con el jugo de un limón cada una.	**Media mañana** • 1 taza de té de limón	**Almuerzo** • Unos minutos antes de la comida beber un vaso de agua tibia con medio limón exprimido • 1 taza de caldo de calabaza, apio y zanahoria • 1 porción de verduras frescas con brotes de alfalfa • 1 fruta de estación	**Merienda** • 1 taza de té de limón **Cena** • Unos minutos antes de la comida beber un vaso de agua tibia con medio limón exprimido • 1 porción de pollo grillado con verduras al vapor • 1 fruta de estación
Desayuno • 1 taza de té de limón • 1 porción de ensalada de frutas			

DÍA 2

Repetir la bebida indicada para el día 1.	**Almuerzo** • Repetir la bebida indicada para el día 1. • 1 taza de caldo de calabaza, cebolla y granos de maíz • 1 porción de verduras frescas con brotes de soja • 1 fruta de estación	**Merienda** • 1 taza de té de limón	**Cena** • Unos minutos antes de la comida beber un vaso de agua tibia con medio limón exprimido • 1 porción pequeña de arroz integral con verduras al vapor • 1 fruta de estación
Desayuno • 1 taza de té de limón • 1 porción de ensalada de frutas			
Media mañana • 1 taza de té de limón			

DIETA DEL LIMÓN Y LA SAVIA

Esta dieta desintoxica el organismo, ayuda a reducir el peso corporal y a sentirse mejor. Está contraindicada para personas diabéticas insulino-dependientes.

FRECUENCIA

SE REALIZA DURANTE DOS DÍAS CONSECUTIVOS, DURANTE LOS CUALES NO SE PODRÁN BEBER OTROS LÍQUIDOS, PERO SÍ INGERIR ALIMENTOS SÓLIDOS A ELECCIÓN.

Limón
9/10/14/18/50
52/55/59/64/7
75/**232**/321/32
325/328/337/33
344/345/353
367/382

DÍAS 1 Y 2

Deberá beber entre 8 y 10 vasos de la siguiente preparación:
• 250 ml de agua mineral

• Jugo de 1/2 limón
• 2 cucharadas de sirope de savia (se consigue en las herboristerías o tiendas naturales)

DIETA DEL MANGO, LA PAPAYA Y LA GUANÁBANA

El completo aporte vitamínico y mineral de la guanábana, sumado a la presencia de papaína en la papaya y el elevado contenido de ácido arcorbórico del mango convierten a esta dieta en un verdadero medicamento natural.

FRECUENCIA

SE REALIZA DURANTE DOS DÍAS CONSECUTIVOS, UNA VEZ AL MES.

Mango
85/**240**/321
328/329

Guanában
66/67/**208**

Papaya
10/28/51/60/85/96/97/107/**264**
319/320/323/366

DÍAS 1 Y 2

Durante el día deberá seguir una dieta baja en calorías.
Por la noche, deberá cenar una ensalada de mango y papaya el primer día, y de mango y

guanábana el segundo día.
Consuma estas frutas alternadas no más de 5 días seguidos.

DIETA DE LA MANZANA

Esta fruta es muy beneficiosa para el aparato digestivo por sus propiedades antiinflamatorias, antiácidas, antidiarreicas y laxantes, lo que convierte a esta dieta en un aliado de la salud.

FRECUENCIA

SE REALIZA DURANTE DOS DÍAS CONSECUTIVOS, UNA VEZ AL MES.

Manzana
30/37/42/44/57/73
80/87/88/91/**242**
318/319/320/323/324
325/326/349/356
357/358/377/387

DÍA I
Desayuno, almuerzo y cena
• Cantidad ilimitada de manzanas

DÍA 2		
Desayuno	**Almuerzo**	**Cena**
• 2 manzanas	• I plato de ensalada de hojas verdes condimentada con limón	• 2 manzanas

DIETA DE LA MANZANA (otra)

Esta dieta es ideal para bajar de peso ya que la manzana facilita la digestión de alimentos ricos en grasas.

FRECUENCIA

SE REALIZA DURANTE DOS DÍAS CONSECUTIVOS, NO MÁS DE DOS VECES POR MES.

Manzana
30/37/42/44/57/73
80/87/88/91/**242**/318
319/320/323/324
325/326/349/356
357/358/377/387

Para elegir la variedad de manzana ideal para hacer esta dieta, tenga en cuenta lo siguiente:

Manzana roja: para las personas ansiosas, que asumen muchas responsabilidades.

Manzana verde: personas irritables, estresadas y con dificultad para adelgazar.

DÍAS I Y 2			
Desayuno	**Almuerzo**	**Merienda**	**Cena**
• I infusión sin azúcar	• 2 manzanas ralladas	• I yogur descremado	• 2 manzanas ralladas
• I manzana rallada	• I yogur descremado		• I yogur descremado

DIETA DE LA MANZANA (otra)

La metionina, el alto contenido en fósforo y la riqueza en fibra soluble hacen de la manzana un alimento especialmente indicado para reducir el nivel de colesterol malo (LDL). Alterne esta dieta con su alimentación cotidiana y notará verdaderos cambios.

FRECUENCIA

SE REALIZA DURANTE DOS DÍAS CONSECUTIVOS, UNA VEZ AL MES.

Manzana
30/37/42/44/57
73/80/87/88/91
242/318/319/32
323/324/325/32
349/355/357/35
377/387

DÍA I			
Desayuno	**Media mañana**	**Merienda**	**Cena**
• I infusión con leche descremada	• I manzana asada	• I yogur descremado	• I plato de ensalada de hojas verdes y
• I rebanada fina de pan integral tostada untada con queso descremado	**Almuerzo** I porción de pollo grillado con acelga al vapor		I patata al horno • I porción de puré de manzana con canela
	• I melocotón		

DÍA 2			
Desayuno	**Almuerzo**	**Merienda**	**Cena**
• I infusión con leche descremada	• I filete de pescado grillado	• I yogur descremado	• I porción de panaché de verduras
•I rebanada fina de pan integral tostada untada con queso descremado	• I porción de ensalada de zanahoria y manzana rallada		• I porción de compota de manzana
	• I tajada de melón		
Media mañana			
• I plato de ensalada de manzana y fresa			

DIETA DE LA MANZANA (otra)

Por el alto contenido de fósforo que hay en la manzana, esta dieta es ideal para quienes tienen problemas de insomnio. Durante los días que la haga notará que logrará dormir mejor.

FRECUENCIA

SE REALIZA DURANTE DOS DÍAS CONSECUTIVOS, HASTA DOS VECES POR MES.

Manzana
30/37/42/44/57/73
80/87/88/91/**242**
318/319/320/323
324/325/326
349/355/356/358
377/387

DÍA 1			
Desayuno	**Almuerzo**	**Merienda**	**Cena**
• 1 infusión con leche descremada	• 1 porción de carne vacuna magra grillada con brócoli al vapor	• 1 yogur descremado	• 1 porción de verduras al vapor con arroz blanco
• 1 rebanada fina de pan integral tostada untada con queso descremado	• 1 porción de ensalada de frutas		• 1 manzana asada
Media mañana			
• 1 manzana			

DÍA 2			
Desayuno	**Almuerzo**	**Merienda**	**Cena**
• 1 infusión con leche descremada	• 1 plato de ensalada de zanahoria y manzana rallada	• 1 yogur descremado	• 1 porción de pollo al horno con pimientos y cebolla, ensalada de tomate y lechuga
• 1 rebanada fina de pan integral tostada untada con queso descremado	• 1 porción de tarta de espinaca o acelga		• 1 porción de puré de manzana
	• 1 tajada de melón u otra fruta fresca		
Media mañana			
• 1 porción de compota de manzana			

DIETA DE LA MANZANA (otra)

Por su contenido en cistina y arginina, así como en ácido málico, la manzana, es muy adecuada para eliminar las toxinas que se almacenan en el cuerpo.

FRECUENCIA

SE REALIZA DURANTE DOS DÍAS CONSECUTIVOS, UNA VEZ POR MES.

Manzana
30/37/42/44/57
73/80/87/88/9
242/318/319/32
323/324/325/32
349/355/356/35
377/387

DÍA 1			
Desayuno	**Almuerzo**	**Merienda**	**Cena**
• 1 infusión con leche descremada • 1 rebanada fina de pan integral tostada untada con queso crema descremado	• 1 porción de pollo grillado con ensalada de apio y espinaca • 1 melocotón	• 1 yogur descremado	• 1 filete de pescado grillado con ensalada de col lombarda y manzana rallada • 1 porción de ensalada de frutas
Media mañana • 1 manzana			

DÍA 2			
Desayuno	**Almuerzo**	**Merienda**	**Cena**
• 1 infusión con leche descremada • 1 rebanada fina de pan integral tostada untada con queso descremado	• 1 porción de carne vacuna magra grillada con ensalada de apio y manzana rallada • 1 tajada de melón	• 1 yogur descremado	• 1 porción de pollo grillado con ensalada de tomate, albahaca y queso descremado • 1 porción de compota de manzana
Media mañana • 1 porción de gelatina dietética con trozos de manzana			

DIETA DEL MELOCOTÓN

Cuando decida hacer esta dieta, elija melocotones frescos y que conserven la cáscara, para preservar la mayor cantidad de nutrientes.

FRECUENCIA

SE REALIZA DURANTE DOS DÍAS CONSECUTIVOS, UNA VEZ POR MES.

Melocotón
37/44/54/58/93
95/246/341/360

DÍA 1			
Desayuno	**Almuerzo**	**Merienda**	**Cena**
• 1 melocotón entero o su jugo	• 1 filete de carne vacuna magra grillada	• 1 melocotón fresco o su jugo	• 1 porción de puré de zapallo con champignones y puerros (con leche descremada)
• 1 taza de café con leche descremada	• 1 plato de ensalada de lechuga, tomate, espárragos, apio y pepino		• 1 yogur descremado
• 3 galletas integrales			
Media mañana	• 1 porción de ensalada de frutas		
• 1 melocotón fresco o su jugo			

DÍA 2			
Desayuno	**Almuerzo**	**Merienda**	**Cena**
• 1 melocotón entero o su jugo	• 1 porción de ensalada fresca	• 1 melocotón fresco o su jugo	• 1 omelette hecha con dos huevos
• 1 taza de café con leche descremada	• 1 porción pequeña de pasta integral con brócoli al vapor		• 1 yogur descremado
• 1 rebanada de pan integral tostado untada con mermelada	• 1 porción de ensalada de frutas		
Media mañana			
• 1 melocotón fresco o su jugo			

DIETA DEL MELOCOTÓN (otra)

El melocotón aporta fibra soluble e insoluble. Estimula el movimiento intestinal y evita el estreñimiento. También regula los niveles de colesterol y glucosa en sangre y previene la enfermedad cardiovascular.

FRECUENCIA

SE REALIZA DURANTE DOS DÍAS CONSECUTIVOS, UNA VEZ POR MES.

Melocotón
37/44/54/58/93
95/246/341/35

DÍA 1			
Desayuno	**Almuerzo**	**Merienda**	**Cena**
• 1 melocotón entero o su jugo • 1 taza de café con leche descremada • 2 tostadas integrales con 1 tajada de fiambre magro	• 1 porción pequeña de legumbres cocidas con acelga al vapor • 1 porción de ensalada de frutas	• 1 melocotón fresco o su jugo	• 1 filete de pescado grillado con ensalada de pepino, lechuga y tomate • 1 yogur descremado
Media mañana • 1 melocotón fresco o su jugo			

DÍA 2			
Desayuno	**Almuerzo**	**Merienda**	**Cena**
• 1 melocotón entero o su jugo • 1 taza de café con leche descremada • 1 rebanada de pan integral tostado untada con queso untable bajas calorías	• 1 porción de ensalada fresca • 1 plato pequeño de arroz integral con verduras al vapor • 1 porción de ensalada de frutas	• 1 melocotón fresco o su jugo	• 1 pechuga de pollo grillada con una patata hervida • 1 yogur descremado
Media mañana • 1 melocotón fresco o su jugo			

360

DIETA DEL MELÓN

sta dieta ayuda a desintoxicar el or-anismo ya que la importante cantidad e agua que aporta esta fruta estimula os riñones y por ende la eliminación e toxinas, por lo que beneficia la fun-ión renal.

FRECUENCIA

SE REALIZA DURANTE TRES DÍAS CONSECUTIVOS, HASTA DOS VECES POR MES.

Melón
10/54/58/59/90
93/95/248

DÍAS 1, 2 Y 3	
Desayuno, almuerzo y merienda	**Cena**
• Optar por aquellas combinaciones que más le satisfagan (siempre que sean dietéticas)	• 1 plato de ensalada hecha con 1 melón pequeño, 1 melocotón, frutas de estación y 2 cucharadas de ralladura de jengibre

DIETA DE LA COL LOMBARDA

Rica en potasio y pobre en sodio, la col ombarda es un poderoso diurético que ayuda a eliminar líquidos del orga-ismo. En consecuencia, esta dieta es ositiva en casos de hipertensión, hi-eruricemia y gota y cálculos renales.

FRECUENCIA

SE REALIZA DURANTE DOS DÍAS CONSECUTIVOS, UNA VEZ POR MES.

Col lombarda
22/29/31/60
67/80/184

El eje de esta dieta es una sopa elaborada a base de 1 col lombarda pequeña, 2 cebo-las, 2 pimientos verdes, 3 zanahorias, 3 tallos de apio, 1 taza de vinagre y 1 litro de cal-lo de verdura. Colocar todos los ingredientes –previamente pelados y trozados en pe-dazos de similar tamaño– en una olla y cocinar a fuego lento. Cuando estén listos, pro-cesar y dejar enfriar antes de llevar al refrigerador.

DÍA 1
• Además de la sopa, puede comer frutas.

DÍA 2
• Además de la sopa, puede comer verduras.

DIETA DE LA NARANJA

La vitamina C presente en la naranja estimula la producción de colágeno, que interviene en el crecimiento de las células, los tejidos, las encías, los vasos sanguíneos y los huesos.

FRECUENCIA

Se realiza durante dos días consecutivos, hasta dos veces por mes.

Naranja
14/18/19/50/5·
67/84/98/107
256/321/328/3·
349/367

DÍA I			
Desayuno	**Almuerzo**	**Merienda**	**Cena**
• I infusión con leche descremada	• 200 gramos de jamón magro y acelga o espinaca al vapor	• Jugo de I naranja	• I pechuga grillada con calabaza y zanahoria hervidas
• I naranja mediana	• I fruta de estación		• I fruta de estación
Media mañana			
• Jugo de I naranja			

DÍA 2			
Desayuno	**Almuerzo**	**Merienda**	**Cena**
• I infusión con leche descremada	• 200 gramos de queso descremado y ensalada de tomate, albahaca y berro	• Jugo de I naranja	• I porción de carne vacuna magra grillada con verduras grilladas
• I naranja mediana	• I fruta de estación		• I fruta de estación
Media mañana			
• Jugo de I naranja			

DIETA DE LA PATATA

Esta dieta es energizante ya que la patata es una gran fuente de hidratos de carbono y por ende, de energías.

FRECUENCIA

Se realiza durante dos días o tres consecutivos, una vez por mes.

Patata
61/64/66/74/83
85/96/98/107
266/327/328
335/336/338/34·
362/364/365

DÍA I Y 2
• Ase al horno un kilogramo y medio de patatas con cáscara.
• Divídalas en 6 porciones y cómalas durante toda la jornada.
• Beba 3 litros de agua por día.

DIETA DE LA PATATA (otra)

Facilita la digestión y la eliminación de toxinas del organismo. Ayuda a eliminar el colesterol malo de la sangre y a reducir la presión arterial.

FRECUENCIA

SE REALIZA DURANTE DOS DÍAS CONSECUTIVOS, UNA VEZ POR MES.

Patata
61/64/66/74/83
85/96/98/107
266/327/328/335
336/338/344/362
364/365

DÍA 1

Desayuno	Media mañana	Merienda	Cena
• I infusión con leche descremada • I rebanada fina de pan integral untada con queso untable descremado o mermelada	• I yogur descremado **Almuerzo** • I plato de ensalada de pimientos con patatas	• I manzana • I vaso de jugo de frutas	• I porción de pollo grillado con patatas

DÍA 2

Desayuno	Media mañana	Merienda	Cena
• I infusión con leche descremada • I rebanada fina de pan integral untada con queso untable descremado o mermelada	• I manzana **Almuerzo** • I plato de ensalada de patatas con arvejas y berro	• I yogur descremado	• I filete de pescado al horno con patatas

DIETA DE LA PATATA (otra)

Esta dieta ayuda a controlar la presión alta ya que la patata es rica en potasio y posee propiedades diuréticas y vasodilatadoras.

FRECUENCIA

SE REALIZA DURANTE DOS DÍAS CONSECUTIVOS, UNA VEZ POR MES.

Patata
61/64/66/74/83
85/96/98/107
266/327/328/335
336/338/344/362
363/365

DÍA I

Desayuno	Media mañana	Merienda	Cena
• I infusión con leche descremada	• I yogur descremado	• I manzana y I vaso de jugo de frutas	• I tortilla de huevos y patatas
• I rebanada fina de pan integral untada con queso untable descremado o mermelada	**Almuerzo** • I plato de ensalada de patatas, champignones y berro		

DÍA 2

Desayuno	Media mañana	Merienda	Cena
• I infusión con leche descremada	• I manzana	• I yogur descremado	• I filete de pescado al horno con patatas
• I rebanada fina de pan integral untada con queso untable descremado o mermelada	**Almuerzo** •I plato de ensalada de patata, apio y pollo		

DIETA DE LA PATATA (otra)

Esta dieta ayuda a mantener un estado de ánimo sereno y relajado ya que la patata actúa como sedante del organismo, y disminuye los calambres, espasmos y mejora el sueño.

FRECUENCIA

SE REALIZA DURANTE DOS DÍAS CONSECUTIVOS, UNA VEZ POR MES.

Patata
61/64/66/74/83
85/96/98/107
266/327/328/335
336/338/344/362
363/364

DÍA I			
Desayuno	**Media mañana**	**Merienda**	**Cena**
• I infusión con leche descremada	• I yogur descremado	• I manzana	• I porción de carne vacuna magra grillada con patatas al horno
• I rebanada fina de pan integral untada con queso untable descremado o mermelada	**Almuerzo** • I porción de patatas al horno	• I vaso de jugo de frutas	

DÍA 2			
Desayuno	**Media mañana**	**Merienda**	**Cena**
• I infusión con leche descremada	• I manzana	• I yogur descremado	• I filete de pescado al vapor con patatas hervidas
• I rebanada fina de pan integral untada con queso untable descremado o mermelada	**Almuerzo** • I porción de ensalada de patatas y I huevo duro		

DIETA DE LA PAPAYA

La papaya es fuente de vitamina C, que interviene en la formación de colágeno, huesos y dientes. También favorece la absorción de hierro de los alimentos, función necesaria en casos de anemia ferropénica. Y refuerza el sistema inmunológico.

FRECUENCIA

Se realiza durante un día, una vez por mes.

Papaya
10/28/51/60/85
96/97/107/**264**
319/320/323/354

Desayuno	Almuerzo	Merienda	Cena
• 1 vaso de leche de soja o leche descremada con dos cucharadas de cereales • 1 papaya mediana	• 1 plato de ensalada de tomate, zanahoria y berro • 1 porción de arroz integral pequeña con espinaca y alcachofa	• 1 papaya mediana	• 1 tazón de caldo de verduras • 1 patata asada • 1 papaya mediana

DIETA DEL PLÁTANO Y LA LECHE

El calcio que aporta la leche sumado a la inulina que contiene el plátano, una enzima que es beneficiosa para reducir el riesgo de padecer enfermedades cardiovasculares, diabetes y la osteoporosis, hacen de esta dieta un aliado de la salud y el bienestar.

FRECUENCIA

Se realiza durante un día, hasta dos veces por mes.

Plátano
29/41/44/57/63
81/105/**284**
322/369/387

Desayuno, almuerzo y cena
- 1/2 litro de leche descremada
- 2 plátanos en cada una de las comidas

DIETA DE LA PASTA Y LOS CÍTRICOS

La combinación de los cereales de la pasta junto a la fibra soluble de los cítricos ayuda a regular los niveles de LDL o colesterol malo y glucosa en sangre, por lo que esta dieta ayuda a prevenir el desarrollo de enfermedades cardiovasculares.

FRECUENCIA

SE REALIZA DURANTE DOS DÍAS CONSECUTIVOS, UNA VEZ POR MES.

Pomelo
23/35/90/106/**286**/320
328/349/376/380

Mandarina
37/51/59/**238**

Limón
9/10/14/18/50/52/55
59/64/71/75/**232**/321
324/325/328/337/338
344/345/353/354/382

Naranja
14/18/19/50/58
67/84/98/107
256/321/328/344
349/362

DÍA 1			
Desayuno	**Almuerzo**	**Merienda**	**Cena**
• 1 infusión sin azúcar	• 1 porción de pollo	• 1 vaso de jugo de	• 1 porción pequeña
• 3 galletitas de agua	o queso magro con	cítricos	de pastas con
	verduras al vapor		verduras hervidas
Media mañana			
• Jugo de 1 pomelo			

DÍA 2			
Desayuno	**Almuerzo**	**Merienda**	**Cena**
• 1 infusión sin azúcar	• 1 filete de pescado	• 1 vaso de jugo de	• 1 porción pequeña
• 1 fruta de estación	al horno con puré de	cítricos	de pastas con
	calabaza		verduras hervidas
Media mañana			
• Jugo de 1 naranja			

DIETA DEL PEPINO Y LA PIÑA

Esta dieta es desintoxicante y al mismo tiempo relajante del sistema digestivo gracias a los aportes de sus dos ingredientes, el pepino y la piña, ya que ambos alimentos favorecen las secreciones del estómago y estimulan la actividad del intestino.

FRECUENCIA

SE REALIZA DURANTE DOS DÍAS CONSECUTIVOS, UNA VEZ POR MES.

Pepino
9/20/31/35/41/55
59/63/67/85/93
96/98/**268**/321
322/325/327
329/330

Piña
43/50/53/60/83
91/97/101/**278**
318/319/320/322
326/328/330/367
369/379/380/384

Antes de cada comida, y a modo de colación, beber el jugo de 1 pepino mediano y 3 rodajas de piña.

DÍA 1		
Desayuno	**Almuerzo**	**Cena**
• 1 infusión cortada con leche descremada	• 1 plato de ensalada de lechuga, pepino, rábano y berro	• 1 pechuga de pollo grillado y ensalada de lechuga, pepino y apio
• 1 rebanada fina de pan integral tostado con mermelada	• 1 tajada de queso descremado y una rebanada de pan integral	• 2 rodajas de piña
	• 2 rodajas de piña	

DÍA 2		
Desayuno	**Almuerzo**	**Cena**
• 1 infusión cortada con leche descremada	• 1 omelette de espárragos hecha con 1 huevo	• 1 porción pequeña de carne vacuna magra grillada y ensalada de pepino, lechuga, apio y berro
• 3 galletitas integrales untadas con queso untable descremado	• 2 rodajas de piña	• 2 rodajas de piña

DIETA DE LA PIÑA

Esta dieta es anticelulítica debido a la acción diurética de la piña y a su capacidad de eliminar toxinas del organismo.

FRECUENCIA

SE REALIZA DURANTE DOS DÍAS CONSECUTIVOS, UNA VEZ POR MES.

Piña
43/50/53/60/83/91
97/101/**278**/318/319
320/322/326/328
330/368/369
379/380/384

DÍA I			
Desayuno	**Almuerzo**	**Merienda**	**Cena**
• I infusión sin azúcar	• I plato de ensalada de pollo y piña	• 2 rodajas de piña	• I porción de carne vacuna magra al horno con puré de calabaza
• I rodaja de piña			
Media mañana			• I rodaja de piña
• 2 rodajas de piña			

DÍA 2			
Desayuno	**Media mañana**	**Merienda**	**Cena**
• Jugo de 2 rodajas de piña y medio limón exprimido	• 2 rodajas de piña	• Jugo de 2 rodajas de piña	• I filete de pescado al horno y I patata pequeña hervida
• I yogur descremado	**Almuerzo**		• 2 rodajas de piña
	• Panaché de verduras		
	• 2 rodajas de piña		

DIETA DEL PLÁTANO

Esta dieta es ideal para deportistas ya que el plátano aporta potasio y magnesio, minerales indispensables para disminuir los calambres.

FRECUENCIA

SE REALIZA DURANTE DOS DÍAS CONSECUTIVOS, NO MÁS DE DOS VECES POR MES.

Plátano
29/41/44/57
63/81/105/**284**
322/366/387

DÍAS I Y 2		
Desayuno	**Almuerzo**	**Cena**
• I infusión con azúcar	• I tazón de caldo de verduras	• Plátanos al horno o mezclados con leche
• I plátano	• 2 plátanos	• Una infusión

DIETA DE LA REMOLACHA

La remolacha es buena fuente de fibra, estimula la actividad del aparato intestinal y previene el estreñimiento. Regula el colesterol y la glucosa en sangre. Antes de comenzar la dieta, prepare un jugo con 10 remolachas grandes peladas, 15 zanahorias peladas y 15 naranjas peladas.

FRECUENCIA

SE REALIZA DURANTE DOS DÍAS CONSECUTIVOS, UNA VEZ POR MES.

Remolacha
31/36/60/67/69
97/**292**/318/320
321/322/324/325
326/327/330/337
371/389

DÍA 1			
Desayuno	**Almuerzo**	**Merienda**	**Cena**
• 1 infusión sin azúcar y con leche en polvo • 1 rebanada de pan integral tostada	• 1 vaso de jugo de remolacha, zanahoria y naranja • 2 tazas de caldo de verduras con pollo hervido	• 1 yogur descremado	• 1 vaso del jugo de remolacha, zanahoria y naranja • 1 porción de ensalada de frutas
Media mañana •1 manzana			

DÍA 2			
Desayuno	**Almuerzo**	**Merienda**	**Cena**
• 1 porción pequeña de cereales sin azúcar con leche descremada	• 1 vaso de jugo de remolacha, zanahoria y naranja • 1 pechuga de pollo grillada con ensalada de tomates	• 1 yogur descremado	• 1 vaso del jugo de remolacha, zanahoria y naranja • 1 porción de puré de patatas

DIETA DE LA REMOLACHA Y LA ZANAHORIA

Esta dieta es ideal para cuidar la piel, el cabello y las uñas ya que los dos ingredientes principales son ricas fuentes de vitamina A.

FRECUENCIA

SE REALIZA DURANTE DOS DÍAS CONSECUTIVOS, UNA VEZ POR MES.

Remolacha	Zanahoria
31/36/60/67/69/97	26/32/36/37/42/44
292/318/320/321	46/50/54/57/61/67
322/324/325/326	81/85/92/93/94/95
327/330/337/370/389	98/99/100/106/310
	316/318 a 330
	338/377/378

DÍA 1

Desayuno
• 1 infusión sin azúcar y con leche en polvo
• 1 rebanada de pan integral tostada

Media mañana
• 1 manzana

Almuerzo
• 1 vaso de jugo de remolacha y zanahoria
• 1 filete de pescado a la plancha con ensalada de lechuga

Merienda
• 1 yogur descremado

Cena
• 1 vaso del jugo de remolacha y zanahoria
• 1 porción de puré de zanahoria

DÍA 2

Desayuno
• 1 porción pequeña de cereales sin azúcar con leche descremada

Media mañana
• 1 manzana

Almuerzo
• 1 vaso de jugo de remolacha y zanahoria
• 1 omelette hecho con 2 huevos

Merienda
• 1 yogur descremado

Cena
• 1 vaso del jugo de remolacha y zanahoria
• 1 porción de carne vacuna magra al horno con 2 remolachas asadas

DIETA DE LA SANDÍA

Esta dieta, además de adelgazante, es desintoxicante y energizante ya que el contenido en fibra de la sandía estimula el movimiento intestinal, con lo que evita el estreñimiento y equilibra las cantidades de colesterol malo o LDL y glucemia en sangre. También produce sensación de saciedad.

FRECUENCIA

SE REALIZA DURANTE DOS DÍAS CONSECUTIVOS, NO MÁS DE DOS VECES POR MES.

Sandía
31/49/59/67
296/323/373

DÍA 1			
Desayuno	**Almuerzo**	**Merienda**	**Cena**
• 1 infusión sin azúcar	• 1 vaso de jugo de sandía	• 1 rodaja de sandía	• 1 filete de pescado grillado con alcauciles rehogados
• 2 galletitas integrales	• 1 porción de carne vacuna magra grillada con brócoli al vapor		• 1 yogur descremado
• 1 yogur descremado			
• 1 rodaja de sandía	• 1 manzana		
Media mañana			
• 2 rodajas de sandía			

DÍA 2			
Desayuno	**Media mañana**	**Merienda**	**Cena**
• 1 infusión con leche descremada y sin azúcar	• 2 rodajas de sandía	• 2 rodajas de sandía	• 1 tazón de sopa de verduras
• 1 rebanada fina de pan integral tostado untada con queso descremado	**Almuerzo**		• 1 filete de pescado al horno con 1 patata hervida
	• 1 porción de pollo al horno y coliflor al vapor		• 1 yogur descremado
	• 2 rodajas de sandía		

DIETA DE LA SANDÍA (otra)

La combinación de vitaminas B, vitamina C y betacarotenos que aporta la sandía hace que esta dieta sea un aliado a la hora de luchar contra el estrés y el cansancio que provoca la vida moderna.

FRECUENCIA

SE REALIZA DURANTE DOS DÍAS CONSECUTIVOS, UNA VEZ POR MES.

Sandía
31/49/59/67/**296**
323/372

DÍA 1			
Desayuno	**Media mañana**	**Merienda**	**Cena**
• 1 infusión sin azúcar con leche descremada	• 2 rodajas de sandía	• 1 vaso de jugo de sandía	• 1 tortilla de espárragos hecha con 2 huevos
• 1 tostada de pan integral untada con queso descremado	**Almuerzo**		• 1 manzana
	• 1 filete de pescado grillado y ensalada fresca		
	• 1 yogur descremado		

DÍA 2			
Desayuno	**Media mañana**	**Merienda**	**Cena**
• 1 infusión con leche descremada	• 1 yogur descremado	• 2 rodajas de sandía	• 1 filete de pescado al horno y puré de manzana
• 2 galletitas integrales	**Almuerzo**		• 1 melocotón
• 1 rodaja de sandía	• 1 panaché de verduras		
	• 2 rodajas de sandía		

DIETA DE LA SOJA

Por su contenido en isoflavonoides o fitoestrógenos, la soja es de gran ayuda para controlar los síntomas del climaterio, como los sofocos, los dolores articulares y musculares, la irritabilidad y el aumento de peso.

FRECUENCIA

SE REALIZA DURANTE DOS DÍAS CONSECUTIVOS, UNA VEZ POR MES.

Soja
19/22/33/36/49
61/77/85/86/88
100/**300**/375

DÍA 1			
Desayuno	**Almuerzo**	**Merienda**	**Cena**
• 1 infusión con leche descremada y sin azúcar • 2 rebanadas de pan integral untadas con queso descremado o mermelada dietética	• 1 milanesa de soja al horno con ensalada de tomates, berro y apio, aderezada con una cucharada de oliva y limón • 1 porción de gelatina dietética	• 1 infusión con leche descremada y sin azúcar • 2 rebanadas de pan integral untadas con queso descremado o mermelada dietética	• 1 porción de pollo grillado con puré de calabaza • 1 fruta de estación
Media mañana • 1 pomelo			

DÍA 2			
Desayuno	**Almuerzo**	**Merienda**	**Cena**
• 1 yogur descremado con cereales	• 1 plato de verduras al vapor • 1 porción pequeña de arroz integral con brotes de soja • 1 fruta de estación	• 1 infusión con leche descremada y sin azúcar • 2 rebanadas de pan integral untadas con queso descremado	• 1 filete de pescado al vapor con ensalada de hojas verdes • 1 porción de gelatina dietética
Media mañana • 1 porción pequeña de ensalada de frutas			

DIETA DE LA SOJA (otra)

Esta dieta es ideal para personas mayores ya que la soja beneficia la masa ósea y reduce las probabilidades de padecer fracturas osteoporóticas.

FRECUENCIA

SE REALIZA DURANTE DOS DÍAS CONSECUTIVOS, HASTA DOS VECES POR MES.

Soja
19/22/33/36/49
61/77/85/86/88
100/**300**/374

DÍA 1			
Desayuno	**Almuerzo**	**Merienda**	**Cena**
• 1 infusión sin azúcar	• 1 tazón de caldo de	• 1 vaso de licuado de	• 15 ravioles de
• Jugo de 1 naranja	verduras	melocotón y agua	verdura con salsa
• 2 galletas de soja	• 1 milanesa de soja al		de tomate natural
untadas con	horno y ensalada de		• 1 porción de
mermelada dietética	tomate, zanahoria y		ensalada de frutas
	queso descremado		
Media mañana			
• 1 fruta mediana			

DÍA 2			
Desayuno	**Almuerzo**	**Merienda**	**Cena**
• 1 taza de leche de	• 1 tortilla de	• 1 yogur descremado	• 1 plato de ensalada
soja o descremada	vegetales hecha con		de tomate, atún,
• 2 rebanadas finas de	1 huevo y una clara		cebolla, brotes de soja
pan integral tostado	• 1 porción de		y zanahoria
untadas con queso	gelatina dietética		• 1 fruta de estación
descremado o			
mermelada dietética			
Media mañana			
• 1 fruta mediana			

DIETA DEL POMELO

Debido a su gran aporte de vitamina A, el pomelo es un buen antioxidante. Esta vitamina también es positiva para la piel y la visión. Además, previene la enfermedad cardiovascular.

FRECUENCIA

SE REALIZA DURANTE DOS DÍAS CONSECUTIVOS, NO MÁS DE DOS VECES POR MES.

Pomelo
23/35/90/106/286
320/328/349
367/380

DÍAS 1 Y 2		
Desayuno	**Almuerzo**	**Cena**
• 1 infusión sin azúcar	• 1/2 pomelo, unos minutos antes de la comida	• 1/2 pomelo, unos minutos antes de la comida
• 1/2 pomelo	• 2 huevos duros y ensalada de tomate y pepino, aderezada con limón	• 1/2 planta de lechuga aderezada con limón
	• 1 tostada de pan integral	• 1 porción pequeña de carne vacuna magra o pollo grillada
	• 1 infusión	

DIETA DE LA UVA

La cura de la uva es una aliada de la salud debido al efecto antioxidante de la combinación de antocianos, taninos y flavonoides presentes en esta fruta. Estos inhiben el efecto nocivo de los radicales libres y, de esta manera, previenen el envejecimiento del organismo y el desarrollo de enfermedades crónicas o degenerativas.

FRECUENCIA

SE REALIZA DURANTE DOS DÍAS CONSECUTIVOS, NO MÁS DE DOS VECES POR MES.

Uva
42/52/59/63/304
324/382

DÍAS 1 Y 2			
Desayuno	**Almuerzo**	**Merienda**	**Cena**
• 1 infusión sin azúcar ni leche	• 1 taza de caldo de vegetales sin sal	• 1 yogur descremado	• 1 taza de caldo de vegetales sin sal
• 1 tostada de pan integral untada con queso descremado	• Uvas a gusto		• Uvas a gusto

DIETA DEL YOGUR Y LA MANZANA

Los enormes beneficios de los lácteos sumados a las propiedades astringentes y antinflamatorias de la manzana hacen de esta dieta un verdadero relajante del sistema digestivo.

FRECUENCIA

SE REALIZA DURANTE DOS DÍAS CONSECUTIVOS, NO MÁS DE DOS VECES POR MES.

Manzana
30/37/42/44/57
73/80/87/88/91
242/318/319/320
323/324/325/326
349/355/356/357
358/387

DÍAS 1 Y 2
• 1 yogur y 1 manzana mediana en cada una de las comidas

DIETA DE LA ZANAHORIA

Debido a sus aceites esenciales y a la presencia de pectina, la zanahoria tiene un gran poder astringente, de gran ayuda en casos de diarrea. También es una buena aliada a la hora de eliminar los parásitos.

FRECUENCIA

SE REALIZA DURANTE DOS DÍAS CONSECUTIVOS, NO MÁS DE DOS VECES POR MES.

Zanahoria
26/32/36/37/42/44
46/50/54/57/61/67
81/85/92/93/94/95
98/99/100/106/**310**
316/318 a 330
338/371/378

DÍA 1			
Desayuno	**Almuerzo**	**Merienda**	**Cena**
• 1 taza de leche descremada	• 1 porción pequeña de pasta tibia con atún y 2 zanahorias crudas	• Jugo de 2 zanahorias	• 1 plato de croquetas de patata y zanahoria
• 2 galletitas integrales			
Media mañana	• 2 kiwis		
• Jugo de 2 zanahorias			

DÍA 2			
Desayuno	**Almuerzo**	**Merienda**	**Cena**
• 1 taza de café cortado con leche descremada	• 1 porción pequeña de arroz integral con 2 zanahorias al vapor	• 2 zanahorias crudas	• 1 pechuga de pollo grillada y ensalada de zanahoria y lechuga
	• 1 manzana		
Media mañana			
• 1 yogur descremado			

DIETA DE LA ZANAHORIA (otra)

Por ser el alimento más rico en beta-carotenos, la zanahoria es muy beneficiosa para la visión, la piel, los tejidos y las defensas del organismo.

FRECUENCIA

SE REALIZA DURANTE DOS DÍAS CONSECUTIVOS, NO MÁS DE DOS VECES POR MES.

Zanahoria
26/32/36/37/42/44
46/50/54/57/61/67
81/85/92/93/94/95
98/99/100/106/310
316/318 a 330
338/371/377

DÍA 1			
Desayuno	**Almuerzo**	**Merienda**	**Cena**
• 1 taza de leche	• 1 porción pequeña de carne vacuna magra con 1 cebolla, 1 tomate y 1 zanahoria cocidos	• 1 vaso de licuado de manzana con leche descremada	• 1 plato de verduras al vapor (calabaza, zanahoria, berenjenas, puerros, etc.)
Media mañana			
• Jugo de 2 zanahorias	• 1 naranja		

DÍA 2			
Desayuno	**Almuerzo**	**Merienda**	**Cena**
• 1 taza de café cortado con leche descremada	• 1 porción pequeña de arroz integral con alcachofas	• Jugo de 2 zanahorias	• 1 filete de pescado al horno con zanahorias y 1 patata asada
• 2 galletitas integrales	• 2 kiwis		
Media mañana			
• Jugo de 2 zanahorias			

DIETA DE LA PIÑA Y EL TOMATE

Esta dieta es altamente recomendable para casos de celulitis. El poder desintoxicante de los citratos y los malatos, los ácidos presentes en el tomate, sumados a los efectos laxantes de la piña la convierten en una aliada a la hora de eliminar toxinas.

FRECUENCIA

SE REALIZA DURANTE DOS DÍAS CONSECUTIVOS, NO MÁS DE DOS VECES POR MES.

Piña
43/50/53/60/83
91/97/101/**278**
318/319/320/322
326/328/330/367
368/369/380/384

Tomate
22/73/102/**302**
326/328/336/383

DÍA 1		
Desayuno	**Almuerzo**	**Cena**
• Preparar un batido con 200 g de tomates triturados, el jugo de 1/2 limón y para condimentar, sal, pimienta y perejil picado	• 1 rebanada delgada de pan integral tostado • 1 ensalada hecha con 300 g de tomate, medio tallo de apio, 1 cucharada de perejil picado, 5 hojas de albahaca, jugo de 1/2 limón, 1 cucharada de aceite de oliva y sal • 3 rodajas de piña	• 1 rebanada delgada de pan integral tostado • 1 ensalada hecha con 200 g de tomate, 100 g de queso magro, 5 hojas de albahaca y perejil, condimentada con 1 cucharada de aceite de oliva, vinagre y sal • 1 rebanada de piña

DÍA 2		
Desayuno	**Almuerzo**	**Cena**
• Preparar un batido con 200 g de tomates triturados, jugo de 1/2 limón y para condimentar, sal, pimienta y perejil picado • 1 huevo duro • 1 rebanada delgada de pan integral tostado	• 1 rebanada fina de pan integral tostado • 1 ensalada hecha con 300 g de tomate, 1 huevo duro, 1 anchoa, sal y aceite de oliva • 4 rodajas de piña	• 200 g de tomates cortados en rodajas y grillados con tajadas de queso magro y hojas de albahaca • 1 rebanada fina de pan integral tostado • 3 rodajas de piña

DIETA DE LA PERA Y LA LECHUGA

Tanto la pera como la lechuga son ricas en fibra, razón por la cual esta dieta produce sensación de saciedad y es muy recomendable para las dietas adelgazantes. Además, tiene un suave efecto laxante. Facilita la digestión y tonifica el estómago.

FRECUENCIA

SE REALIZA DURANTE DOS DÍAS CONSECUTIVOS, NO MÁS DE DOS VECES POR MES.

Pera
42/56/73/81/91
270/323/324

Lechuga
17/21/22/36/63
67/73/74/**226**
318/322/325/32●
335/338/342/38?

DÍAS 1 Y 2			
Desayuno	**Almuerzo**	**Merienda**	**Cena**
• 1 infusión cortada con leche descremada • 1 pera	• 1 plato de ensalada de lechuga, berro, apio y 1/4 de aguacate • 1 pera	• 1 infusión cortada con leche descremada • 1 pera	• 1 plato de ensalada de lechuga, berro, apio y 1/4 de aguacate • 1 pera

DIETA DE LA PIÑA Y EL POMELO

Tanto la piña como el pomelo tienen propiedades diuréticas y depurativas. La combinación de ambos alimentos hacen que esta dieta sea muy efectiva para bajar de peso. Favorece la eliminación de toxinas y estimula las funciones renales, digestivas y hepáticas.

FRECUENCIA

SE REALIZA DURANTE DOS DÍAS CONSECUTIVOS, NO MÁS DE DOS VECES POR MES. SE PUEDE REPETIR DE UNA SEMANA A LA SIGUIENTE.

Piña
43/50/53/60/83
91/97/101/**278**
318/319/320/322
326/328/330/367
368/369/379/384

Pomelo
23/35/90/106
286/320/328
349/367/376

Deben evitar esta dieta las personas con diabetes e infecciones urinarias.

DÍA 1
• Únicamente se podrá ingerir pomelo y piña (fruta o jugo)

DÍA 2	
Desayuno y colaciones	**Almuerzo y cena**
• Piña o pomelo	• Carne o pescado magros y ensaladas frescas • Piña o pomelo

CURA TIBETANA DEL AJO

Ajo
16/19/20/28/36
50/52/55/60/67
70/81/87/90/97
102/107/108/122
319/320/328/329
335/336/338

Se trata de una receta milenaria para desintoxicar el cuerpo.

Se puede realizar una vez al año (la tradición indica que no hay que repetirla antes de los 5 años).

Este tipo de curas puede llegar a desencadenar pequeñas urticarias o reacciones cutáneas. Es la prueba de que el organismo está eliminando toxinas.

Pelar y triturar unos 70 dientes de ajo crudos y dejar reposar en un frasco de cristal con 1/2 litro de aguardiente o alcohol de 70° para uso interno. Cerrar herméticamente y guardar en el refrigerador durante diez días. Filtrar el líquido obtenido y dejar reposar dos días más en el refrigerador. Se bebe en gotas (puede ser con agua o con leche), antes de las comidas, de la siguiente manera:

Día	Desayuno (cantidad de gotas)	Almuerzo (cantidad de gotas)	Cena (cantidad de gotas)
1	1	2	3
2	4	5	6
3	7	8	9
4	10	11	12
5	13	14	15
6	16	17	18
7	17	16	15
8	14	13	12
9	11	10	9
10	8	7	6
11	5	4	3
12	2	1	25

Luego, tomar 25 gotas, tres veces por día, hasta terminar el frasco.

CURA DEL LIMÓN

Esta cura depura la sangre y ayuda a eliminar el ácido úrico.

Limón
9/10/14/18/50
52/55/59/64/7
75/**232**/321/32
325/328/337/33
344/345/353
354/367

Este tipo de curas puede llegar a desencadenar pequeñas urticarias o reacciones cutáneas. Es la prueba de que el organismo está eliminando toxinas. La base de esta cura es el jugo de limón puro, sin agua ni azúcar. Durante los diez primeros días, vaya aumentando de a uno la cantidad de limones exprimidos que toma (uno, dos, hasta llegar hasta diez). Y luego haga el recorrido inverso (nueve, ocho, hasta llegar a uno).

CURA DE LA UVA

Esta cura ayuda a eliminar toxinas, es diurética y aporta gran cantidad de potasio.

Uva
42/52/59/63/**30**
324/376

Este tipo de curas puede llegar a desencadenar pequeñas urticarias o reacciones cutáneas. Es la prueba de que el organismo está eliminando toxinas.
Repetir durante dos a tres días, una vez al mes.
Puede ingerir entre 1,5 y 3 kg de uvas por día, divididas en 5 comidas.

DIETA PARA HIPERTENSOS

Desintoxicar el organismo es una manera de devolverle vitalidad. Esta dieta puede ayudar a regular los mecanismos de autoprotección del cuerpo.

FRECUENCIA

Se realiza de manera permanente, bajo supervisión médica.

• Evitar los lácteos, los dulces y el exceso de sal.
• Consumir dos porciones diarias de sopas de vegetales (especialmente nabo, cebolla calabaza, zanahoria, apio).
• Priorizar las comidas a base de cereales integrales combinadas con verduras.
• No utilizar aceite crudo.
• Consumir frutas en cantidad moderada.

DIETA DE LOS CÍTRICOS

Las grandes concentraciones de vitamina C de los cítricos hacen que esta dieta sea un verdadero remedio contra la celulitis. Conviene combinar esta dieta con tratamientos estéticos para combatir la "piel de naranja" en forma definitiva.

FRECUENCIA

SE REALIZA DURANTE TRES DÍAS CONSECUTIVOS, NO MÁS DE DOS VECES POR MES.

DÍA 1
• Únicamente jugo de frutas, especialmente de cítricos

DÍA 2		
Desayuno	**Almuerzo**	**Cena**
• Jugo de 1 naranja	• 1 plato pequeño de verduras crudas o cocidas combinado con una porción pequeña de legumbres	• 1 ensalada cruda pequeña
• 2 galletitas integrales untadas con queso blanco magro		• Verduras cocidas con carne o pescado magro o 1 patata hervida
		• 1 pomelo o naranja

DIETA DEL TOMATE

Esta dieta es altamente diurética pero, además, como esta fruta aporta muy pocas calorías, es muy recomendable para bajar de peso.

FRECUENCIA

SE REALIZA DURANTE DOS DÍAS CONSECUTIVOS, NO MÁS DE DOS VECES POR MES.

Tomate
22/73/102/**302**
326/328/336/379

DÍAS 1 Y 2			
Desayuno	**Almuerzo**	**Merienda**	**Cena**
• 1 vaso de jugo de tomates	• 1 ensalada de tomates frescos, apio y brotes de soja	• Jugo de 1 tomate y 1 zanahoria	• 1 ensalada de tomates frescos, apio y brotes de soja
• 2 tomates hervidos			• Antes de acostarse, 1 vaso de jugo de tomates

DIETA DE LAS HOJAS VERDES Y LA PIÑA

Entre las enzimas que aporta la piña se encuentra la bromelina, de gran poder antiinflamatorio. Reduce los dolores de procesos inflamatorios, como la artritis o el síndrome premenstrual, razón por la cual esta dieta ayuda a disminuir los dolores menstruales.

FRECUENCIA

SE REALIZA DURANTE DOS DÍAS CONSECUTIVOS, NO MÁS DE DOS VECES POR MES.

Piña
43/50/53/60/83
91/97/101/278
318/319/320/32
326/328/330/36
368/369/379/38

DÍA I			
Desayuno	**Almuerzo**	**Merienda**	**Cena**
• I infusión	• I tazón de caldo de	• I infusión	• I tazón de caldo de
• I rebanada delgada	verduras	de hierbas	verduras sin sal
de pan integral	• I ensalada de	• I rebanada delgada	• I ensalada de
tostado untada con	vegetales de hojas	de pan integral tosta-	vegetales de hojas
queso descremado	verdes	da untada con queso	verdes
	• I filete de pescado	descremado	• I porción de arroz
Media mañana	al vapor	o mermelada dietética	integral
• I yogur descremado	• 2 rodajas de piña		• 2 rodajas de piña

DÍA 2			
Desayuno	**Media mañana**	**Almuerzo**	**Cena**
• I infusión	• I yogur descremado	• I tazón de caldo de	• I tazón de caldo
• I rebanada delgada		verduras	de verduras sin sal
de pan integral tosta-		• I ensalada de vege-	• I ensalada de
do untada con queso		tales de hojas verdes	vegetales de hojas
descremado		• I porción de pollo	verdes
		grillado	• I huevo duro
		• 2 rodajas de piña	• 2 rodajas de piña

DIETA DE LOS VEGETALES VERDES

n su composición, las verduras verdes poseen levadas cantidades de agua y, a su vez, una importante cantidad de nutrientes: vitaminas, minerales y fibra. Por lo tanto, esta combinación es muy recomendada como dieta adelgazante.

s importante respetar el horario de las comidas e ingerir la cantidad adecuada de carbohidratos.

tilizar hierbas como cilantro o verduras como el pimiento para realzar el sabor de us comidas. Comer ensaladas con verduras frescas. En lo posible, utilizar una base de chuga y pepinos, combinados con diferentes verduras verdes. Entre ellas: espárragos, días verdes, berro, puerros, col, espinacas y acelga.

DIETA ANTICOLESTEROL

l aporte de ácido ascórbico, pectina y lecitina yuda a disminuir el nivel de LDL o colesterol nalo en la sangre.
sta dieta no es recomendable para personas on tensión baja.

DÍAS 1 Y 2

• Alimentos permitidos: vegetales, arroz integral y frutas (cítricas, manzanas y fresas).

• Combine estos tres grupos de alimentos durante dos a tres días. Puede utilizar hierbas aromáticas para saborizar el arroz.

DIETA ANTIESTRÉS

La combinación de las verduras y frutas incluídas en esta dieta brinda un gran aporte de diversas vitaminas y minerales. Evite los estimulantes como el tabaco, el alcohol y el café y dormirá como un bebé mientras la lleva a cabo.

FRECUENCIA

SE REALIZA DURANTE DOS DÍAS CONSECUTIVOS, NO MÁS DE TRES VECES POR MES.

DÍA 1			
Desayuno	**Almuerzo**	**Merienda**	**Cena**
• 1 vaso de jugo de naranja • 1 yogur descremado • 2 galletitas untadas con queso blanco o mermelada • 1 infusión	• 1 ensalada de hojas verdes • 1 porción de pescado o pollo (puede ser grillado, al horno o con una salsa suave) • 1 fruta de estación o 1 porción de ensalada de frutas • 1 infusión de tilo, menta, manzanilla o boldo	• 1 yogur descremado	• 1 plato de verduras (calabaza, zanahoria, brócoli, ajo y cebolla) con arroz integral • 1 porción de pescado o pollo grillado • 1 fruta de estación o 1 porción de ensalada de frutas • 1 infusión de tilo, menta, manzanilla o boldo

DÍA 2			
Desayuno	**Almuerzo**	**Colación**	**Cena**
• 1 vaso de jugo de uvas (peladas y sin pepitas) • 1 kiwi • 2 galletitas untadas con queso blanco o mermelada bajas calorías • 1 infusión cortada con leche descremada	• 1 ensalada verde pequeña (puede incluir un poco de aguacate) y arroz integral con atún • 1 porción de ensalada de frutas o 1 fruta de estación	• 1 yogur descremado	• 1 plato de verduras hervidas (brócoli, espárragos y col) • 1 filete de pescado al horno con pimientos • 1 ensalada de frutas o fruta fresca • 1 infusión de tilo, menta, manzanilla o boldo

DIETA PARA EL COLON IRRITABLE

La presencia del plátano, la lechuga, las almendras y la manzana asada, hacen de esta dieta un aliado a la hora de combatir el colon irritable.

Un consejo: Es mejor comer menos y hacer comidas más frecuentes.

FRECUENCIA

SE REALIZA DURANTE DOS DÍAS CONSECUTIVOS, NO MÁS DE DOS VECES POR MES.

Manzana
30/37/42/44/57/73/80
87/88/91/**242**/318
319/320/323/324
325/326/349/355
356/357/358/377

Lechuga
17/21/22/36/63/67
73/74/**226**/318
322/325/326
335/338/342/380

Almendra
21/45/48/85/90/**130**
322/332/338/388

Plátano
29/41/44/57/63/81
105/**284**/322/366/369

DÍA 1			
Desayuno	**Almuerzo**	**Merienda**	**Cena**
• 1 vaso pequeño de leche de almendras • 1 rebanada de pan integral untado con mantequilla vegetal	• 1 tazón de caldo de vegetales • 1 porción de carne vacuna magra al horno • 1 ensalada de lechuga y tomate • 1 pera	• 1 vaso de jugo natural de frutas	• 1 tazón de caldo vegetal • 1 porción de arroz con vegetales que no resulten irritables • 1 manzana asada

DÍA 2			
Desayuno	**Almuerzo**	**Merienda**	**Cena**
• 1 infusión con azúcar • 1 rebanada de pan integral untada con mantequilla vegetal	• 1 tazón de caldo de vegetales • 1 porción de pollo o pescado al horno o grillado y patatas hervidas • 1 plátano pequeño	• 1 vaso de jugo natural de frutas	• 1 panaché de vegetales no irritables • 1 huevo duro • 1 manzana asada

DIETA ANTIESTREÑIMIENTO

El aporte de fibra que hace la calabaza regula el tránsito intestinal, lo que previene el estreñimiento y protege al organismo del cáncer de colon.

FRECUENCIA

<small>SE REALIZA DURANTE DOS DÍAS CONSECUTIVOS, NO MÁS DE DOS VECES POR MES.</small>

Calabaza
20/32/37/44/60
63/85/88/90/95
99/152/328/336
337/389

DÍA 1			
Desayuno	**Almuerzo**	**Merienda**	**Cena**
• 1 infusión con media taza de leche • 1 rebanada delgada de pan integral untada con mermelada de ciruela	• 1 tazón de sopa de vegetales (con calabaza, acelga y las verduras que le gusten) • 1 porción de carne vacuna magra grillada con ensalada fresca • 15 uvas	• 1 infusión con media taza de leche • 1 rebanada delgada de pan integral untada con mermelada bajas calorías	• 1 filete de pescado con puré de calabaza • 1 tajada de melón

DÍA 2			
Desayuno	**Almuerzo**	**Merienda**	**Cena**
• 1 infusión con media taza de leche • 1 rebanada delgada de pan integral untada con mermelada de ciruela	• 1 porción pequeña de acelga salteada • 1 porción de carne vacuna magra grillada con ensalada fresca • 1 porción de compota de ciruelas	• 1 infusión con media taza de leche • 1 rebanada delgada de pan integral untada con mermelada de ciruela	• Croquetas de espinaca (no utilizar más de dos huevos) • 1 yogur descremado

DIETA ANTIESTREÑIMIENTO (otra)

La combinación de calabaza, ciruela, remolacha, espárragos y espinaca convierten esta dieta en una excelente herramienta para luchar contra la constipación.

FRECUENCIA

SE REALIZA DURANTE DOS DÍAS CONSECUTIVOS, NO MÁS DE DOS VECES POR MES.

Ciruela
37/48/59
63/94/**174**

Calabaza
20/32/37/44/60/63/85/88/90
95/99/**152**/328/336/337/388

Remolacha
31/36/60/67/69
97/**292**/318/320
321/322/324/325
326/327/330/337
370/371

Espárrago
15/54/98/**194**
345/352

Espinaca
15/24/36/37/53
106/**196**/318/320
321/324/325/326
327/328/330/338
340/392

DÍA I			
Desayuno	**Almuerzo**	**Merienda**	**Cena**
• I infusión con media taza de leche • I rebanada delgada de pan integral untada con mermelada de ciruela	• I tazón de sopa de vegetales • I filete de pescado grillado con ensalada de remolacha	• I infusión con media taza de leche • I rebanada delgada de pan integral untada con mermelada de ciruela	• I porción de puré de calabaza • I tortilla de espinaca hecha con dos huevos • I porción de ensalada de frutas

DÍA 2			
Desayuno	**Almuerzo**	**Merienda**	**Cena**
• I infusión con media taza de leche • I rebanada delgada de pan integral untada con mermelada de ciruela	• I porción de calabaza hervida • I filete de pescado grillado o al horno con ensalada fresca • I fruta pequeña	• I infusión con media taza de leche • I rebanada delgada de pan integral untada con mermelada de ciruela	• I tortilla de espárragos • 2 huevos pocheados • I yogur descremado

DIETA HEPATOPROTECTORA

Cuando hay que proteger al hígado es importante no consumir verduras ni frutas crudas. Esta dieta depura el organismo y lo alivia de las exigencias de la vida diaria.

FRECUENCIA

SE REALIZA DURANTE TRES DÍAS CONSECUTIVOS, NO MÁS DE DOS VECES POR MES.

DÍA I
• Líquido en abundancia y puré de frutas cocidas y tamizadas.

DÍAS 2 Y 3			
• Seis comidas diarias, para las que deberá elegir entre los siguientes alimentos:	• Leche o yogur descremado • Pollo o pescado (magros y hervidos) • Verduras: calabaza, zanahoria, remolacha,	zapallito italiano y patata (siempre hervidos, pelados y sin semillas) • Arroz blanco o harina de maíz o	fideos de sémola • Dulce de membrillo o boniato o mermeladas • Infusiones: té común o té de hierbas

DIETA DEPURATIVA

Limpiar el organismo es una manera de prepararlo para tener más energía y resistencia. Realice esta dieta una vez al mes durante dos días y recuperará fuerzas y claridad mental.

FRECUENCIA

SE REALIZA DURANTE DOS DÍAS CONSECUTIVOS, UNA VEZ POR MES.

DÍAS I Y 2			
Desayuno	**Almuerzo**	**Merienda**	**Cena**
• I infusión (salvia, milenrama y menta) o un vaso de jugo de piña o un vaso de jugo de limón con agua • I rodaja de pan integral untada con mermelada o una fruta madura	• I plato de verduras (la mitad de la porción debe ser de verduras crudas) • I manzana, I pera o un puñado de frutos secos	• 3 galletas integrales o I fruta • I infusión relajante o digestiva	• I plato de sopa depurativa (apio, alcachofa, nabo, puerro, zanahoria) • I plato de verduras gratinadas •I fruta de estación • I infusión

DIETA LAXANTE

Además de estimular el movimiento intestinal y evitar el estreñimiento, las judías verdes ayudan a reducir los niveles de colesterol en sangre y previenen las enfermedades cardiovasculares.

FRECUENCIA

SE REALIZA DURANTE DOS DÍAS CONSECUTIVOS, UNA VEZ POR MES.

Judía verde
36/37/48/50/51
94/**220**/325
326/333

DÍA 1			
Desayuno	**Almuerzo**	**Merienda**	**Cena**
• 1 infusión con media taza de leche	• 1 porción de carne vacuna magra grillada con guarnición de espárragos y judías verdes	• 1 infusión con media taza de leche	• 1 tazón de consomé de vegetales
• 2 rebanadas delgadas de pan integral untadas con mermelada de ciruela	• 1 manzana	• 2 rebanadas delgadas de pan integral untadas con mermelada de ciruela	• 1 ensalada hecha con 2 huevos duros, zanahorias, olivas y vegetales verdes cocidos
			• 1 yogur descremado

DÍA 2			
Desayuno	**Almuerzo**	**Merienda**	**Cena**
• 1 infusión con media taza de leche	• 1 porción pequeña de lentejas	• 1 infusión con media taza de leche	• 1 porción de pollo asado o hervido con guarnición de verduras
• 2 rebanadas delgadas de pan integral untadas con mermelada de ciruela	• 1 tortilla española hecha con dos huevos	• 2 rebanadas delgadas de pan integral untadas con mermelada de ciruela	• 1 manzana asada
	• 1 porción pequeña de frutos secos		

DIETA LAXANTE (otra)

Además de generar una importante sensación de saciedad, la espinaca posee una poderosa acción antioxidante que rejuvenece el organismo.

FRECUENCIA

SE REALIZA DURANTE DOS DÍAS CONSECUTIVOS, UNA VEZ POR MES.

Espinaca
15/24/36/37/53
106/**196**/318/320
321/324/325/326
327/328/330
338/340/389

DÍA 1			
Desayuno	**Almuerzo**	**Merienda**	**Cena**
• 1 infusión con media taza de leche • 2 rebanadas delgadas de pan integral untadas con mermelada de ciruela	• 1 panaché de verduras • 1 filete de pescado al horno con ensalada fresca • 1 manzana asada	• 1 infusión con media taza de leche • 2 rebanadas delgadas de pan integral untadas con mermelada de ciruela	• 1 plato de ensalada de remolacha • 1 tortilla de espárragos hecha con dos huevos • 1 fruta pequeña
DÍA 2			
Desayuno	**Almuerzo**	**Merienda**	**Cena**
• 1 infusión con media taza de leche • 2 rebanadas delgadas de pan integral untadas con mermelada de ciruela	• 1 porción de calabaza hervida • 1 porción de carne vacuna magra con ensalada fresca • 1 porción de compota de ciruelas	• 1 infusión con media taza de leche • 2 rebanadas delgadas de pan integral untadas con mermelada de ciruela	• 1 plato de ensalada fresca • Croquetas de espinaca hechas con dos huevos • 1 fruta pequeña o un yogur descremado

DIETA MACROBIÓTICA

Esta dieta requiere mucha disciplina en quienes la ponen en práctica. Si su intención es hacerla a largo plazo consulte a un nutricionista para que no le falte en su ingesta ninguno de los requerimientos del organismo.

FRECUENCIA

SE REALIZA DURANTE DOS DÍAS CONSECUTIVOS, HASTA TRES VECES POR MES.

DÍA 1			
Desayuno	**Almuerzo**	**Merienda**	**Cena**
• 1 infusión	• 1 tazón de sopa de	• 1 infusión	• 1 panaché de
• 1 galleta de arroz	verduras	• 1 galleta de arroz	verduras
untada con	• 1 porción de arroz	untada con puré de	• 1 porción de
mermelada	integral con	sésamo	gelatina con cereales
	legumbres		
	• 1 manzana asada		

DÍA 2			
Desayuno	**Almuerzo**	**Merienda**	**Cena**
• 1 infusión	• 1 tazón de sopa de	• 1 infusión	• 1 plato de salteado
• 1 galleta de arroz	verduras	• 1 galleta de arroz	de vegetales con
untada con	• 1 porción de lentejas	untada con puré de	arroz integral
mermelada	• 1 porción de	sésamo	• 1 fruta de estación
	compota de frutas		

OTROS ALIADOS

CAPÍTULO 5

Hemos llegado al final de este libro, y en este capítulo le presentamos una serie de grandes aliados de la salud. Se trata de las semillas de sésamo, el aloe vera, la centella asiática, el ginseng, las semillas de lino, el té verde y la espirulina.

En cada uno de los casos encontrará una descripción breve pero precisa y una lista de usos y beneficios para la salud, ideal para saber cómo aprovechar al máximo las virtudes de cada uno de estos productos.

SEMILLAS DE SÉSAMO

(También conocidas como ajonjolí y alegría).

HISTORIA Y DESCRIPCIÓN

Su nombre científico es *Sesamum indicum* y estas semillas son originarias de la India. Se cree que la legendaria expresión de Alí Babá "ábrete sésamo" está relacionada con el chasquido brusco que producen estas semillas cuando se abren. Aunque en general son blanquecinas, hay países en los que se encuentran negras, amarillas, grisáceas y hasta rojizas. Si las tostamos, las molemos y las mezclamos con sal marina obtenemos el tradicional gomasio, un condimento para hortalizas y cereales muy apreciado por sus cualidades nutritivas.

■ La medicina china las utiliza para lubricar el corazón, el hígado, los riñones, el páncreas y los pulmones.

USO Y PROPIEDADES BENÉFICAS

Se consume su aceite, se pueden incorporar en diferentes panificados y también, en platos diversos, desde ensaladas frescas a pastas y arroces más elaborados.

- Por su importante aporte de calcio, las mujeres deberían incorporarlas a su dieta cotidiana, especialmente durante el embarazo, la lactancia y el climaterio.
- También contienen hierro, por lo que su ingesta se recomienda en cuadros de anemia ferropénica.
- Gracias al zinc ayudan a prevenir la infertilidad masculina.
- Disminuyen la rigidez en las articulaciones.
- Su alto contenido en fibra estimula la función intestinal y protege el órgano de diversas dolencias y afecciones.
- La lecitina actúa como regulador de los niveles de colesterol.
- La lecitina y los fotolípidos estimulan la rápida recuperación física y mental.

ALOE VERA

(También conocida como Sábila, Zábila, Atzavara vera, Aloe de Barbados, Acíbar, Azabara).

HISTORIA Y DESCRIPCIÓN

El aloe vera pertenece a la familia de las *Liliáceas*. Es una planta de hojas largas y anchas con forma de roseta, muy carnosas, de color verde grisáceo; y en verano dan una flor amarillenta. Tanto por sus propiedades medicinales como cosméticas, ya en el antiguo Egipto se aprovechaban sus propiedades, aunque los primeros en hacerlo fueron los chinos. Los monjes franciscanos la trasladaron a América, probablemente a la isla Barbados.

USO Y PROPIEDADES BENÉFICAS

No en vano esta planta es considerada milagrosa. Se administra en forma externa, en geles y cremas, y también en forma interna, a través de jarabes o jugos. Sin embargo, son muchos los que todavía prefieren recurrir al primitivo sistema de realizar un tajo en sentido transversal en una hoja de aloe y frotarla directamente sobre la piel.

- Es bactericida: elimina cualquier bacteria de la piel. Destruye las células muertas de las tres capas de la piel y disuelve las grasas que obstruyen los poros.
- Es antiséptica y cicatrizante: sus nutrientes regeneran las células de todas las capas de la piel. Se utiliza en caso de quemaduras, picaduras de insectos, heridas superficiales, erupciones, eccemas, acné juvenil. También para aliviar los síntomas de las enfermedades eruptivas.
- Es humectante: regula y mantiene hidratada cualquier tipo de piel. Ayuda a disminuir las arrugas y cerrar los poros.

PRECAUCIONES

- No se debe administrar por vía oral a embarazadas y niños.
- Tampoco a personas con cuadros de hemorroides sanguinolentas y a mujeres durante la menstruación.

Es antiinflamatoria: disminuye las molestias musculares y alivia el dolor de las articulaciones en casos de artritis y reumatismo.

Sus propiedades también se aplican al cabello. Le otorga suavidad y resistencia.

Se utiliza como filtro solar y también, para aliviar la piel expuesta al sol.

Recomendado en tratamientos de soriasis y para eliminar manchas en la piel.

Mejora las várices y la celulitis. Previene la aparición de estrías.

Contiene aloemicina y aloeuricina, beneficiosas en cuadros de úlceras gástricas y estomacales.

Es un laxante natural.

Algunos estudios aseguran que tiene la capacidad de reducir los niveles de azúcar en sangre en personas diabéticas.

Actúa como depurador del organismo y fortalece el sistema inmunológico. Revitaliza la médula ósea y estimula la producción de endorfinas.

Las gárgaras realizadas con su tintura o zumo diluido en agua, disminuyen los dolores en boca y garganta: aftas, encías, disfonías, amigdalitis, faringitis.

CENTELLA ASIÁTICA

(También conocida como Gota Kola, Antanan, Pegaga, Brahmi).

HISTORIA Y DESCRIPCIÓN

Esta planta herbácea anual pertenece a la familia de las *Apiaceae* y es originaria de Asia, por lo que se utiliza en la medicina ayurvédica y en la medicina tradicional china. Tiene hojas largas, verdes, reniformes con ápices redondeadas. Sus raíces son rizomatosas, de color crema, se encuentran cubiertas de pelos radiculares y crecen verticalmente. Entre sus propiedades, se destaca la capacidad de regular funcional y metabólicamente el tejido dérmico, propiedades beneficiosas en cuadros de celulitis.

USO Y PROPIEDADES BENÉFICAS

Además de ingerirla, se utiliza en forma externa para realizar tónicos y diversas cremas.

- En ensaladas, el jugo de sus hojas ayuda a regular la hipertensión arterial. Y actúa como tónico.
- En forma externa, se aplican como cataplasma y se utilizan para tratar llagas y úlceras en la piel, eccemas, eritemas, estrías, quemaduras e incluso dolencias como vulvovaginitis.
- Protege los vasos sanguíneos y por eso se recomienda en casos de insuficiencia venosa crónica, venas varicosas, hipertensión venosa y para prevenir problemas circulatorios en vuelos.
- Devuelve la elasticidad a los tejidos.
- Estimula la síntesis del colágeno y las proteínas.
- Es la base de los tratamientos para reducir la celulitis.
- Se utiliza como ansiolítico y anticonvulsionante por sus cualidades sedativas.
- Se cree que sus hojas confieren la propiedad de alargar la vida.

PRECAUCIONES

- Puede ocasionar trastornos digestivos.
- Utilizada en exceso, puede provocar sensación de quemazón en la piel.
- Durante el embarazo y el período de lactancia, consulte con su médico antes de consumirla.

GINSENG

HISTORIA Y DESCRIPCIÓN

Su nombre científico es *Panax Ginseng* y es la raíz de una planta herbácea oriunda del noroeste de la China. Su nombre en chino, Jin Chen, significa "la raíz del hombre", y esto se debe a la forma antropomorfa que presenta. Y *panáx* deriva del término griego Panakerira: nombre de la diosa que cura todos los males. Este túbérculo entre blanco y amarillento se recoge tras unos 6 años de cultivo y es rico en ginsenosides, vitaminas E, C y B, fósforo y hierro. Se destaca por sus propiedades revitalizantes y rejuvenecedoras: potencia la capacidad del organismo para tolerar las consecuencias negativas del estrés y la contaminación en general. Existen otras variedades, como el siberiano y el americano, pero no poseen los mismos principios activos.

USO Y PROPIEDADES BENÉFICAS

El americano y el coreano u oriental se consideran "originales", porque ambos derivan del Panax. Su extracto suele comercializarse en dietéticas y herboristerías, en diferentes presentaciones. Entre las propiedades del ginseng "original", podemos mencionar:

- Estimula la sensación general de vitalidad.
- Aumenta la resistencia al estrés y la capacidad física y psíquica para trabajar.
- Es positivo para la memoria.
- Restablece el equilibrio en general.
- Previene la aparición de úlceras de estómago, estimula la síntesis de proteínas e inhibe la agregación de las plaquetas.
- Incrementa la actividad del sistema inmunológico.
- Estimula la potencia sexual.

PRECAUCIONES

- Contiene fitoestrógenos, de acción similar a los estrógenos. Las mujeres deberían regular su consumo.
- Tiene un efecto vasoconstrictor, desaconsejado en casos de hipertensión arterial.
- Algunas presentaciones comerciales contienen alcohol etílico.
- No administrar a niños y embarazadas.
- En caso de estar tomando algún medicamento, consulte con su médico.

SEMILLAS DE LINO

(También conocidas como linaza).

HISTORIA Y DESCRIPCIÓN

Es una semilla/fruto que se obtiene de una hierba cuyo nombre científico es *Linux usitatissimum L.* y pertenece a la familia de las *Lináceas*. Son consideradas un alimento funcional porque poseen efectos benéficos agregados sobre diversas funciones del organismo y previenen distintas enfermedades. En su composición se destacan los aceites, ácidos grasos poliinsaturados Omega 3, además de las vitaminas E y B, y los minerales yodo, zinc, hierro, caroteno, magnesio, calcio, sulfuro, potasio, fósforo, manganeso, silicio, cobre, níquel, molibdeno, cromo y cobalto.

USO Y PROPIEDADES BENÉFICAS

Se utiliza su aceite y las semillas enteras o molidas se incorporan a diversas preparaciones, barras de cereal caseras, panes, galletas y diversos horneados. Pueden reemplazar la proporción de materia grasa en las recetas.

- Entre sus agentes anticancerosos aparecen los lignanos, que reducen la incidencia de cáncer de mama, colon y próstata.
- Ricas en fibra soluble e insoluble, estimulan el movimiento intestinal y previenen el estreñimiento.
- También regulan el colesterol y la glucosa en sangre y protegen el tracto digestivo.
- El cuerpo humano utiliza sus sustancias para elaborar eicosapentanoico, sustancia que disminuye la capacidad de adhesión de las plaquetas de la sangre y su tendencia a la coagulación.
- Beneficia la buena circulación sanguínea.
- Interviene en la transmisión de impulsos, por ejemplo, entre la retina y las células nerviosas.
- El aporte de Omega 3 genera un efecto positivo en casos de reuma, artritis y artrosis.

PRECAUCIONES

- Las personas con tendencia a sufrir obstrucciones intestinales deberían regular su consumo.
- Su ingesta no es recomendada para mujeres embarazadas y en período de lactancia.
- La presencia de mucílago puede afectar la absorción de ciertos medicamentos. Consulte con su médico.

TÉ VERDE

HISTORIA Y DESCRIPCIÓN

Detrás del agua, el té es la bebida más consumida en el mundo. El té verde proviene de la misma planta que el té negro o tradicional, la *Camellia sinensis*. En este caso, las hojas se dejan marchitar, para luego fermentar y secarse. En cambio en el verde las hojas son tratadas al vapor y luego se dejan secar, por lo que conserva mejor sus propiedades. Entre ellas se destaca la presencia de polifenoles (flavonoides, catecoles y taninos), sustancias de acción antioxidante que previenen el envejecimiento y diversas enfermedades.

USO Y PROPIEDADES BENÉFICAS

- Es un gran antioxidante que, entre otras cosas, inhibe la oxidación del LDL o colesterol malo y, en consecuencia, se le atribuye un efecto antitrombótico. Reduce el riesgo de padecer ataques cardíacos, diversos tipos de cáncer y enfermedades degenerativas.
- En forma externa, podría prevenir el cáncer de piel y protegerla de los daños provocados por las radiaciones solares.
- Sus taninos lo convierten en un buen astringente, positivo en cuadros de diarrea.
- Regula los niveles de azúcar en sangre.
- Ayuda a reducir la fatiga física y mental debido a su acción estimulante del sistema nervioso.
- Tiene un leve efecto broncodilatador.
- Su infusión se aplica en forma externa para aliviar la jaqueca.
- Aplicado en compresas, se utiliza para descongestionar los ojos hinchados.

PRECAUCIONES

- Contiene cafeína.
- Puede provocar insomnio y nerviosismo y en algunos casos, náuseas o vómitos.
- Posee un efecto diurético.
- En caso de estar tomando algún medicamento crónico consulte con su médico ya que la cafeína del té verde puede interferir con su efecto.
- No es recomendado para los niños.

ESPIRULINA

HISTORIA Y DESCRIPCIÓN

Su nombre científico es *Spirulina maxima* y es un alga pequeña de color verde azulado. Los aztecas y los mayas ya la utilizaban como alimento. En la actualidad, es un gran aliado en las
dietas para tratar la obesidad.

USO Y PROPIEDADES BENÉFICAS

■ Contiene una importante cantidad de mucílagos, que
actúan como laxante natural y además protegen las
mucosas del aparato digestivo. Se recomienda en
cuadros de úlceras y gastritis.

■ El mucílago y las proteínas que aportan a la dieta le
confieren un efecto saciante, beneficioso para aquellos que buscan bajar de peso.

■ Aporta minerales, vitaminas, aminoácidos y ácidos
grasos esenciales.

■ Es remineralizante y por lo tanto se recomienda su
ingesta en cuadros de anemia.

■ Por su acción antioxidante, estimula el sistema inmunológico y previene el desarrollo de diversos tipos de cáncer.

PRECAUCIONES

■ En cuadros de
hiperuricemia conviene
limitar su consumo.

ÍNDICE GENERAL

ÍNDICE ALFABÉTICO

Arrugas
18/268/398

Articulaciones (dolor de)
19/20/51/52/59/60/87/397/399

Artritis
12/19/20/59/84/86/87/114
119/128/170/174/193/200
224/232/242/269/278/320
321/384/399/402

Arveja
16/36/37/39/41/47/48/55/60
102/136/363

Asma
13/21/85/130/190/226/321

Ateroesclerosis
22/35/67

Avellana
19/28/47/85/138/338

**Bajo rendimiento
intelectual**
12/23/302

Berenjena
20/36/54/59/65/85/87/140/344
350/378

Berro
28/46/48/59/60/69/92/97/142
318/321/322/323/327/328
330/362/363/364/366/368
374/380/385

Boniato
54/60/97/144/390

Brócoli
16/37/48/58/60/81/97/146/180
188/337/357/359/373/386

Bruxismo
24

Cabello graso
25

Cabello seco
26

Cabeza (dolor de)
15/23/24/27/41/48/49/50/51/55/60
66/67/83/96/101/173/236/266/276
278/286/326

Cacahuete
10/36/47/48/94/148

Caída de cabello
28/69/123/128/138/142/164/170
235/264/322/371/399

Cajú
150

Calabaza
20/32/37/44/53/60/63/85/88/90/95
99/152/328/362/367/369/374/378
382/386/388/389/390/392

Calambre
29/35/79/106/267/284/322
365/369

Cálculos biliares
30/130/148/216/321

Cálculos renales
31/59/75/114/116/142/150/156
160/162/170/174/180/183/184
186/193/194/196/200/220/226
230/238/268/274/286/289/290
293/296/302/304/312/361/380

Caqui
48/154

Cardo
41/43/48/63/97/156/342

Caspa
32/93/98

Castaña
48/158

Cebolla
19/20/21/31/50/53/55/59
60/67/75/80/81/91/97/104
105/107/121/160/319/322
344/345/353/357/375/378
382/386

Celiaquía
33/234/308

Centella asiática
400

Cereza
31/95/162/341

Chabacano
37/44/94/95/102/164/351

Champignon
59/166/350/351/359/364

Chirimoya
90/168

Chirivía
20/52/74/78/170

Cicatrices
34/64/132/154/256

Cilantro
53/71/75/80/172/326/385

Circulación sanguínea
35/99/102/106/132/161/216
226/260/268/319/321/402

Ciruela
37/48/59/63/94/174/350/389
388/389/391/392

Ciruela pasa
51/77/176

Coco
22/35/178/333

Col blanca
25/36/50/51/80/325/326/329/335
336/337

Col de Bruselas
37/48/63/91/105/325

Col lombarda
22/29/31/60/67/80/358/361

Col verde
31/59/80/327

Colesterol alto
22/35/36/70/108/120/122/127/130
134/136/138/140/148/150/156
164/168/323/332/333/344/349
353/356/360/363/367/370/372
385/391/397/402/403

Coliflor
19/31/34/36/37/48/59/63/91/105
188/372

Constipación
37/116/324/389

Dátil
12/15/19/21/102/104/190/342

Dentición
38

Depresión
12/17/39/69/74/83/101/108
136/235

Dermatitis de pañal
14/40/46/95/268/310

Diabetes
12/30/41/70/75/84/86/103/130
139/176/204/210/234/244/258
269/284/288/304/306/325/340
366/380

Diarrea
13/42/57/63/76/90/101/198
230/242/270/304/310/325/332
377/403

Dispepsia(gases)
43/118/123/127/132/136/146/156
172/180/192/212/214/226/242
274/276/278/289/290/296/301
325/349/355/363/380

Divertículos
44

Duodenitis
45

Eccema o eczema
13/46/85/308/398/400

Endibia
31/43/67/85/192

Epilepsia
47/294

Espárrago
15/31/54/94/98/194/345/351
352/359/368/373/385/386/389
391/392

Espinaca
10/15/24/31/36/37/53/59/106
196/318/320/321/324/325/326
327/328/330/350/357/358/362
366/388/389/392

Espirulina
404

Estreñimiento
48/63/71/101/119/126/136/138
142/152/154/156/158/164/168
176/178/180/182/184/186/188
192/196/198/202/206/212/214
218/220/222/224/228/234/237
239/240/242/244/246/252/254
262/265/274/284/288/292/296
300/310/312/340/360/370/372
388/391/402

Estrés
10/11/17/18/21/24/32/42/48
49/59/65/67/73/74/75/79/83
91/100/202/235/296/326/337
340/373/401

Faringitis
50/124/142/224/278/399

Fatiga
15/17/23/29/32/39/47/49/51/77
83/136/222/326/403

Fiebre
11/30/38/42/50/52/55/60/65/76
89/90/96/170/173/344/345

Flatulencia
30/48/53/56/73/146/160/172/180
182/184/186/188/204/214/216
218224/278/288/290/326/340

Forúnculos
54/140/144

Frambuesa
37/63/198

Fresa
13/18/24/47/58/59/61/77/81/102
200/318/321/322/323/324/352
356/385

Garbanzo
36/47/48/49/105/202

Garganta (dolor de)
50/55/217/232/276/278/294
326/399

Gastritis
43/56/124/134/216/327/404

Gastroenteritis
57/242

Gingivitis (encías)
58/75/115/142/150/246/256/362/399

Ginseng
83/401

Gota
19/20/59/119/127/133/141/160
162/166/174/180/183/184/186
193/198/200/202/204/220/224
226/230/232/236/238/242/258
268/272/274/289/290/293/298
305/312/345/361

Granada
42/52/63/204

Gripe
29/60/80/81/208/327/341

Grosella
61/206

Guanábana
208/66/67/354

Guayaba
210/322

Hematoma
61

Hemorragia nasal
62/67

Hemorroides
63/130/156/268/292/327/341/398

Heridas
64/117/132/142/266/398

Herpes
65/140/276

**Hígado
(ataque de)**
66/116/121/126/190/216/259/301

Higo
81/107/212

Hinojo
43/53/80/214/326

Hipertensión
67/70/86/108/116/119/133
158/160/164/168/180/182
184/186/188/193/201/202
204/210/220/226/236/238
258/272/274/284/288/290
293/296/305/312/361
400/401

Hipo
68

Hipotiroidismo
12/69/94/108/142/182/184
186/188

Impotencia sexual
70/401

Inapetencia
33/48/52/56/71/114/124/156
172/216/224/233/262/289/290

Incontinencia urinaria
72/139

Indigestión
73/214/262/268/294/303/312
355/368/377

Insomnio
16/24/39/68/74/77/122/132
170/194/226/245/357/403
267/326

Jengibre
60/66/76/80/82/97/101/104/205
216/231/320/323/326/328/336
340/341/342/344/361

Judía
36/37/48/67/218

Judía verde
36/37/48/50/51/94/220/325/326
333/385/391

Kiwi
18/47/50/51/52/55/60/85/97/222
321/377/378/386

Laurel
9/53/78/80/224/340

Lechuga
10/17/21/22/36/53/63/67/72/73
74/226/318/322/326/342/350
351/352/357/359/360/368/371
376/377/380/385/387

Lenteja
27/36/47/48/51/59/228/391/393

Lima
31/42/230/318/319/340/344

Limón
9/10/14/15/18/48/50/52/55/57
59/64/71/75/76/121/123/127
155/157/168/196/205/232/321
324/325/328/344/345/350/353
354/367/369/374/376/379/382
390

Maíz
12/17/25/33/39/45/49/85/86
103/234/342/390

Mal aliento
58/75/124/172

Mamón
27/67/236

Mandarina
37/51/59/238/367

Mango
85/240/321/328/329/354

Manzana
30/37/38/42/44/48/57/73/80/87
88/91/242/318/319/320/323/324
325/349/350/355/356/357/358
363/364/365/370/371/372/373
377/378/387/390/391/392/393

Maracuyá
244

Mareo
15/22/41/76/82/286

Melocotón
37/44/54/58/93/95/246/341/356
358/359/360/361/373/375

Melón
10/54/58/59/93/95/102/248/356
357/358/361/388

Membrillo
48/57/63/250/325/390

Menopausia (climaterio)
77/88/98/128/176/201/294/300
341/374/397

Menstruación
(dolor menstrual)
78/101/294

Menstruación irregular
79/224/272/294

Mora
252/318/321/340

Mucosidad
(expectorante)
80/124/132/172/214/216/224
243/289

Músculos
(dolor de)
24/51/52/60/81/270/276

Nabo
63/102/254/319/327/330/382/390

Naranja
14/18/19/50/58/67/84/98/107
256/278/321/328/344/349
362/367/370/371/375/378
383/386

Náuseas
9/13/41/42/56/82/90/91/101
216/403

Nerviosismo
53/83/104

Neuralgia
84

Neurodermatitis
14/46/85/95/268/310

Níspero
67/258

Nuez
20/23/27/35/47/70/81/85
94/106/260

Obesidad
30/67/84/93/103/106/108/404

Oliva
262

Osteoartritis
19/20/86/87

Osteoporosis
88/128/158/280/284/288/366

Palpitaciones
15/16/89/345

Papaya
10/28/51/60/85/96/97/107/231
264/319/320/323/354/366

Parásitos
90/120/122/248/286/310/328/377

Patata
20/61/64/66/74/83/85/96/98/107
266/327/328/335/336/338/344
356/360/362/363/364/365/366
369/372/377/378/383/390

Pepino
9/20/31/35/41/48/55/59
63/67/79/85/93/96/98/268
321/322/324/325/327/329
330/350/351/359/368
376/385

Pera
42/56/73/81/91/270/323/324
380/387/390

Perejil
16/62/79/92/272/319/321/344
352/379

Pesadez estomacal
91

Picaduras
13/14/92/114/398

Piel grasa
10/93/164/174/190/192/235
246/248/264/268/286/310
324/351/371/376/378

Piel seca
94/118/152/164/190/192/235
246/248/264/266/268/286/310
324/371/376/378/398

Piel
(irritación de)
85/94/95/212/324

Pimiento
31/36/43/48/58/61/81/86/105
274/326/329/350/385

Pimiento de Cayena
27/55/65/81/105/276

Piña
43/50/53/60/83/91/97/101/278
318/319/320/323/326/328/330
368/369/379/380/384/390

Piñón
12/15/86/280

Pistacho
86/282

Plátano
29/41/44/47/48/57/63/81/105
284/322/366/369/387

Pomelo
23/35/48/90/106/286/320/323
329/374/376/380/383

Puerro
31/36/48/80/88/288/351/359
378/385/390

Quemaduras
14/28/96/117/140/265/266
268/308/398/400

Rábano
31/36/48/60/67/69/71/91
97/104/290/319/322
345/368

Remolacha
31/36/60/67/69/79/86/88/97
103/292/318/320/321/322
324/325/327/330/337/370
371/389/390/392

Resfrío
97/216

Rosácea
98

Sabañones
99

Salvia
43/50/77/78/79/93/294/390

Sandía
31/49/59/67/257/296/323
372/373

Semillas de lino
74/402

Semillas de sésamo
16/19/74/101/393/397

Sequedad vaginal
77/100

Seta
31/69/103/166/298

Síndrome premenstrual
27/101/278/338/384

**Sistema inmunológico
(deficiencia)**
50/55/65/102/116/123/136
152/164/182/190/226/230
236/252/264/268/290/329
366/399/401/404

Sobrepeso
20/103/144/162/168/176/178
260/306/308/354/355/374/380
383/404

Soja
19/21/22/33/36/47/49/61/77
85/86/88/100/300/353/374
375/383/

Té verde
403

Tomate
20/22/73/87/102/121/125
225/302/326/328/336/350
351/352/357/358/359/360
362/366/370/374/375/376
378/379/383/387

Tos
21/60/97/104/291

Úlcera
11/105/122/132/134/142/202
276/284/341/399/400/401/404

Uva
42/52/59/63/304/324/376/382
386/388

Uva pasa
15/19/72/94/306/349

Várices
106/132/138/286/399

Verruga
107/122

Yuca
9/13/33/46/87/308

Zanahoria
10/26/32/36/37/42/44/46/48/50
54/57/61/67/72/79/81/85/86/90
92/93/94/95/98/99/100/103/106
133/170/171/197/310/318/319
320/321/322/323/324/325/326
327/328/329/330/338/361/370
377/378/391

Zapallito italiano
31/44/312

Zumbido en los oídos
15/108